D1536931

Du même auteur :

- *Comment apprendre l'autodiscipline aux enfants* (3108).
- *Parents efficaces au quotidien* (3138).

Dr Thomas Gordon

PARENTS EFFICACES

Une autre écoute de l'enfant

Traduction : Jean Roy et Jacques Lalanne

Table des matières

1. **Les parents reçoivent des blâmes mais peu de formation** **19**

2. **Les parents sont des personnes et non des dieux** **33**
   Un schéma d'acceptation à l'usage des parents 35
   Les parents peuvent être inconstants et ils le sont inévitablement 40
   Les parents n'ont pas à présenter un « front commun » 40
   La fausse acceptation 41
   Pouvez-vous accepter l'enfant sans accepter son comportement ? 44
   Notre définition des parents vus comme de vraies personnes 46

3. **Comment écouter pour que vos enfants vous parlent : le langage de l'acceptation** **49**
   L'impact du langage de l'acceptation 50
   L'acceptation doit être démontrée 53
   La communication non verbale de l'acceptation ... 55
   La non-intervention peut démontrer l'acceptation 55
   L'écoute passive peut démontrer l'acceptation 57
   La communication verbale de l'acceptation 59
   Les douze réponses typiques 65
   Invitations et simples réceptions 67
   L'écoute active 69
   Quels avantages les parents auraient-ils à apprendre l'écoute active 76
   Les attitudes requises pour employer l'écoute active 79
   L'écoute active comporte un risque 80

4. **L'application de vos capacités d'écoute active** **81**
   Quand le problème appartient à l'enfant 82
   Comment les parents appliquent-ils concrètement l'écoute active ? 89
   Quand un parent décide-t-il d'employer l'écoute active ? 98
   Erreurs fréquentes dans l'emploi de l'écoute active 103

5 Comment écouter les enfants trop jeunes pour s'expliquer **115**
A quoi ressemblent les tout petits enfants ? 116
S'ajuster aux besoins et aux problèmes des tout jeunes enfants 117
Employer l'écoute active pour aider les petits enfants 119
Donner à l'enfant la chance de satisfaire ses besoins 120

6 Comment parler pour que vos enfants vous écoutent **123**
Quand le problème « appartient » au parent 125
Des façons inefficaces de confronter un enfant 127
Des façons efficaces de confronter un enfant 134

7. L'application du « Message-Je » **141**
Le « Message-Tu » déguisé 141
Ne pas insister sur l'aspect négatif 143
Ne pas attendre de grands résultats d'un message atténué 144
L'éruption volcanique 145
Les effets d'un « Message-Je » efficace 149
Emettre des « Messages-Je » non verbaux à de tout jeunes enfants 152
Trois problèmes relatifs aux « Messages-Je » 153

8. Changer un comportement inacceptable en changeant l'environnement **157**
Rendre l'environnement plus stimulant 158
Rendre l'environnement moins stimulant 159
Simplifier l'environnement 159
Limiter l'espace vital de l'enfant 159
Aménager un environnement fonctionnel en tenant compte de l'enfant 160
Remplacer une activité par une autre 161
Préparer l'enfant à des changements dans son environnement 161
Prévoir et planifier avec des enfants plus âgés 162

9. Les inévitables conflits entre parents et enfants : qui devrait gagner ? **167**
La nature du conflit 168
La lutte du pouvoir entre parent et enfant : qui perd et qui gagne ? 170
Les deux approches « gagnant ou perdant » 171
Pourquoi la première méthode est inefficace 174

Pourquoi la deuxième méthode est inefficace...... 177
Quelques problèmes additionnels concernant ces deux méthodes 179

10. Le pouvoir des parents : nécessité ou justification ? **183**
Qu'est-ce que l'autorité ?.......................... 184
Les limites du pouvoir des parents 188
Quelques problèmes plus profonds au sujet de l'autorité des parents 203

11. La méthode « sans perdant » pour résoudre les conflits **211**
Pourquoi la troisième méthode est efficace........ 218

12. Les craintes et les préoccupations des parents au sujet de la méthode « sans perdant » **233**
Simplement l'ancien conseil de famille sous un nouveau nom...................................... 234
La troisième méthode vue comme une faiblesse des parents 235
Un groupe ne peut pas prendre de décisions....... 239
La troisième méthode prend trop de temps 241
Les parents n'ont-ils pas raison de préférer la première méthode, puisqu'ils ont plus d'expérience ?.. 243
La troisième méthode peut-elle être appliquée aux jeunes enfants ?................................ 245
N'y a-t-il pas des situations où il faut employer la première méthode ? 246
Ne vais-je pas perdre le respect de mes enfants ? ... 249

13. L'application de la méthode « sans perdant » **253**
Par où commencer ?................................. 253
Les six étapes de la méthode sans perdant 254
La nécessité de l'écoute active et des « Messages-Je » 259
Le premier essai sans perdant 260
Des problèmes que les parents vont rencontrer 262
La Méthode sans perdant pour résoudre les conflits entre enfants 269
Les situations où les deux parents sont impliqués dans un conflit entre parents et enfants 273
« Pouvons-nous employer les trois méthodes ? »... 277
« Y a-t-il des cas où la méthode sans perdant ne fonctionne pas ? »................................ 279

14. Comment éviter d'être congédié par ses enfants **281**
Une question de valeurs 282
Une question de droits civiques 288
« Ne puis-je pas transmettre mes valeurs ? » 289
La technique des deux colonnes pour commencer à employer la méthode sans perdant 296

15. Les parents peuvent éviter les conflits en se transformant eux-mêmes **299**
Pouvez-vous mieux vous accepter 301
A qui appartiennent les enfants ? 302
Aimez-vous vraiment les enfants, ou seulement un type particulier d'enfant ? 304
Vos valeurs et vos croyances sont-elles les seules à êtres vraies ? 304
Votre relation avec votre conjoint demeure-t-elle primordiale ? 305
Les parents peuvent-ils changer leurs attitudes ? ... 307

16. Les autres parents de vos enfants **313**
Un credo pour mes relations avec les jeunes 321

Annexes **323**
1. L'écoute des sentiments (exercice) 323
2. Reconnaître des messages inefficaces (exercice) 327
3. Emettre des « Messages-Je » (exercice) 331
4. Usage de l'autorité parentale (un exercice d'auto-analyse) 333
5. Une liste des effets des façons typiques dont les parents répondent aux enfants 339
6. Lectures suggérées aux parents 345

Avant-propos de l'auteur

En mars 1975, un grand journal décrivait notre programme de formation et le qualifiait de « mouvement marquant ». Au premier abord, cette expression me parut exagérer l'impact de notre programme ; je suis en effet porté à ressentir de l'insatisfaction quand je pense que nous n'avons pas encore réussi à rejoindre tous les parents qui éprouvent des difficultés à remplir leur rôle et qui souhaitent qu'on les aide.

Cet article m'a néanmoins incité à faire une rétrospective de notre expérience. Je me suis mis à passer en revue le travail accompli au cours de la période de treize ans qui s'est écoulée depuis que j'ai réuni à mon bureau un premier groupe de dix-sept parents. J'ai porté une attention toute particulière à la période de cinq ans qui s'est écoulée depuis la première publication de ce livre en 1970.

Les dix-sept parents du groupe initial se sont multipliés et le nombre de ceux qui ont participé à notre programme de formation s'élève maintenant à un quart de million. D'un premier cours donné dans une seule ville, notre programme a essaimé dans des milliers de localités des cinquante États américains et ensuite dans plusieurs pays. Au cours de la première année, je me suis chargé personnellement d'animer toutes les rencontres. Maintenant, douze ans plus tard, plus de sept mille professionnels ont reçu une formation spéciale les habilitant à enseigner notre programme dans leur propre milieu ; de plus, on peut évaluer à mille cinq cents le nombre de nouveaux moniteurs formés chaque année.

A ses débuts, notre cours attirait principalement des parents qui voyaient déjà leurs relations avec leurs enfants se détériorer et leur causer des problèmes. Petit à petit notre image s'est transformée dans chaque foyer et les parents en sont venus à considérer notre programme comme une occasion d'apprendre des techniques qui les aideraient à **prévenir** *bien des problèmes. Mettant l'accent sur l'aspect* **positif** *de notre programme, un de nos moniteurs l'a déjà décrit comme une* **prévention avant les ennuis.** *Dans nos groupes actuels, il n'est pas rare de rencontrer une majorité de parents de très jeunes enfants incapables de faire face à une simple crise de larmes ou à des pleurnichements agaçants.*

Durant les premières années, la grande majorité des parents qui participaient à nos groupes faisaient partie de ce qu'il est convenu d'appeler la classe moyenne ; ces parents avaient assez bien réussi dans la vie, habitaient la banlieue et étaient déjà familiers avec les cours de formation pour adultes. Ces dernières années, des groupes de plus en plus nombreux s'organisent dans les secteurs défavorisés des grandes villes. Plusieurs agences gouvernementales ont fourni des subventions spéciales à des groupes de quartier dont la population ne jouit que d'un très faible revenu pour organiser des sessions de formation à l'intention des parents.

Notre programme a été offert par des agences sociales ou des organismes cherchant à aider des parents uniques, des parents recevant une aide sociale, des parents d'enfants ayant un dossier par suite de délinquance, des parents ayant un dossier pour négligence ou mauvais traitements envers leurs enfants, des parents d'enfants souffrant de déficience mentale, des parents dont les enfants ont été exclus des écoles, des parents vivant sur les bases des forces armées, des parents d'enfants narcomanes, des parents purgeant des peines de prison, des parents vivant dans les réserves indiennes, etc.

Quelle a été la contribution de ce livre dans le « mouvement marquant » qu'est devenu notre programme ? Pendant huit ans, nous avons travaillé avec des groupes de parents : nous n'avions pas alors de livre. A vrai dire, je me sentais très peu motivé. J'étais convaincu que beaucoup de parents ne tireraient pas d'avantages d'une simple lecture d'un livre s'ils ne s'inscrivaient pas en même temps à un groupe de formation où ils auraient la possibilité de pratiquer les nouveaux procédés, d'être formés et conseillés par un moniteur qualifié, en plus d'apprendre grâce à l'échange avec les autres participants de leur groupe. Finalement, mon éditeur, par son entêtement et sa persuasion, réussit à vaincre ma résistance à cette idée et je m'attelai sans beaucoup d'enthousiasme à la tâche ardue d'écrire un livre. Quand j'y pense après coup, ce ne fut pas une corvée car je pouvais puiser abondamment dans l'expérience vécue des parents qui mettaient déjà en pratique dans leurs foyers ce qu'ils avaient appris dans nos groupes de formation.

La vente de la première édition de ce livre connut un démarrage d'une lenteur décevante, mais le nombre d'exemplaires vendus doubla chaque année et après cinq ans, ce nombre atteignit les six cent mille sans compter les ventes faites par les clubs de livres. Ni mon éditeur ni moi-même n'avions évalué avec justesse qu'un aussi grand nombre de parents étaient à la recherche d'une aide concrète pour les assister dans l'éducation de leurs enfants. Cette diffusion a donc, après coup, démontré que les parents éprouvaient un vif besoin de procédés clairs et précis et de méthodes pratiques ; ils voulaient plus que les habituelles recommandations vagues et abstraites. Ils ne se contentaient plus qu'on leur dise : « Il faut respecter l'enfant dans sa personne », « soyez fermes mais justes », « comprenez vos jeunes », « dialoguez », « communiquez », « il faut donner à votre enfant beaucoup d'affection », « faites-le profiter de votre expérience et de vos conseils », « ne soyez ni trop sévères ni trop permissifs », et l'on pourrait continuer la liste.

Dans cet ordre d'idée, je trouve amusant de me rappeler à quel point je m'étais opposé à une suggestion de mon éditeur qui voulait écrire sur la jaquette de la première édition l'expression « ça fonctionne ». Je me souviens de lui avoir reproché de vouloir traiter notre méthode comme s'il s'agissait d'un nouveau détergent ou d'un dentifrice. Cependant, lors de mes nombreuses tournées de conférences à travers le pays, plusieurs couples sont venus me dire qu'ils avaient lu mon livre, et très souvent ils employaient pour me manifester leur appréciation ces mêmes mots : « ça fonctionne ».

Après avoir entendu répéter ce slogan un peu partout, j'en suis venu à la conclusion que ce livre présentait en fait aux parents des procédés concrets et des méthodes qu'ils pouvaient mettre directement en pratique dans leurs foyers et qu'un bon nombre d'entre eux réussissaient à le faire par eux-mêmes.

Une autre réaction m'a surpris encore davantage : beaucoup de lecteurs de mon livre m'ont dit : « Votre programme de formation, c'est vraiment tout un nouveau mode de vie. » Ces parents m'expliquaient comment ils avaient employé leurs nouvelles connaissances dans d'autres relations, que ce soit avec leur conjoint, leurs employés ou associés, leurs amis ou leurs voisins, même leurs parents ou leurs beaux-parents. Bon nombre de parents m'ont dit que j'avais fait une erreur en donnant à mon livre un titre qui semblait le réserver aux parents et qu'en réalité j'aurais dû l'adresser à tous. Si j'avais été aussi perspicace que ces lecteurs, c'est probablement ce que j'aurais fait. En effet, je me rends maintenant compte que **notre programme est basé sur un modèle de relations humaines applicables à toutes et à chacune des relations interpersonnelles et non pas exclusivement à la relation entre parents et enfants.**

Cette constatation m'a aussi aidé à comprendre une autre remarque que les parents nous font souvent : « Dans votre programme, vous traitez les enfants comme des personnes à part entière. »

Au fond, ce livre traite donc des ingrédients fondamentaux des relations humaines, même si son titre semble le réserver seulement aux parents.

Notre programme de formation auprès des groupes de parents et le livre qui en est résulté ont donné naissance à d'autres programmes, à d'autres livres et à d'autres activités connexes. Aussitôt que notre programme commença à se répandre, je reçus des demandes d'administrateurs scolaires qui voulaient en savoir davantage à ce sujet. Ils voulaient savoir s'ils pouvaient aussi appliquer cette approche à leurs relations avec les étudiants. Ils réclamaient des moniteurs pour donner cette formation à des groupes de professeurs.

Comme j'entretenais déjà l'ambition secrète d'inventer une manière d'opérer un profond changement de la personnalité et des habitudes des enseignants, je ne perdis pas de temps et j'acquiesçai à leur demande. J'avais enfin la chance de transformer des membres de cette profession dont certains m'avaient expulsé d'exactement vingt-trois cours durant les quatre années de mes études secondaires (je suis fier de ce record et je ne crois pas qu'il ait jamais été dépassé dans mon école de Springfield, en Illinois). Malgré cette ambition, dans les débuts, nos moniteurs ne connurent pas toujours le succès espéré auprès de ces groupes de professeurs ; je me décidai donc à préparer un nouvel ouvrage spécialement destiné aux enseignants.

Ce programme de formation a maintenant été donné dans des centaines, sinon des milliers d'écoles, tant privées que publiques. Certaines écoles ont incorporé la théorie et les méthodes de ce programme à leur philosophie globale, un peu comme un **mode de vie** *pour les enseignants, les étudiants, les administrateurs, les consultants et même les parents. Notre travail auprès des professeurs créa bientôt le besoin d'un programme de formation pour les directeurs d'écoles et d'un autre pour les conseillers pédagogiques.*

En 1975, paraissait notre second livre (1), destiné celui-là aux enseignants et devant servir de texte de base pour les cours que nous donnons à leur intention. Ce livre présente aux professeurs l'ensemble des techniques nécessaires à établir une communication plus efficace avec les étudiants et de nouvelles méthodes propres à créer une discipline sans se servir du pouvoir destructeur de l'autorité. Il contient aussi des méthodes pratiques pour établir des règlements en classe, pour animer des groupes de discussions, pour développer chez les jeunes l'estime d'eux-mêmes et le sens des responsabilités. J'éprouve personnellement une très grande satisfaction à voir le système scolaire accepter notre programme de formation, d'autant plus que, historiquement, ces institutions ont toujours offert une résistance considérable à tout changement important de leur système des relations humaines.

Pour compléter ma description du **mouvement** *déclenché par notre programme de formation pour les parents, mentionnons brièvement nos programmes de formation pour les ca-*

---

(1) La traduction française de ce volume est en préparation.

dres, les chefs de groupes et les administrateurs qui travaillent dans les entreprises, les industries, les hôpitaux ou les agences gouvernementales. Nous appuyant sur la même théorie générale de l'efficacité dans les relations humaines que nous retrouvons dans chacun de nos programmes, nous avons conçu un cours à l'intention de ceux qui occupent des postes de coordination. Ce cours met l'accent sur la relation entre dirigeants et subordonnés et sur les problèmes spécifiques à la situation de personnes qui travaillent ensemble et doivent coordonner leurs efforts pour atteindre des buts communs et accomplir des tâches de groupe.

Pour opérer efficacement dans un tel contexte, les participants doivent montrer des capacités de communication franche et honnête de part et d'autre, de créativité propre à résoudre les problèmes variés qui se présentent, de résolution constructive des conflits, d'élaboration de buts communs, de travail en équipes et de coopération. Il m'a fallu beaucoup de temps pour me rendre compte des grandes similitudes que présentent les relations entre parents et enfants et celles qui existent entre dirigeants et subordonnés. Je me rendis à l'évidence seulement après qu'un très grand nombre de pères qui participaient à nos groupes de formation pour parents nous eurent rapporté qu'ils employaient dans leur milieu de travail tous les procédés et méthodes qu'ils apprenaient dans leur groupe de parents.

Je ne peux m'empêcher de regarder vers l'avenir et me demander dans quelle direction ce **mouvement** *entraîne notre organisme et notre association.*

La direction que nous pouvons prendre dépend en grande partie de notre réseau de moniteurs, qui se compose de représentants de nombreux groupes professionnels. Ce réseau comprend surtout des psychologues, des travailleurs sociaux, des conseillers matrimoniaux, des professeurs, des principaux d'écoles, des conseillers pédagogiques, des agents de réhabilitation, des animateurs de groupes de jeunes. Un certain nombre de nos moniteurs travaillent en pratique privée mais la plupart sont employés par des agences, des institutions et des organismes qui dispensent toutes sortes de services aux jeunes et aux adultes. Comme ils ont reçu un entraînement de moniteur dans ce mouvement de la Formation à l'Efficacité Humaine et qu'ils occupent des postes de responsabilité dans leurs organismes respectifs, ces jeunes sont devenus des agents de changement et des facteurs d'influence à l'intérieur d'institutions qui jouent un rôle important au sein même de notre société, ces organismes auxquels les gens s'adressent pour protéger leur santé, ou améliorer leur développement personnel.

Notre philosophie fondamentale et les outils que nous avons originalement conçus pour les parents peuvent donc atteindre un nombre beaucoup plus grand de personnes et non seulement celles qui ont participé à nos programmes de formation ou lu nos livres.

En plus de cette diffusion indirecte de notre philosophie humaniste, un nouveau développement très stimulant s'annonce à l'horizon : en effet, notre équipe vient tout juste de compléter un programme de formation destiné à la jeunesse. En offrant un cours aux jeunes, nous rompons avec notre pratique qui a toujours été de donner une formation à la personne qui, dans une relation, possède le plus grand pouvoir ou la plus grande autorité, que ce soit le parent, l'enseignant ou le cadre.

Notre logique est de toute évidence la suivante : pour qu'une relation se transforme de façon significative, la personne qui détient le pouvoir doit changer. Celui qui a moins de pouvoir se trouve presque impuissant, bien qu'il ne le soit pas entièrement. Par exemple, un adolescent peut rarement réussir à faire changer un parent autoritaire qui emploie son pouvoir comme principal moyen de contrôler son fils.

Quelques-uns de nos moniteurs à l'esprit novateur ont fait des expériences de Formation à l'Efficacité Humaine avec des adolescents qui, à cause de leur comportement, avaient été placés sous la juridiction de la Cour juvénile. Les résultats de ces quelques expériences ont été étonnants et se sont révélés beaucoup plus positifs que la plupart d'entre nous ne l'avions présumé. Les jeunes avec qui nous avons travaillé ont grandement apprécié le fait d'apprendre des façons plus efficaces (et moins auto-destructives) de faire face à des adultes qui exercent leur pouvoir sur eux. Ils ont appris à mieux écouter leurs amis lorsque ceux-ci ont des problèmes et même leurs parents lorsque ceux-ci rencontrent des difficultés. Ils ont appris comment s'adresser franchement aux personnes dont le comportement les dérange ou les prive de leurs droits. Ils ont appris à résoudre des conflits sans employer la force, à trouver des solutions **sans perdant.**

Ces premières expériences nous ont incités à mettre en œuvre toutes nos capacités de travail pour concevoir et mettre au point un cours de formation pour les jeunes ; nous sommes déjà convaincus qu'on emploiera ce programme dans les cours juvéniles comme une alternative aux usages présentement en vigueur qui consistent à punir (incarcération ou probation) ou à relâcher (sentence suspendue). Ces deux façons d'agir, la plupart des gens concernés en conviennent, n'ont jamais donné de bons résultats et peuvent être considérées comme de tristes échecs.

Ce nouveau cours n'est pas seulement destiné aux adolescents ayant des démêlés avec la justice, car il se veut conçu pour toute la jeunesse. On pense le dispenser dans les écoles secondaires, dans les lycées et les collèges, dans les organismes consacrés à la jeunesse comme les clubs d'adolescents, les guides, les scouts, etc. Peut-être qu'en rendant accessibles aux jeunes les principes de relations humaines efficaces, saines et démocratiques, ils deviendront par la suite de meilleurs parents, de meilleurs professeurs et de meilleurs animateurs ou cadres. C'est là notre espoir.

Pasadena, Californie, mai 1975

Thomas Gordon

Préface

On m'a demandé à plusieurs reprises si je croyais que l'approche d'éducation sans perdant conviendrait aux parents des autres pays tout autant qu'à ceux des États-Unis. Sans pourtant en avoir la certitude totale, j'ai toujours répondu par l'affirmative : en effet, je croyais qu'on retrouvait chez les parents du monde entier plus de ressemblances que de différences.

Maintenant, l'expérience a affermi ma conviction puisque ce livre a été traduit en plusieurs langues et que les parents l'ont favorablement accueilli dans des pays tout aussi différents que le Mexique, l'Allemagne, la Suède, le Canada, la Nouvelle-Zélande, l'Australie, Israël, le Japon et plusieurs pays d'Amérique du Sud.

Comment expliquer cet accueil enthousiaste et étendu fait à l'approche **sans perdant** *? La Formation à l'Efficacité Humaine présente des procédés concrets propres à* **améliorer les relations des parents avec leurs enfants** *; et la plupart des* *parents désirent ardemment atteindre ce but, peu importe l'endroit où ils vivent et le bagage culturel qu'ils ont acquis. J'ai rarement rencontré un parent qui ne désirait pas établir une bonne relation avec ses enfants. Tous les parents, me semble-t-il, souhaitent éviter une rupture de communication. Tous les parents veulent prévenir les querelles et les hostilités et combler le fossé des générations dans leur famille. La plupart des parents veulent aimer leurs enfants et les apprécier tout comme ils désirent que leurs enfants les aiment et les apprécient.*

Les méthodes et les procédés de la Formation à l'Efficacité Humaine aident les parents à développer de façon plus efficace le genre de relations qu'ils veulent véritablement établir avec leurs enfants.

Ce livre et cette approche se situent donc largement au-delà des nombreuses différences que les parents présentent quant à leur religion, leur race ou leur nationalité.

Quand nous avons publié l'édition originale de cet ouvrage en 1970, mon éditeur et moi avions grandement sous-estimé l'immense besoin de nombreux parents qui recherchent des outils et des méthodes pratiques et applicables qui leur permettent à la fois d'établir des relations chaleureuses et d'élever des enfants responsables et coopérateurs. A ce jour, près de deux millions de parents ont pris connaissance de la philosophie et des procédés de la Formation à l'Efficacité Humaine, soit en lisant ce livre ou en participant à nos groupes de formation actuellement donnée dans de nombreux pays.

J'apprécie l'honneur qu'on me fait en me demandant d'écrire une préface particulière pour cette version française. Et j'espère que cet ouvrage aura un effet bénéfique valable et permettra d'épanouir les relations familiales dans tous les pays francophones.

Solana Beach, Californie
19 mai 1976

Thomas Gordon

1

Les parents reçoivent des blâmes mais peu de formation.

Nombreux sont ceux qui blâment les parents pour les problèmes des jeunes et pour ceux que ces derniers semblent causer à la société. Après avoir étudié les effarantes statistiques sur le nombre toujours croissant d'enfants et de jeunes gens qui ont des problèmes émotionnels, qui deviennent des adeptes de la drogue ou vont jusqu'au suicide, bien des experts en santé mentale concluent : c'est la faute des parents. Les chefs politiques et les officiers de police blâment les parents d'avoir produit une génération d'ingrats, de rebelles, de protestataires, de hippies, de manifestants pour la paix, d'antimilitaristes. Si l'enfant ne réussit pas ses études ou s'il abandonne l'école, les professeurs et les administrateurs auront tôt fait de dire que c'est la faute des parents.

D'un autre côté, qui cherche à aider les parents ? Fait-on des efforts pour permettre aux parents de réussir l'éducation de leurs enfants ? Où les parents peuvent-ils apprendre à découvrir leurs maladresses et le moyen pour eux d'y remédier ?

Les parents reçoivent des blâmes mais peu de formation.

Des millions de nouvelles mères et de nouveaux pères entreprennent chaque année une tâche qui se classe parmi les plus difficiles à accomplir : ils se chargent d'une petite personne totalement démunie, assument toutes les responsabilités de sa santé physique et morale et s'engagent à en faire un citoyen productif, coopératif et responsable. Existe-t-il une tâche plus difficile que celle-là ? Pourtant combien de parents y sont vraiment préparés ? A quel « programme de formation » les parents ont-ils accès ? Où peuvent-ils acquérir les connaissances et le savoir-faire pour être efficaces dans ce rôle ?

En 1962, à Pasadena, en Californie, j'ai fait un bien petit pas pour combler cette lacune dans mon milieu. D'abord j'ai préparé un cours à l'intention des parents qui avaient des problèmes avec leurs enfants et j'ai invité quelques parents à s'y inscrire. Quatorze ans plus tard, cette **« école des parents »** s'est répandue dans plusieurs pays ; ce programme est maintenant dispensé en plusieurs langues par plusieurs milliers de moniteurs consciencieux, ayant reçu une formation spéciale pour cet enseignement.

Plusieurs centaines de milliers de pères et de mères ont suivi ce cours et leur nombre double chaque année. Il ne s'agit plus d'un cours de formation à la seule intention des parents qui ont déjà des problèmes avec leurs enfants, car de plus en plus de parents qui ont de jeunes enfants ou de jeunes couples qui n'ont pas encore d'enfant sont attirés par ce genre de formation. Pour ces derniers, nos cours remplissent une fonction préventive : **la formation avant les ennuis.**

Par ce programme nous avons démontré qu'avec cette formation particulière beaucoup de parents peuvent accroître considérablement leur efficacité dans leur rôle d'éducateurs. Ils peuvent développer certaines capacités spécifiques qui permettent de maintenir ouverts les réseaux de communication entre parents et enfants. Ils peuvent aussi faire l'apprentissage d'une nouvelle méthode de résolution de conflits entre parents et enfants : ce procédé provoque une consolidation plutôt qu'une détérioration de leurs relations.

Ce programme a convaincu ceux d'entre nous qui s'y sont intéressés qu'il est possible pour les parents et les enfants de développer des relations cordiales et très intimes basées sur une affection et un respect mutuels. Il nous a aussi convaincus qu'il n'est pas nécessaire qu'existe dans les familles ce qu'il est convenu d'appeler le **« fossé des générations ».**

Il y a seize ans, tout comme la plupart des parents et des professionnels, j'étais persuadé que l'adolescence traversait une période « terrible » mais inévitable, qu'il fallait y voir comme la conséquence du besoin naturel de l'enfant d'établir son autonomie. Je croyais que l'adolescence, comme plusieurs études tentaient de le démontrer, amenait invariablement la discorde et le stress au sein des familles. L'expérience de notre programme m'a donné tort. Maintes et maintes fois des parents qui ont fait l'expérience de nos méthodes nous ont rapporté, à notre grande surprise, une absence de rébellion et de bouleversement dans leurs familles.

Je suis maintenant certain que **les adolescents ne se rebellent pas contre leurs parents.** Ils se rebellent simplement contre certaines méthodes de discipline employées presque universellement par les parents. La dissension et les bouleversements dans les familles peuvent devenir l'exception et non la règle générale si les parents apprennent à employer une nouvelle méthode pour résoudre les conflits.

Notre programme a aussi apporté un nouvel éclairage sur la question des punitions dans l'éducation des enfants. Plusieurs parents avec qui nous avons travaillé nous ont prouvé qu'il est possible d'éliminer toutes formes de punitions, je dis bien **toutes formes de punitions,** et non seulement les châtiments physiques. Les parents peuvent élever des enfants responsables, coopératifs et qui ont un bon contrôle d'eux-mêmes sans avoir recours continuellement à l'arme de la peur. Ils peuvent apprendre comment amener les enfants à adopter un comportement qui tienne compte des besoins des parents, par respect de ces besoins plutôt que par peur d'une punition ou par crainte de se voir retirer une permission.

N'est-ce pas trop beau pour être vrai ? On pourrait le croire. J'avais cette impression avant de faire personnellement l'expérience de former des parents au contenu de notre programme. Comme la plupart des professionnels, j'avais moi aussi sous-estimé les parents. Les parents que j'ai côtoyés grâce à notre programme m'ont prouvé qu'ils étaient capables de changer si l'occasion leur en était donnée par une formation appropriée. J'ai maintenant une nouvelle confiance en la capacité qu'ont les parents d'acquérir de nouvelles connaissances et de maîtriser de nouvelles techniques. A quelques exceptions près, les parents que nous avons rencontrés étaient désireux de connaître un nouveau point de vue sur l'éducation des enfants, mais ils avaient tout d'abord besoin d'être convaincus de l'efficacité de la nouvelle méthode. Il faut en conclure que les parents d'aujourd'hui sont prêts au changement et notre programme a fait la preuve qu'ils peuvent changer.

Nous sommes également très fiers d'un autre résultat de notre programme de formation. Un de nos premiers objectifs a été de tenter d'enseigner aux parents quelques-unes des techniques employées par les consultants et les thérapeutes professionnels ayant reçu une formation spécialisée pour aider des enfants à surmonter des problèmes affectifs ou des difficultés d'adaptation. Il peut sembler étrange ou même prétentieux que nous ayons eu cette aspiration, mais les résultats ont prouvé que nous avions raison. Aussi déraisonnable que cela puisse paraître à certains parents (et à bon nombre de professionnels), nous savons maintenant que même les parents qui n'ont jamais suivi un cours de base en psychologie peuvent apprendre ces méthodes éprouvées et réussir à les employer efficacement pour aider leurs propres enfants.

Au cours du développement de notre programme, nous avons été forcés d'accepter une réalité qui nous a tout d'abord découragés, mais qui présente maintenant pour nous un défi intéressant : même aujourd'hui pour élever leurs enfants et régler les problèmes qui peuvent surgir en milieu familial, presque tous les parents ont recours aux mêmes méthodes qu'ont employées leurs parents, les parents de leurs parents et les parents de leurs grands-parents. A la différence de la plupart des autres institutions de notre civilisation, il semble que les relations entre parents et enfants soient demeurées inchangées. Les parents conservent encore des méthodes qui étaient en usage il y a deux mille ans !

Non pas que l'espèce humaine n'ait pas acquis de nouvelles connaissances sur les relations humaines : bien au contraire ! La psychologie, le développement de l'enfant, ainsi que d'autres sciences du comportement ont amassé une quantité impressionnante de nouvelles connaissances au sujet des enfants, des parents, des relations interpersonnelles, sur la façon d'aider le développement d'une autre personne ou de créer un climat psychologique sain. Nous avons beaucoup de connaissances sur l'efficacité des communications de personne à personne, sur les effets du pouvoir dans les relations humaines, sur les façons constructives de résoudre les conflits, et ainsi de suite. Malheureusement ceux qui ont découvert ces nouveaux faits et ces nouvelles méthodes n'ont pas été très efficaces lorsqu'il s'est agi d'en informer les parents. Nous communiquons avec nos collègues par le biais de livres et d'articles dans les revues professionnelles, mais nous n'avons pas développé des moyens équivalents de communication avec les parents à qui sont finalement destinées ces nouvelles méthodes.

Il est vrai que quelques professionnels* ont tenté d'atteindre les parents et de leur communiquer ces idées et ces méthodes nouvelles, en particulier le regretté Haim Ginott qui dans son livre **« Relations entre parent et enfant »** soulignait comment les parents pouvaient parler à leurs enfants de façon plus « thérapeutique » et ainsi éviter des dommages à leur amour-propre. Quoi qu'il en soit, parmi les parents que nous avons rencontrés dans nos groupes, ceux qui avaient lu ce livre ou d'autres traitant de sujets similaires n'ont pas démontré de façon évidente qu'à la suite de ces lectures ils aient modifié leur comportement, *en particulier l'usage des punitions et leur approche du règlement des conflits entre parents et enfants.*

Il se pourrait que ce livre se heurte aux mêmes limites, mais j'ai espoir que tel ne sera pas le cas, car il présente un ensemble de notions très complet sur ce qui est nécessaire pour établir et maintenir une *relation globale et authentique* avec un enfant, quelles que soient les circonstances.

Ce livre vise à apprendre aux parents non seulement des méthodes et des techniques, mais aussi la façon et le moment propice de les employer ainsi que les buts visés par ces procédés. Tout comme dans nos cours, les parents y trouveront un **système complet,** c'est-à-dire les principes aussi bien que les techniques. C'est un de mes principes de base : nous devons dire aux parents tout ce que nous savons sur la création de relations efficaces entre parent et enfant, en commençant par les notions élémentaires au sujet des relations entre deux personnes. On leur permettra de comprendre pourquoi ils utilisent

*Voir à la fin de ce volume une liste de livres présentés comme lectures supplémentaires suggérées.

nos méthodes, quand leur emploi est indiqué et quels en seront les résultats. Les parents auront ainsi la chance de devenir *eux-mêmes des experts* dans le traitement des problèmes qui surviennent inévitablement dans toute relation entre parent et enfant.

Dans ce livre, tout comme dans notre programme, les parents recevront **tout ce que nous savons** ; ils n'auront pas à rester sur leur appétit et à se contenter de miettes de connaissance. Un schéma d'ensemble d'une relation efficace entre parent et enfant sera décrit en détail et de nombreux exemples tirés de notre expérience serviront à l'illustrer. La plupart des parents trouvent notre programme révolutionnaire parce qu'il est radicalement différent de la tradition. Il faut dire qu'il s'applique aussi bien aux parents de jeunes enfants qu'à ceux d'adolescents, tant aux parents d'enfants « inadaptés » qu'à ceux d'enfants « normaux ».

Tout comme dans nos cours, notre programme sera décrit dans des termes connus de tout le monde, évitant ainsi le jargon technique. Au début, quelques parents se trouveront peut-être en désaccord avec certains concepts nouveaux, mais nous sommes assurés que ceux qui ne pourront pas les comprendre ne seront pas nombreux.

Comme les lecteurs n'auront probablement pas l'occasion d'exprimer leurs préoccupations directement à un moniteur, nous avons regroupé ici quelques questions et réponses qui peuvent être utiles comme entrée en matière :

Question : Est-ce qu'il s'agit là d'une autre approche non directive pour l'éducation des enfants ?

Réponse : Certainement pas. Car les parents permissifs tout aussi bien que les parents trop sévères ont souvent des problèmes avec leurs enfants qui sont devenus égoïstes, intraitables, récalcitrants et sans considération pour les besoins de leurs parents.

Question : Un des deux parents peut-il employer cette nouvelle approche efficacement si l'autre s'en tient à l'approche traditionnelle ?

Réponse : Oui et non. Si l'un des parents commence à employer cette nouvelle approche, il y aura certainement une amélioration dans les relations de ce parent avec ses enfants. Mais il pourrait arriver que la relation entre l'autre parent et les enfants se détériore. En conséquence, il est préférable que les deux parents apprennent les nouvelles méthodes. De plus, lorsque les deux parents tentent d'apprendre ensemble cette nouvelle approche, ils peuvent s'aider mutuellement.

Question : Cette nouvelle approche peut-elle occasionner une perte d'influence des parents sur leurs enfants ? Les parents vont-ils abdiquer leur responsabilité de guider leurs enfants et d'orienter leur vie ?

Réponse : Il se pourrait qu'en lisant les premiers chapitres, les parents aient cette impression. Un livre ne peut présenter un système qu'étape par étape. Les premiers chapitres traitent des façons dont on peut aider les enfants à trouver *leurs propres solutions* aux problèmes qu'*eux-mêmes rencontrent.* Dans ces situations, le rôle d'un parent efficace va sembler différent de celui auquel les parents sont habitués : une attitude beaucoup plus passive et *« non directive »* qu'à l'accoutumée. Les chapitres suivants traiteront toutefois de la méthode à employer pour modifier un comportement inacceptable chez un enfant et comment l'amener à prendre en considération les besoins de ses parents. Pour ces circonstances, des manières spécifiques d'être des parents plus responsables vous seront démontrées et vous permettront d'avoir encore plus d'influence que vous n'en avez maintenant. Il pourrait être intéressant de consulter la table des matières pour connaître le contenu des prochains chapitres.

Ce livre, tout comme notre programme de formation d'ailleurs, enseigne aux parents une méthode, facile d'accès, qui encourage les enfants à accepter la responsabilité de trouver les solutions de leurs problèmes, et démontre comment cette méthode peut s'appliquer sur-le-champ à la maison. Les parents qui apprennent cette méthode (que nous appelons **« l'écoute active »**) peuvent vivre une expérience que des participants à nos cours de formation ont décrite de la façon suivante :

« Quel soulagement de penser que je n'ai pas à toujours chercher une réponse aux problèmes de mes enfants ! »
« Vos cours m'ont permis de beaucoup mieux apprécier la capacité de mes enfants à résoudre leurs problèmes. »

« J'ai été étonnée de voir à quel point la méthode de l'écoute active pouvait être efficace. Mes enfants en arrivent à des solutions à leurs problèmes qui sont meilleures que celles que j'aurais pu leur trouver. »
« Je me rends maintenant compte que je me suis toujours senti mal à l'aise dans le rôle de Dieu-le-père, qui sait toujours tout ce que ses enfants doivent faire quand ils ont des problèmes. »

De nos jours, des milliers d'adolescents ont mis leurs parents à l'écart, et, selon leur point de vue, pour de fort bonnes raisons :

« Mes parents ne comprennent pas les jeunes de mon âge. »

« J'en ai assez de rentrer à la maison pour me faire sermonner tous les soirs. »

« Je ne dis jamais rien à mes parents ; je sais que si je le faisais, ils ne me comprendraient pas. »

« J'aimerais que mes parents cessent de me harceler. »

« Aussitôt que je le pourrai, je quitterai la maison ; j'en ai assez de me faire critiquer à propos de tout. »

Les parents de tels enfants sont ordinairement conscients d'avoir perdu leur emploi, comme le laissent entendre ces remarques faites au cours de rencontres expliquant notre programme :

« Je n'ai plus aucune influence sur mon fils de seize ans. »

« J'ai démissionné face à Suzanne. »

« Paul ne mange jamais avec nous, c'est à peine s'il nous parle. Il veut maintenant faire chambre à part dans le sous-sol. »

« Luc n'est jamais à la maison. Il ne nous dit jamais où il va ni ce qu'il fait. Si jamais je le lui demande, il me répond que ça ne me regarde pas. »

C'est pour moi une tragédie qu'une relation qui peut devenir une des plus intimes et des plus satisfaisantes dans l'existence cause souvent d'énormes difficultés. Pourquoi autant d'adolescents en viennent-ils à voir leurs parents comme des « ennemis » ? Pourquoi le fossé des générations est-il aussi large dans tant de foyers ? Pourquoi, dans notre société, les parents et les adolescents se comportent-ils souvent comme s'ils étaient littéralement en guerre les uns contre les autres ?

Le quatorzième chapitre traite de ces questions et il y est démontré pourquoi il n'est pas nécessaire que les enfants se rebellent et se révoltent contre leurs parents. *Notre méthode est révolutionnaire, oui, mais elle n'invite pas à la révolution.* C'est plutôt une méthode qui peut aider les parents à ne pas être congédiés, qui peut éviter des guerres dans les foyers et qui peut amener les parents et les enfants à se rapprocher, plutôt que de s'affronter dans des attitudes hostiles.

Les parents qui, à première vue, seraient portés à rejeter nos méthodes parce qu'ils les trouvent trop révolutionnaires pourraient trouver des motifs pour les étudier avec l'ouverture d'esprit nécessaire dans ces extraits d'un récit que nous ont soumis un père et une mère après avoir complété notre programme de formation :

> *« A seize ans, André était notre plus grand problème. Il nous était devenu étranger. Il se comportait comme un fou et était complètement irresponsable. Il n'avait jamais eu d'aussi basses notes à l'école. Il ne rentrait jamais d'une sortie à l'heure convenue, donnant comme excuses des futilités telles des crevaisons, une montre qui s'est arrêtée, une panne d'essence. Nous l'avons surveillé pour nous apercevoir qu'il nous mentait. Nous lui avons enlevé l'auto, nous lui avons retiré son permis de conduire. Nous avons diminué son allocation. Nos conversations étaient devenues une suite de récriminations qui n'amenaient aucun résultat. Un soir, à la suite d'une violente dispute, il se jeta sur le plancher de la cuisine et se mit à gesticuler et à hurler, criant qu'il allait devenir fou. C'est à ce moment que nous nous sommes inscrits aux groupes de parents du Dr Gordon. Le changement ne s'est pas opéré spontanément... Nous ne nous étions jamais sentis un groupe, une famille unie et partageant des liens d'un attachement profond et chaleureux. Nous n'y sommes parvenus qu'après de grands changements dans notre attitude et dans nos valeurs... Cette nouvelle idée d'être une personne distincte et solide, de vivre ses valeurs propres tout en évitant de les imposer aux autres mais en reconnaissant l'importance de l'exemple à donner, cette idée a été le point tournant. Nous avons eu*

alors une influence beaucoup plus grande... Notre fils s'est transformé ; de sa révolte et de ses sautes d'humeur, de ses échecs aux études, André est devenu une personne ouverte, amicale ; il est même parfois affectueux et il parle maintenant de ses parents comme de « deux de ses meilleurs amis »... Il a maintenant réintégré la famille... Mes relations avec lui dépassent ce que je n'avais jamais imaginé, remplies d'affection, de confiance et d'indépendance. Il a une forte motivation personnelle et, comme nous en avons autant, tous et chacun, nous pouvons vivre une vraie vie de famille et développer nos relations. »

Les parents qui apprennent à employer nos nouvelles méthodes et à communiquer ainsi leurs sentiments ont peu de chances de produire des enfants qui développeront des attitudes similaires à celle de ce garçon de seize ans, qui m'affirmait sérieusement, lors d'une consultation :

« Je ne fais jamais rien à la maison. Pourquoi devrais-je faire quoi que ce soit ? C'est d'ailleurs la responsabilité légale de mes parents de voir à ce que je ne manque de rien. Aussi longtemps que je serai mineur, ils devront me nourrir et m'habiller. Je n'ai pas la moindre obligation. Je n'ai d'ailleurs pas à leur plaire, à aucun point de vue. »

Lorsque j'ai entendu parler ce garçon et constaté aussi de toute évidence qu'il parlait franchement, je n'ai pas pu m'empêcher de penser : *« Quelle sorte de personnes produisons-nous si nous éduquons nos enfants en leur donnant l'impression que le monde leur doit tout, même s'ils n'apportent presque jamais leur contribution ? Quelle sorte de société formeront ces individus égoïstes ? »*

Presque sans exception, les parents peuvent être classés grossièrement en trois groupes, les **« gagnants »**, les **« perdants »** et ceux qui **« balancent »**. Les parents du premier groupe défendent avec vigueur leur droit d'exercer une autorité et un pouvoir sur leurs enfants et ils déploient beaucoup de persuasion pour justifier ce droit. Ils croient aux restrictions, à l'imposition de limites, à la défense de certains comportements. Ils donnent des ordres et s'attendent à ce qu'on leur obéisse. Ils recourent aux menaces de punitions pour forcer l'enfant à obéir et lui en assignent lorsque le jeune ne se conforme pas. S'il survient un conflit entre les besoins des parents et ceux de l'enfant, ces parents résolvent presque toujours le conflit d'une façon telle que *les parents gagnent et l'enfant perd.* Généralement ces parents justifient leur « victoire » par des raisonnements tout faits et usés tels que : *« Papa a toujours raison », « C'est pour le bien de l'enfant », « Au fond les enfants veulent sentir l'autorité des parents »,* ou encore quelque notion vague comme celle-ci : *« Les parents ont la responsabilité d'exercer leur autorité pour le bien de l'enfant, parce qu'après tout ils savent beaucoup mieux que leur enfant ce qui est bien et ce qui est mal. »*

Les parents du second groupe, un peu moins nombreux que les « gagnants », accordent la plupart du temps une très grande liberté à leurs enfants. Ils évitent volontairement de fixer des limites et reconnaissent fièrement qu'ils n'admettent pas les méthodes autoritaires. Lorsque survient un conflit entre le besoin d'un parent et celui d'un enfant, c'est en règle générale *l'enfant qui gagne et le parent qui perd,* car ces parents croient qu'il est dommageable de frustrer un enfant dans ses besoins.

Le plus grand groupe est probablement celui des parents qui trouvent impossible de suivre jusqu'au bout l'une ou l'autre de ces deux approches. Comme résultat, dans leur tentative d'en arriver à un « juste milieu » ou plutôt à un « judicieux mélange », ils oscillent constamment entre la force et la douceur, étant, selon les occasions, intraitables ou accommodants, restrictifs ou permissifs, gagnants ou perdants. Cette mère en témoigne très bien :

> *« J'essaie d'être permissive jusqu'à ce que mes enfants deviennent tellement impossibles que je ne puisse plus les supporter. Alors je sens que je dois changer mon attitude et je commence à employer mon autorité. Je continue ainsi jusqu'à ce que je devienne si sévère que je ne puisse plus me supporter moi-même. »*

Les parents qui ont exprimé ces sentiments dans un de nos groupes parlent sans le savoir pour tous ceux qui forment l'important groupe de ceux qui « balancent ». Ce sont là les parents qui ressentent probablement le plus de confusion et d'incertitude ; et leurs enfants sont souvent les plus perturbés, comme nous le verrons plus loin.

Le principal dilemme des parents d'aujourd'hui consiste à ne percevoir et à n'employer que deux approches possibles pour régler les conflits qui surviennent inévitablement entre parent et enfant. Ils ne voient l'éducation des enfants que sous deux angles. Certains choisissent l'approche **« je gagne – tu perds »,** d'autres l'approche **« tu gagnes – je perds »,** pendant que les autres sont incapables, semble-t-il, de choisir entre les deux.

Les parents qui suivent notre programme sont surpris d'apprendre qu'il existe une alternative aux deux méthodes **« gagnant – perdant ».** Nous l'appelons la **« méthode sans perdant ».** Un des principaux buts de notre programme est de montrer aux parents comment employer efficacement cette façon de résoudre les conflits. Bien qu'on applique cette méthode depuis des années pour résoudre d'autres types de conflits, très peu de parents ont pensé à s'en servir avec leurs enfants.

Beaucoup de couples règlent leurs différends en échangeant mutuellement des solutions. En affaires, on fait la même chose entre associés. Les syndicats et les patrons négocient des contrats liant les deux parties. Le partage des biens lors des divorces est souvent établi par consentement mutuel. Souvent même, les enfants trouvent des solutions à leurs conflits en établissant entre eux des ententes ou contrats spontanés acceptables de part et d'autre (D'accord : tu fais ceci, et moi je ferai cela). De plus en plus, les grandes corporations entraînent leurs administrateurs à l'emploi de la consultation et de la participation aux décisions comme formule de résolution des conflits.

Notre méthode **« sans perdant »** n'est pas un tour de passe-passe, ni un raccourci pour en arriver à remplir plus efficacement son rôle de parent. C'est plutôt une approche qui exige pour plusieurs parents un changement fondamental d'attitude envers leurs enfants. Il faut y consacrer du temps pour pouvoir l'employer à la maison, et les parents doivent tout d'abord apprendre à pouvoir écouter sans porter de jugements et à communiquer franchement leurs sentiments. Conséquemment, nous ne traiterons de la méthode **« sans perdant »** et de ses multiples usages que dans les derniers chapitres de ce livre.

Toutefois, sa position dans l'ordre des chapitres ne reflète nullement l'importance que nous accordons à la méthode **« sans perdant »** dans notre conception globale de l'éducation des enfants. En réalité, cette méthode d'apporter l'harmonie dans un foyer par une résolution adéquate des conflits contient l'esprit et la substance mêmes de notre philosophie ; elle reste la fine fleur de notre approche des relations avec les enfants. Selon notre expérience, c'est le secret de l'efficacité des parents. Les parents qui prennent le temps de la comprendre et de l'employer régulièrement à la maison en sont grandement récompensés. En remplaçant les deux méthodes **« gagnant–perdant »** par l'approche **« sans perdant »**, ils obtiennent des résultats très positifs qui bien souvent dépassent même tout ce qu'ils avaient espéré.

2

Les parents sont des personnes et non des dieux.

Lorsque les gens deviennent parents, il se produit quelque chose d'étrange et de malheureux. Ils commencent à jouer un rôle et ils oublient qu'ils sont des personnes. Maintenant qu'ils sont entrés dans le territoire sacré de la condition de parents, ils sentent qu'ils doivent en revêtir le costume et en assumer le personnage. Ils commencent ensuite à se comporter de différentes façons tout simplement parce qu'à leur avis, c'est ainsi que les parents devraient agir. Louise Lorrain et Paul Dubois, deux êtres humains, se transforment soudainement en M. et Mme Dubois, parents.

Si l'on y regarde de près, cette transformation est malheureuse. En effet, elle produit souvent un résultat désastreux : les parents oublient qu'ils restent des humains qui commettent des erreurs, des personnes qui gardent leurs limites personnelles, du vrai monde avec de vrais sentiments. Lorsqu'ils deviennent parents, les gens oublient souvent l'évidence de leur propre nature humaine et cessent d'être *humains*. Ils ne se sentent plus libres d'être eux-mêmes, quels que soient les sentiments qu'ils éprouvent dans différentes situations. Parce qu'ils sont maintenant devenus des parents, ils se croient investis de la responsabilité de devenir des êtres supérieurs et non de simples personnes humaines.

Ce terrible fardeau des responsabilités irréalistes constitue un défi pour ces *personnes devenues parents.* Ils ressentent l'obligation de toujours être constants dans leurs sentiments, de toujours être affectueux avec leurs enfants, d'être inconditionnellement réceptifs et tolérants. Ils pensent aussi qu'ils doivent mettre de côté leurs besoins personnels et se sacrifier pour leurs enfants, qu'ils doivent être justes en tout temps et surtout ne pas répéter les erreurs que leurs parents ont commises à leur égard.

Évidemment ces bonnes intentions sont tout à fait compréhensibles et même admirables ; cependant, elles rendent au contraire les parents moins efficaces. Oublier sa propre nature d'être humain, c'est la pire erreur qu'on puisse faire en devenant parent. Un parent efficace se permet d'être une personne, une personne vraie. Les enfants apprécient grandement cette qualité d'authenticité et d'humanité chez leurs parents. Ils disent souvent des phrases comme celles-ci : *« Mon père, c'est un homme, un vrai »,* ou *« Ma mère, c'est une bonne personne ».* Lorsqu'ils deviennent adolescents, les enfants disent parfois : *« Mes parents sont plutôt pour moi des amis que des parents. Ce sont des personnes formidables. Ils ont des défauts comme tout le monde, mais je les aime tels qu'ils sont. »*

Que disent ces enfants ? Il est bien évident qu'ils aiment mieux avoir comme parents des personnes et non des dieux. Ils réagissent favorablement à leurs parents en tant que personnes, non pas en tant que comédiens qui jouent un rôle et prétendent être ce qu'ils ne sont pas.

Comment les parents peuvent-ils *être* des personnes pour leurs enfants ? Comment peuvent-ils maintenir des qualités d'authenticité dans leur fonction de parents ? Dans ce chapitre, nous voulons démontrer que pour devenir des parents efficaces il n'est nullement nécessaire de rejeter son humanité. Vous pouvez vous accepter en tant que personne, éprouver des sentiments positifs aussi bien que des sentiments négatifs à l'égard des enfants. *Vous n'avez pas à être constant pour être un parent efficace.* Vous n'avez pas à démontrer de l'affection ou de l'acceptation quand au fond de vous-même vous n'en avez pas du tout envie. Vous n'avez pas non plus à ressentir le même degré d'affection et d'acceptation pour tous vos enfants. Enfin, le père et la mère n'ont pas à présenter un front commun dans leurs relations avec leurs enfants. Il est cependant essentiel que vous appreniez à connaître ce qu'au fond de vous-même **vous ressentez :** l'expérience de nos groupes nous a démontré que certains schémas aident les parents à reconnaître ce qu'ils ressentent et ce qui les amène à éprouver des sentiments différents dans des situations différentes.

Un schéma d'acceptation à l'usage des parents.

Tous les parents sont des personnes qui éprouvent de temps à autres deux types de sentiments face à leurs enfants : acceptation et non-acceptation. Le parent qui est une *vraie personne* ressent parfois de l'acceptation pour ce que fait un enfant et à d'autres moments ressent de la non-acceptation. Tous les comportements possibles de votre enfant, tout ce qu'il peut faire ou dire, peut être représenté par un espace rectangulaire.

TOUS LES COMPORTEMENTS POSSIBLES DE VOTRE ENFANT

De toute évidence, vous pouvez accepter certains de ses comportements, alors que d'autres vous sont inacceptables. Nous pouvons indiquer cette différence en divisant le rectangle en deux parties : *une zone d'acceptation et une zone d'inacceptation.*

ZONE D'ACCEPTATION
ZONE D'INACCEPTATION

Si votre enfant regarde la télévision un samedi matin et vous laisse libre de vaquer à vos occupations, son comportement se situe dans votre zone d'acceptation. S'il augmente le volume de la télévision à un point où vous ne pouvez plus le tolérer, son comportement se déplace alors dans votre zone d'inacceptation.

Le niveau où se situe la ligne de démarcation entre les deux zones sur le rectangle sera évidemment différent selon les parents. Une mère, par exemple, peut trouver très peu de comportements de son enfant inacceptables et par conséquent ressentir la plupart du temps de l'affection et de l'acceptation pour son enfant.

Parent qui a un taux d'acceptation plutôt FORT	**Zone d'acceptation**
	Zone d'inacceptation

Une autre mère peut trouver beaucoup de comportements de son enfant inacceptables, et se sentir plus rarement pleine d'affection et d'acceptation pour son enfant.

Parent qui a un taux d'acceptation plutôt FAIBLE	**Zone d'acceptation**
	Zone d'inacceptation

Le degré d'acceptation d'un parent pour son enfant dépend **en partie** du type de personne qu'est le parent. Certains parents, simplement du fait de leur propre façon d'être, sont capables d'une très grande acceptation vis-à-vis des enfants. Il est intéressant de noter qu'en général ces parents sont aussi portés à accepter facilement les gens. Cette capacité d'acceptation est une caractéristique de leur personnalité : ils démontrent un sentiment intérieur de sécurité, un haut niveau de tolérance, une estime de leur propre personne, une appréciation d'eux-mêmes indépendante de ce qui se passe autour d'eux, en plus d'une quantité d'autres traits de personnalité. Tout le monde a connu de telles personnes, sans pourtant savoir ce qui les rendait ainsi ; vous les considérez comme des gens qui ont un fort degré d'acceptation. Vous vous sentez bien auprès de gens semblables, vous pouvez vous laisser aller et leur parler ouvertement. Vous pouvez être vous-même.

D'autres parents au contraire font montre de très peu d'acceptation à l'égard des autres. Ils trouvent toujours dans le comportement des autres quelque chose qui leur est inacceptable. Lorsque vous les observez en compagnie de leurs enfants, vous vous étonnez de voir jusqu'à quel point un grand nombre de comportements qui vous paraissent acceptables ne le sont pas pour eux. Intérieurement, vous devez vous dire à vous-même : *« Laissez donc ces enfants tranquilles, vous ne voyez pas qu'ils ne dérangent personne ! »*

Très souvent ce sont des personnes qui ont des opinions strictes et rigides sur ce que les autres *devraient* faire, sur ce qui est **bien** et ce qui est **mal**, non seulement chez les enfants, mais chez tout le monde. Vous vous sentez quelque peu mal à l'aise en présence de telles personnes car vous vous demandez toujours si elles vous acceptent.

J'observais récemment une mère et ses deux jeunes garçons dans un marché. Selon moi, les garçons se comportaient relativement bien. Ils ne faisaient pas de bruit et ne dérangeaient personne. Malgré cela, cette mère ne cessait de leur dire ce qu'ils devaient faire ou ne pas faire : « Restez près de moi, maintenant », « Ne touchez pas au chariot », « Faites attention, vous êtes dans le chemin », « Dépêchez-vous », « Ne touchez pas aux aliments », « Laissez ces sacs tranquilles ». On aurait facilement cru que cette mère ne pouvait rien accepter de ce que faisaient ses enfants.

La ligne de démarcation entre l'acceptation et la non-acceptation est en partie déterminée par des facteurs **inhérents à la personnalité du parent.** Mais ce degré d'acceptation est aussi influencé **par l'enfant.** Il est plus difficile de ressentir de l'acceptation pour certains enfants. Ils peuvent être agressifs ou hyperactifs, ne présenter aucun attrait physique, ou présenter certains traits de caractère qui déplaisent. On comprendra qu'un enfant qui est malade dès sa naissance, qui a le sommeil difficile, qui pleure fréquemment ou qui a des coliques pourra être plus difficilement accepté par ses parents.

Dans plusieurs livres et articles écrits à leur intention, on enseigne aux parents qu'ils doivent ressentir une acceptation égale à l'égard de chacun de leurs enfants. Cette idée est non seulement irréaliste, mais elle a aussi occasionné des sentiments de culpabilité chez beaucoup de parents qui, dans leur expérience personnelle, ressentaient des degrés d'acceptation différents selon leurs enfants. La plupart des gens reconnaîtront facilement qu'ils ressentent des degrés d'acceptation bien différents selon les adultes qu'ils rencontrent. Pourquoi en serait-il autrement vis-à-vis des enfants ?

L'acceptation d'un parent pour un enfant en particulier peut être influencée par les caractéristiques de cet enfant. On peut illustrer ce fait de la façon suivante :

Zone d'acceptation
Zone d'inacceptation

Parent vis-à-vis de l'enfant A

Zone d'acceptation
Zone d'inacceptation

Parent vis-à-vis de l'enfant B

Certains parents trouvent plus facile d'accepter les filles que les garçons, d'autres croient le contraire. Des enfants qui bougent beaucoup sont plus difficiles à accepter pour certains parents. Des enfants curieux et actifs qui aiment s'occuper eux-mêmes et fouiller un peu partout sont plus difficiles à accepter pour certains parents que des enfants passifs et plus dépendants. J'ai moi-même rencontré des enfants qui sans raison apparente exerçaient sur moi un tel charme et une telle séduction que j'aurais pu leur permettre n'importe quoi. J'en ai aussi malheureusement rencontré d'autres dont la seule présence m'était désagréable et dont presque tous les gestes m'apparaissaient répréhensibles.

De plus, la ligne de démarcation entre acceptation et non-acceptation n'est pas statique : en effet, elle peut baisser ou monter et il est important de le noter ici. Elle est affectée par plusieurs facteurs, dont en particulier l'état d'esprit du parent et la situation dans laquelle le parent et l'enfant se trouvent. Un parent qui à un moment donné se sent énergique, en bonne santé et content de lui-même ressentira probablement de l'acceptation pour une grande partie du comportement de son enfant. Moins nombreux sont les aspects du comportement de l'enfant qui vont déranger le parent s'il se sent bien lui-même.

Le parent lui-même se sent bien

Zone d'acceptation
Zone d'inacceptation

Lorsque le parent se sent très fatigué par manque de sommeil, ou qu'il a mal à la tête ou qu'il n'est pas content de lui-même, beaucoup d'aspects du comportement de l'enfant vont déranger ce père ou cette mère.

Cette instabilité peut s'illustrer de la façon suivante :

Le parent lui-même se sent mal	**Zone d'acceptation**
	Zone d'inacceptation

Le sentiment d'acceptation d'un parent va également changer d'une situation à une autre. Tous les parents sont conscients que leur capacité d'acceptation est généralement moins grande lorsque la famille est en visite chez des amis que lorsqu'ils sont seuls à la maison. Il serait bon aussi de se rappeler à quel point le niveau de tolérance se modifie lorsque les grands-parents sont présents.

Il doit sembler souvent bizarre aux enfants de voir leurs parents se fâcher de leurs manières à table lorsqu'il y a des invités alors que ces mêmes manières sont acceptables dans l'intimité familiale.

De nouveau, cette variation peut s'illustrer de la façon suivante :

Situation A	**Situation B**
Zone d'acceptation	**Zone d'acceptation**
Zone d'inacceptation	**Zone d'inacceptation**

Comme il y a deux parents, il devient encore plus complexe de déterminer ce qui est reconnu acceptable dans chaque famille, car un des parents a souvent, au départ, une zone d'acceptation plus grande que celle de l'autre.

Jacques, âgé de cinq ans, est robuste et actif. Il est dans la salle de séjour avec son frère et il lui lance un ballon qu'il vient de ramasser. La mère est bouleversée et trouve cela inacceptable, car elle craint que ce jeu ne cause des dommages dans la pièce. De son côté, le père non seulement accepte ce comportement, mais en est fier et dit : « Regarde Jacques, c'est déjà un bon joueur. As-tu remarqué sa façon de lancer ? ».

Par ailleurs, la ligne de démarcation propre à chaque parent monte ou descend à différents moments, selon la situation et selon l'état d'esprit de chacun.

Le père et la mère ne peuvent pas toujours, à un moment spécifique, éprouver le même sentiment devant tel comportement de leur enfant.

Les parents peuvent être inconstants et ils le seront inévitablement.

Il est donc inévitable que les parents soient quelquefois inconstants. Comment pourrait-il en être autrement puisque leurs sentiments changent selon les jours, selon les enfants et selon les situations ? Si les parents tentent de rester constants, ils ne peuvent pas demeurer fidèles à eux-mêmes. On dit souvent que les parents doivent éviter à tout prix d'être inconstants dans leurs relations avec leurs enfants. Cette opinion généralement répandue oublie que les situations sont différentes, que les enfants aussi sont différents et que le père et la mère sont également des êtres humains différents.

Plus encore, une telle opinion a eu comme effet négatif d'amener les parents à jouer un rôle, à prétendre être des personnages dont les sentiments ne changent jamais.

Les parents n'ont pas à présenter un « front commun ».

Cette opinion a eu comme autre conséquence d'amener bien des parents à penser qu'ils doivent toujours concerter leurs sentiments de façon à présenter un front commun à leurs enfants. Bien que ce soit l'une des croyances les plus ancrées au sujet de l'éducation des enfants, elle est en pratique irréalisable. D'après cette notion traditionnelle, les parents doivent s'appuyer mutuellement afin d'amener l'enfant à croire que tous les deux réagiront toujours de la même façon devant un comportement particulier.

Cette stratégie qui consiste à présenter un front commun afin de placer l'enfant dans une position minoritaire crée souvent une situation fausse pour l'un des deux parents.

Une jeune fille de seize ans ne tient pas sa chambre suffisamment en ordre pour satisfaire les critères de sa mère. Les habitudes de propreté de la jeune fille ne sont pas acceptables pour la mère : elles sont dans sa zone d'inacceptation. Son père, cependant, trouve que sa chambre est suffisamment propre et rangée. Ce même comportement est dans sa zone d'acceptation. La mère exerce des pressions sur le père pour qu'il partage sa frustration au sujet de la chambre de leur fille, afin de lui opposer un front commun (et ainsi avoir sur elle une plus grande influence). Si le père accepte, il n'est pas fidèle à ses propres sentiments.

Un garçonnet de six ans joue avec un camion et fait plus de bruit que son père ne peut en supporter. La mère de son côté n'en est nullement incommodée. Elle est au contraire ravie de voir l'enfant s'occuper de façon autonome plutôt que de s'accrocher à ses jupes comme il l'a fait toute la journée. Le père demande à la mère : « Pourquoi ne fais-tu pas quelque chose pour qu'il cesse ce tapage ? » Si la mère accepte, elle devient alors en désaccord avec ses propres sentiments.

La fausse acceptation.

Aucun parent ne peut ressentir une acceptation globale pour tous les agissements de son enfant. Certains comportements de l'enfant se retrouveront inévitablement dans la zone d'inacceptation du parent.

J'ai connu des parents dont la **« ligne d'acceptation »** se situait très bas dans notre rectangle, mais je n'ai jamais rencontré un seul parent qui pratiquait **« l'acceptation inconditionnelle ».** Certains parents prétendent accepter une très grande partie des agissements de leurs enfants, mais ces parents jouent le rôle de « bons » parents. Conséquemment, une partie de leur acceptation est fausse ; extérieurement, ils peuvent agir comme s'ils acceptaient, alors qu'intérieurement ils ressentent plutôt de l'inacceptation.

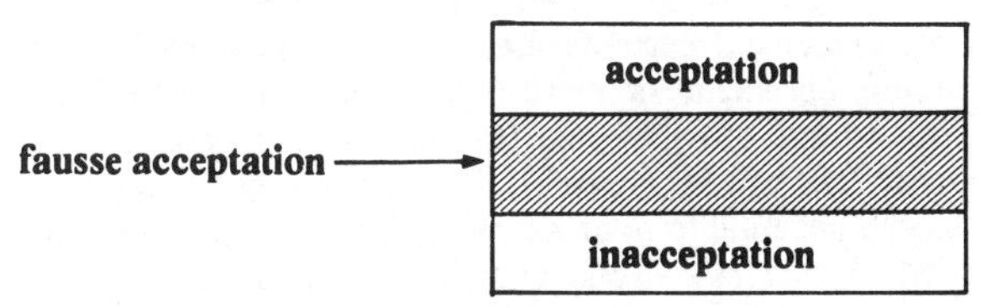

Supposons qu'une mère est irritée du fait que son enfant de cinq ans ne veut pas aller se coucher. La mère peut avoir des besoins personnels ; elle veut, par exemple, lire un nouveau livre.

Elle aimerait beaucoup mieux s'adonner à sa lecture que de consacrer du temps à l'enfant. De plus, elle craint que si l'enfant ne prend pas suffisamment de sommeil il ne devienne irritable le lendemain ou encore qu'il n'ait un rhume. Cependant cette mère, voulant suivre l'approche **permissive,** craint de s'affirmer devant son enfant, de peur d'être en contradiction avec ses principes. Ce parent ne peut s'empêcher de démontrer une **fausse acceptation.** Elle peut se comporter comme si elle acceptait que l'enfant reste debout, mais intérieurement, elle ne l'accepte pas du tout ; elle se sent irritée, peut-être fâchée et sans doute frustrée parce que ses propres besoins ne sont pas satisfaits.

Quels effets rejaillissent sur un enfant lorsqu'un de ses parents démontre une **fausse acceptation** ? Les enfants, comme chacun le sait, sont extrêmement sensibles aux attitudes de leurs parents. Ils sont d'une grande perspicacité lorsqu'il s'agit d'évaluer les véritables sentiments de leurs parents, car les parents émettent des messages **non verbaux** perçus consciemment ou non par leurs enfants. Lorsqu'un parent est irrité ou en colère, il ne peut s'empêcher d'en transmettre certaines indications, si subtiles soient-elles ; par exemple, froncement des sourcils, regard sévère, intonation particulière de la voix, tension du visage, etc. Même le très jeune enfant perçoit ces indications ; il acquiert très vite de l'expérience et reconnaît les indices qui montrent que sa mère n'accepte pas son comportement. En conséquence, il peut sentir la désapprobation et avoir, au moment même, l'impression de ne pas être aimé de son parent.

Il devient donc vraiment confus. Il reçoit des **messages embrouillés** ou des indications contradictoires : d'une part un **message verbal** lui dit qu'il fait bien de rester debout, mais également certains **messages non verbaux** lui indiquent qu'intérieurement sa mère n'aime pas ça. Cet enfant se retrouve dans un dilemme. Il veut rester debout, mais il veut aussi être aimé (accepté). Sa persistance à rester debout semble acceptable pour sa mère, mais elle a le regard sévère et elle fronce les sourcils. Que doit-il faire alors ?

Placer un enfant dans un tel dilemme pourrait affecter sérieusement sa santé psychologique. Tout le monde a déjà ressenti à quel point il est frustrant et inconfortable de ne pas savoir quel comportement adopter lorsqu'on reçoit des messages confus de la part d'une autre personne. Supposons que vous demandez à votre hôtesse si vous pouvez fumer la pipe dans son salon. Elle répond : *« Je n'ai pas d'objection. »* Cependant, comme vous allumez votre pipe, vous voyez dans ses yeux et sur son visage des indices non verbaux qui démontrent le contraire. Qu'allez-vous faire ? Vous pouvez demander : *« Est-ce bien sûr que vous n'y avez pas d'objection ? »* Vous pouvez aussi remettre votre pipe dans votre poche et vous sentir frustré. Ou encore vous pouvez continuer à fumer mais sentir pendant tout ce temps que votre hôtesse n'apprécie pas votre geste.

Les enfants vivent le même type de dilemme lorsqu'ils sont confrontés à une acceptation qui ne leur apparaît pas sincère. Une exposition fréquente à de telles situations peut susciter chez l'enfant l'impression qu'il n'est pas aimé. Cela peut amener de fréquentes « vérifications » de la part de l'enfant, lui causer une grande anxiété, faire naître chez lui des sentiments d'insécurité permanente et bien d'autres choses encore.

J'en suis venu à croire que pour les enfants, le parent le plus difficile à affronter peut être le parent qui se répand en paroles mielleuses, se montre **permissif,** très peu exigeant, et qui paraît toujours d'accord mais communique subtilement son **inacceptation.**

Nous avons constaté une conséquence grave à la fausse acceptation : elle peut même à la longue causer un tort considérable à la relation entre le parent et l'enfant. Lorsqu'un enfant reçoit des **messages confus,** il peut commencer à douter sérieusement de la franchise et de la sincérité de ses parents. Des expériences répétées lui apprennent que souvent sa mère dit une chose alors qu'elle en ressent une autre. En fin de compte, l'enfant en arrivera à se méfier d'un tel parent. Voici, comme exemple, des sentiments qui m'ont été exprimés par des adolescents :

« Ma mère est hypocrite. Elle fait semblant d'être gentille alors qu'elle ne l'est pas vraiment. »

« Je ne peux pas faire confiance à mes parents : même s'ils n'en disent rien, je sais qu'ils désapprouvent beaucoup de choses que je fais. »

« Je me fais à l'idée que je peux rentrer à l'heure que je veux. Mais si je rentre trop tard, on m'applique le traitement du silence toute la journée du lendemain. »

« Mes parents ne sont pas sévères du tout. Ils me laissent faire presque tout ce que je veux. Mais, je ne saurais pas dire ce qu'ils désapprouvent. »

« Chaque fois que je me présente à table les pieds nus, ma mère fait une grimace de dégoût, mais elle ne dit jamais rien. »

« Ma mère se montre toujours tellement gentille et tellement compréhensive avec moi que j'en ai marre, car je sais qu'elle n'aime pas les personnes de mon genre. Elle aime beaucoup mieux mon frère, parce qu'il lui ressemble davantage. »

Lorsque les enfants éprouvent de tels sentiments, il est évident que leurs parents n'ont pas réussi à cacher leurs vrais sentiments, même s'ils ont pensé pouvoir le faire. **Dans une relation aussi intime et permanente que celle qui s'établit entre parent et enfant, il est très rare que le parent puisse réussir à cacher ses vrais sentiments à l'enfant.**

Lorsque des parents subissent l'influence des partisans de la **permissivité** et essaient de pratiquer un degré d'acceptation qui dépasse de beaucoup leur véritable attitude, ils nuisent sérieusement à leurs relations avec leurs enfants, en plus de causer des dommages psychologiques aux enfants eux-mêmes. Les parents auraient avantage à comprendre qu'ils auraient mieux fait de ne pas étendre leur zone d'acceptation au-delà de ce que leur permettent leurs véritables attitudes. Il est de beaucoup préférable pour les parents de se rendre compte qu'ils ont atteint les limites de leur zone d'acceptation et de ne pas prétendre le contraire.

Pouvez-vous accepter l'enfant sans accepter son comportement ?

Je ne connais pas l'origine de cette idée, mais elle est largement répandue et présente un certain attrait, particulièrement pour les parents qui ont été influencés par les partisans de la **permissivité** mais qui sont suffisamment honnêtes avec eux-mêmes pour se rendre compte qu'ils ne sont pas toujours en accord avec le comportement de leurs enfants. J'en suis venu à croire que c'était une autre idée trompeuse et dommageable car elle empêche les parents d'être vrais. Bien qu'elle ait pu soulager le sentiment de culpabilité éprouvé par certains parents lorsqu'ils n'acceptaient pas leurs enfants, cette idée a nui à beaucoup de relations entre parent et enfant.

En répandant cette idée, certains professionnels ont ainsi incité les parents à employer leur autorité ou leur pouvoir de restriction (établir des limites) de certains comportements qu'ils ne peuvent pas accepter. Les parents y ont souvent donné l'interprétation suivante : il est bénéfique de contrôler, restreindre, défendre, exiger ou refuser, aussi longtemps qu'on fait comprendre à l'enfant que ce n'est pas *lui* qu'on rejette mais son *comportement*. On risque de causer un sérieux malentendu.

Comment peut-on accepter son *enfant*, et nier les sentiments contraires d'inacceptation que l'on éprouve à l'égard de *ce que cet enfant fait ou dit* ? Qu'est-ce que l'« enfant » si ce n'est un « enfant en action » qui a un comportement particulier à un moment donné ? C'est à l'égard de cet « enfant en action » que le parent éprouve des sentiments, qu'ils soient d'acceptation ou d'inacceptation, et non pas à l'égard de quelque abstraction que l'on appellerait « enfant ».

Je suis certain que du point de vue de l'enfant les choses apparaissent de la même façon. S'il sent que vous n'acceptez pas qu'il pose ses pieds sales sur votre divan neuf, je doute fort qu'à ce moment il puisse faire le raisonnement hautement abstrait que même si vous n'aimez pas ses pieds sur le divan, vous l'acceptez quand même en tant que personne. Bien au contraire, il ressentira que si vous n'acceptez pas ce qu'*il fait* à ce moment, en tant que personne, c'est *lui* que vous n'acceptez pas.

Peut-on réussir à faire comprendre à un enfant que ses parents l'acceptent mais n'acceptent pas ce qu'*il fait* ? Même s'il était possible pour les parents de séparer les deux, ce doit être aussi difficile que de faire croire à un enfant que la fessée qu'on lui administre fait « plus mal aux parents qu'à lui-même ».

Le sentiment qu'*il* n'est pas accepté *en tant que personne* sera plutôt déterminé par le nombre de ses comportements qui ne sont pas acceptés. Les parents qui trouvent inacceptables les actions ou les paroles de leurs enfants leur transmettront inévitablement le profond sentiment qu'ils ne sont pas acceptés en tant que personnes. Réciproquement, les parents qui acceptent les actions ou les gestes de leurs enfants amèneront leurs enfants à se sentir acceptables en tant que personnes.

Il reste de beaucoup préférable que vous admettiez vous-même (et fassiez admettre à l'enfant) que vous ne l'acceptez pas en tant que personne lorsqu'il dit ou fait telle chose d'une certaine façon à un moment donné. Ainsi, l'enfant apprendra à vous percevoir comme ouvert et franc, parce que vous serez sincère.

Aussi, lorsque vous dites à un enfant : « Je t'accepte, mais cesse ce que tu fais », vous ne modifiez sans doute nullement sa réaction à cette manifestation de votre autorité. Les enfants détestent les limites, les restrictions ou les défenses imposées par leurs parents, peu importe les explications qui pourraient accompagner ces manifestations d'autorité et de pouvoir. Si les parents décident d'« établir des limites », ils ont de fortes chances de recueillir comme résultats de la résistance, de la rébellion, des mensonges et du ressentiment. Pourtant, pour amener un enfant à modifier un comportement qui est pour eux inacceptable, les parents peuvent employer des méthodes beaucoup plus efficaces que le recours à l'autorité et au pouvoir, en établissant des limites ou des restrictions.

Notre définition des parents vus comme de vraies personnes.

Notre « rectangle d'acceptation » aide les parents à comprendre qu'il est pour eux inévitable de ressentir à l'égard de leurs enfants toute une gamme de sentiments variés et que les conditions qui influencent ces sentiments changent continuellement. Les parents authentiques ressentiront tour à tour de l'acceptation et de l'inacceptation à l'égard de leurs enfants ; leur attitude vis-à-vis d'un même comportement ne peut pas toujours rester la même ; elle variera inévitablement de temps à autre. Les parents ne devraient pas (et ils ne peuvent pas) cacher leurs véritables sentiments ; ils auraient avantage à reconnaître qu'un parent peut ressentir de l'acceptation et l'autre de l'inacceptation pour un même comportement et ils devraient se rendre compte que chacun ressentira inévitablement des degrés d'acceptation différents à l'égard de chacun de ses enfants.

En bref, les parents *sont* des personnes, non des dieux. Ils n'ont pas l'obligation de toujours accepter inconditionnellement, ou même d'accepter d'une manière constante. Ils ne devraient pas non plus prétendre ressentir de l'acceptation lorsqu'ils n'en ressentent pas. Bien que les enfants *préfèrent* sans aucun doute être acceptés, ils peuvent intégrer positivement les sentiments d'inacceptation de leurs parents, lorsque ceux-ci émettent des messages clairs et francs qui correspondent à leurs sentiments véritables. Non seulement on rendra la tâche plus facile aux enfants, mais on aidera chacun d'eux à percevoir ses parents comme des personnes authentiques, sincères, humaines. C'est sans doute avec ce genre de personnes que les jeunes aimeraient entretenir des relations.

3

Comment écouter pour que vos enfants vous parlent : Le langage de l'acceptation.

Au moment de quitter mon bureau, après sa séance hebdomadaire de consultation, une adolescente de quinze ans me fit la confidence suivante :

« J'apprécie beaucoup de pouvoir confier mes véritables sentiments à quelqu'un. Je n'avais encore jamais parlé de toutes ces choses à qui que ce soit. Il me serait impossible de parler à mes parents de cette façon. »

Le père et la mère d'un garçon de seize ans qui ne réussit pas dans ses études me demandent :

« Comment pourrions-nous amener François à se confier à nous ? Nous ne savons jamais ce qu'il pense. Nous savons qu'il est malheureux, mais nous n'avons aucune idée de ce qui se passe en lui. »

Une adolescente de treize ans, intelligente et jolie, me fut amenée peu de temps après qu'elle eut pris la fuite avec deux de ses amies ; elle me fit au sujet de ses relations avec sa mère le commentaire révélateur suivant :

« C'en était arrivé au point où nous ne pouvions même pas discuter de la moindre des choses... de travaux scolaires, par exemple. Si j'avais peur de rater un examen et que je le lui disais, elle répliquait alors : « Comment ça ? » et se fâchait contre moi. Je me suis alors mise à lui mentir ; ce n'est pas que j'aimais mentir, mais je l'ai fait et c'en est venu à ne plus me déranger. A la fin, ce n'était plus nous qui nous parlions, mais deux personnes complètement différentes, car ni l'une ni l'autre n'exprimait ses vrais sentiments, ce que nous pensions vraiment. »

Ces exemples ne sont pas très exceptionnels : bien des enfants s'isolent de leurs parents en refusant de parler avec eux de leurs sentiments profonds. Les enfants apprennent que parler à leurs parents ne les aide pas et souvent leur nuit. En conséquence, beaucoup de parents ratent des milliers de chances d'aider leurs enfants face aux problèmes que ces jeunes rencontrent dans leur vie personnelle.

Pourquoi autant de parents sont-ils ainsi « rayés » par leurs enfants de la liste des personnes qui peuvent les aider ? Pourquoi les enfants arrêtent-ils de parler à leurs parents de ce qui les préoccupe ? Pourquoi si peu de parents réussissent-ils à maintenir une relation d'aide avec leurs enfants ?

Il importe aussi de se demander pourquoi les enfants trouvent plus facile de se confier à des conseillers professionnels que de parler à leurs parents. Que fait le conseiller professionnel de différent ? Comment réussit-il à établir solidement une relation d'aide avec les enfants ?

Ces dernières années, les psychologues ont découvert quelques réponses à ces questions. Par des recherches et des expériences en clinique, nous avons commencé à comprendre la nature des éléments nécessaires à une relation d'aide efficace. Le plus important de ceux-ci est peut-être le « langage de l'acceptation ».

L'impact du langage de l'acceptation.

Lorsqu'une personne est capable de ressentir et de communiquer une acceptation authentique à une autre, elle est en mesure de devenir un agent d'aide important pour cette dernière. Son acceptation de l'autre, telle qu'elle est, demeure un facteur essentiel pour établir une relation qui permettra à l'autre personne de se développer, d'opérer chez elle des changements positifs, d'apprendre à résoudre ses problèmes, d'évoluer vers une plus grande santé psychologique, de devenir plus productive et plus créatrice et de développer son potentiel. C'est l'un des paradoxes simples et aussi magnifiques de la vie : lorsqu'une personne sent qu'elle est vraiment acceptée, telle qu'elle est, elle peut alors commencer à évoluer. Elle peut penser comment elle aimerait changer, comment elle pourrait être différente, comment elle pourrait se développer, et comment elle pourrait devenir un peu plus ce qu'elle est capable d'être.

L'acceptation est le sol fertile qui permet au grain minuscule de se développer, de s'épanouir et de produire la magnifique fleur qu'il contenait en puissance. Le sol *permet* au grain de devenir plante. Il *déclenche* le potentiel de croissance du grain mais ce potentiel est entièrement contenu dans le grain. Tel le grain, un enfant contient à l'intérieur de son organisme une capacité de croissance. L'acceptation est comme le sol : elle permet à l'enfant de réaliser son potentiel.

Pourquoi l'acceptation par les parents a-t-elle une influence favorable aussi grande sur l'enfant ? En général peu de parents le comprennent. La plupart des gens ont été amenés à croire que s'ils acceptent un enfant, il va demeurer tel qu'il est ; ils ont appris que la meilleure façon d'aider un enfant à s'améliorer dans le futur est de lui dire ce que l'on n'accepte *pas* présentement à son sujet.

Comme résultat de cette croyance, beaucoup de parents font, dans l'éducation des enfants, un usage très abondant du langage de *l'inacceptation,* croyant que c'est la meilleure façon de les aider. Le « sol » que beaucoup de parents fournissent à leur enfant pour leur épanouissement est rempli d'évaluations, de jugements, de critiques, de sermons, de morale, de reproches et de commandements. Tous ces messages transmettent à l'enfant *l'inacceptation* de ce qu'il est.

Je me souviens ici des paroles d'une jeune fille de treize ans qui venait juste de commencer à se révolter contre les valeurs et les exigences de ses parents :

« Ils me disent tellement souvent que je suis méchante et que mes idées sont stupides et qu'ils ne peuvent me faire confiance, que je fais de plus en plus de choses qu'ils n'ai-

ment pas. S'ils sont déjà convaincus que je suis méchante et stupide, aussi bien me laisser aller et faire tout ce qui leur déplaît, de toute façon ! »

Cette brillante jeune fille comprenait déjà le vieil adage : « Répétez souvent à un enfant qu'il est méchant et vous pouvez être certain qu'il le deviendra. » Les enfants deviennent généralement ce que leurs parents leur disent qu'ils sont.

En plus de cet effet, le langage de l'inacceptation isole les enfants. Ils cessent ainsi de parler à leurs parents. Ils apprennent qu'il vaut mieux garder leurs sentiments et leurs problèmes pour eux-mêmes.

Le langage de l'acceptation crée des enfants francs et ouverts. Il les rend libres de parler de leurs sentiments et de leurs problèmes. Les thérapeutes et les consultants professionnels ont démontré jusqu'à quel point l'acceptation était efficace. Ceux qui ont obtenu les meilleurs résultats auprès des personnes qui venaient leur demander de l'aide ont réussi justement parce qu'ils ont su leur démontrer qu'ils étaient vraiment acceptés. C'est pour cette raison que l'on entend souvent les gens en thérapie ou en consultation dire qu'ils se sentent totalement à l'aise, car ils ne craignent pas les jugements de leur consultant. Ils se sentent libres de lui avouer les pires choses sur eux-mêmes, sachant que leur consultant *les accepte* quoi qu'ils disent ou ressentent. Semblable acceptation est l'un des facteurs importants qui contribuent à l'épanouissement et au changement qui s'opèrent chez les gens au cours d'une thérapie.

Réciproquement, nous avons appris de ces « agents professionnels de changement » que l'inacceptation très souvent renferme les gens, les incite à se placer sur la défensive, suscite en eux des malaises, les amène à craindre de parler ou de se regarder tels qu'ils sont. Comme on le verra, une partie de la « clef du succès » d'un thérapeute professionnel dans sa capacité de contribuer à l'épanouissement et au changement des personnes en difficulté, c'est l'absence d'inacceptation dans ses relations avec eux et son habileté à communiquer d'une façon telle que l'acceptation soit vraiment ressentie par l'autre.

Notre travail avec les parents qui ont suivi notre programme de formation nous a démontré qu'il leur est possible d'apprendre les méthodes mêmes qu'emploient les consultants professionnels. La plupart de ces parents réussissent à réduire considérablement la fréquence des messages qui transmettent l'inacceptation, et développent une habileté surprenante à employer le langage de l'acceptation.

Lorsque les parents apprennent à démontrer, par leurs paroles, leurs sentiments d'acceptation à l'égard d'un enfant, ils sont en possession d'un outil qui peut produire des effets saisissants. Ils peuvent aider leur enfant à s'accepter et à s'apprécier lui-même et ainsi à acquérir un sens de sa propre valeur. Ils peuvent grandement faciliter le développement et la réalisation du potentiel qui lui a été génétiquement transmis. Ils peuvent l'aider à acquérir de l'initiative et ainsi à accélérer son accès à l'indépendance et à l'autonomie. Ils peuvent l'aider à apprendre à résoudre par lui-même les problèmes que la vie apporte inévitablement et ils peuvent lui donner la force d'intégrer positivement les déceptions et les peines de l'enfance et de l'adolescence.

De tous les effets de l'acceptation, le plus important reste le sentiment profond d'être aimé qu'éprouve l'enfant. Car accepter un autre « tel qu'il est », c'est vraiment un acte d'amour ; se sentir accepté, c'est se sentir aimé. En psychologie, nous ne faisons que commencer à réaliser la force immense du sentiment d'être aimé. Il accroît l'épanouissement du corps et de l'esprit et c'est probablement la thérapie la plus efficace connue pour réparer les dommages psychologiques ou physiques.

L'acceptation doit être démontrée.

Pour un parent, ressentir de l'acceptation à l'égard d'un enfant, c'est une chose ; cependant, le faire sentir à l'enfant, c'en est une autre. A moins que l'acceptation ne rejoigne l'enfant, elle n'a pas d'influence sur lui. Un parent doit apprendre à communiquer son acceptation d'une façon que son enfant la ressente.

Pour atteindre ce but, certaines habiletés sont nécessaires. Plusieurs parents croient, cependant, que l'acceptation est une chose passive, un état d'esprit, une attitude, un sentiment. Il est vrai que l'acceptation découle tout d'abord de l'intérieur, mais pour qu'elle devienne une force positive et influence efficacement les autres, elle doit être activement communiquée ou démontrée. Je ne serai jamais certain d'être accepté d'un autre avant qu'il ne l'ait manifesté d'une façon active.

L'efficacité du consultant professionnel en psychologie ou du psychothérapeute en tant qu'agent d'aide demeure étroitement reliée à sa capacité de démontrer une acceptation envers son client ; c'est pourquoi il consacre des années à apprendre comment intégrer ces attitudes à sa façon personnelle de communiquer. Par une formation spécifique et une longue expérience, les consultants professionnels développent une habileté particulière à communiquer leur acceptation. Ils apprennent que leurs paroles jouent un rôle déterminant dans leur capacité d'aider leur clientèle et peuvent faire toute la différence entre une relation réussie et un échec. Parler peut guérir, parler peut provoquer des changements positifs. Mais il est nécessaire que ce soit le bon langage.

C'est aussi vrai pour les parents. La façon dont ils parlent à leurs enfants détermine s'ils aident ou nuisent. Le parent efficace, tout comme le consultant efficace, doit apprendre comment se communique cette acceptation et développer sa propre capacité de communication.

Certains parents inscrits à notre programme se montrent sceptiques et nous demandent : « Est-ce qu'il est possible qu'un profane comme moi apprenne les méthodes des consultants professionnels ? » Il y a vingt ans nous aurions répondu : « Non ». Mais depuis une quinzaine d'années, nous avons démontré avec notre programme de formation qu'il était possible à la plupart des parents d'apprendre à devenir des agents d'aide plus efficaces pour leurs enfants. Nous savons maintenant que ce ne sont pas les connaissances en psychologie ni la compréhension professionnelle des études sur les gens qui font un bon consultant. C'est tout d'abord une question d'apprendre à parler aux gens d'une façon « constructive ».

C'est ce que les psychologues appellent la « communication thérapeutique » pour souligner que certaines formes de messages ont un effet bénéfique sur les gens. Ces messages les amènent à se sentir mieux, les encouragent à parler, les aident à exprimer leurs émotions, développent leur sentiment de valeur et d'estime de soi, réduisent la peur, facilitent l'épanouissement et le changement positif.

D'autres types de langage sont reconnus comme « non thérapeutiques » ou nuisibles. Face à ces messages, les gens se sentent jugés, coupables ou menacés dans leur personne ; ils limitent alors l'expression de leurs véritables émotions, et souvent ces communications donnent naissance à des sentiments de dévalorisation ou de dépréciation de soi. Ils bloquent l'épanouissement et les changements positifs en amenant la personne à se défendre et à justifier avec vigueur sa façon d'être.

Un petit nombre de parents possèdent intuitivement cette habileté thérapeutique et l'emploient régulièrement de façon « naturelle » ; en effet, la plupart des parents doivent passer par plusieurs étapes ; d'abord, désapprendre leur façon destructive de communiquer pour ensuite apprendre des méthodes constructives. Cela signifie que les parents doivent tout d'abord observer leurs façons habituelles de communiquer pour se rendre compte par eux-mêmes à quel point leur langage peut être destructeur et non thérapeutique. Il leur reste ensuite à apprendre de nouvelles manières de communiquer avec les enfants.

La communication non verbale de l'acceptation.

Nous émettons des messages au moyen de la parole (ce que nous disons) ou par le biais de ce que les scientifiques appellent les *messages non verbaux* (ce que nous ne disons pas). Les messages non verbaux sont communiqués par les gestes, les attitudes, les expressions du visage ou autres comportements. Agitez votre main droite, la paume tournée vers l'enfant, et il est très probable qu'il interprétera votre geste comme signifiant : « Va-t'en » ou « Laisse-moi tranquille » ou encore « Je ne veux pas être dérangé maintenant ». Tournez la paume vers vous, agitez votre main, et l'enfant percevra probablement ce geste comme un message signifiant « Viens ici », « Approche-toi » ou encore « J'aimerais t'avoir près de moi ». Le premier geste communique l'inacceptation, le second l'acceptation.

La non-intervention peut démontrer l'acceptation.

Les parents peuvent démontrer leur acceptation envers un enfant en n'intervenant pas dans ses activités. Prenons l'exemple d'un enfant qui essaie de bâtir un château de sable sur la plage. En laissant l'enfant à lui-même pour se consacrer à une activité qui lui est propre et en lui permettant ainsi de faire ses « erreurs » ou de créer à sa façon personnelle un château qui différera sans doute de l'idée du parent ou peut-être même ne ressemblera nullement à un château, ce parent émet un message non verbal d'acceptation.

L'enfant sentira : « Ce que je fais est bien, » « On accepte que je construise un château », « Ma mère accepte ce que je fais en ce moment ».

Se garder d'intervenir lorsqu'un enfant vaque à ses propres activités reste un éloquent message non verbal d'acceptation. Beaucoup de parents ne se rendent pas compte qu'ils communiquent un sentiment d'inacceptation à leurs enfants, simplement par des interventions, des vérifications, des ingérences, ou en s'imposant dans leurs occupations. Trop souvent, les adultes ne laissent pas les enfants être eux-mêmes, vivre leur vie. Ils violent l'intimité de leur chambre ou s'ingèrent dans leurs préoccupations propres ou dans leurs pensées et refusent ainsi de leur accorder une vie personnelle. C'est souvent le résultat des peurs et des inquiétudes des parents, de leurs propres sentiments d'insécurité.

Les parents veulent que les enfants apprennent (« Voici comment ça se fait un château. ») Ils se sentent mal à l'aise lorsque l'enfant commet une erreur. (« Bâtis ton château plus loin, sinon les vagues vont le démolir. ») Ils veulent être fiers des réalisations de leurs enfants. (« Regardez le beau château, c'est notre petite Lucie qui l'a fait. ») Ils imposent aux enfants de rigides concepts d'adultes sur ce qui est bien ou mal. (« Ne devrait-il pas y avoir une tourelle à ton château ? ») Ils ont des ambitions cachées pour leurs enfants (« Tu n'apprendras jamais rien si tu passes ton après-midi à bâtir ce château ridicule. ») Ils sont outre mesure inquiets de ce que les autres vont penser de leurs enfants (« Tu es capable de faire un château plus beau que cela, voyons ! »). Ils aiment sentir que leurs enfants ont besoin d'eux (« Laisse-moi t'aider ! »), et ainsi de suite.

Alors, *ne pas intervenir* dans une situation où l'enfant est occupé à ses propres activités peut lui communiquer clairement que ses parents l'acceptent. Selon mon expérience, les parents ne permettent pas cette « vie personnelle » suffisamment souvent. Il est cependant compréhensible que cette attitude « détachée » présente des difficultés au début :

« Au cours des premières réceptions mixtes que notre fille a organisées pour ses amis, lors de sa première année à l'école secondaire, je me souviens de m'être senti fortement rejeté quand elle me fit savoir nettement qu'elle n'avait nul besoin de mes suggestions très originales et très cons-

tructives sur les façons d'amuser ses convives. Ce n'est qu'après avoir surmonté la légère dépression que me causa ce refus que j'ai pu me rendre compte jusqu'à quel point je lui communiquais des messages d'inacceptation : « Tu ne peux pas donner une bonne réception toute seule », « Tu as besoin de mon aide », « Je n'ai pas confiance en ton jugement », « Tu n'es pas encore une hôtesse accomplie », « Tu pourrais faire une erreur », « Je ne veux pas que cette réception soit un échec », et ainsi de suite.

L'écoute passive peut démontrer l'acceptation.

Ne rien dire peut aussi communiquer clairement l'acceptation. Le silence « écoute passive » est un message non verbal très valable et il peut être employé efficacement pour aider une personne à se sentir vraiment acceptée. Les agents d'aide professionnels savent bien cela et font un emploi abondant du silence dans leurs entrevues. Une personne qui décrit sa première entrevue avec un psychologue ou un psychiatre vous dira souvent : « Il n'a rien dit, il n'y a que moi qui ai parlé », ou encore, « Je lui ai dit toutes ces choses horribles à mon sujet, mais il ne m'a même pas critiqué », ou « Je croyais ne rien pouvoir lui dire, mais finalement j'ai parlé durant toute l'heure que dura l'entrevue ».

Ces personnes sont bien étonnées : en effet, elles décrivent de cette façon leur expérience, car c'est probablement leur *première* expérience où elles ont l'occasion de parler à quelqu'un qui les *écoute.* Ce peut être une expérience très agréable que de ressentir de l'acceptation par le silence d'une personne. En fait, ne rien communiquer, c'est une communication, comme nous le laisse voir cette « rencontre » entre une mère et sa fille, au moment où celle-ci revient de l'école :

Enfant : Aujourd'hui, on m'a envoyée au bureau du principal-adjoint.

Parent : Oui ?

Enfant : Oui, M. Latour trouvait que je parlais trop en classe.

Parent : Je vois.

Enfant : Je ne peux plus tolérer ce vieux fossile. Il s'assoit là, et passe son temps à nous raconter ses problèmes ou ceux de ses petits-enfants. Il s'attend en plus à ce que nous soyons intéressées. Il est tellement ennuyant ! Tu ne le croirais pas !

Parent : Mm-hmm.

Enfant : Et l'on reste assises à ne rien faire. C'est à en devenir folles. Pauline et moi, nous faisons des farces pendant qu'il parle. C'est bien le pire professeur que je connaisse. Ça me fâche d'avoir un aussi mauvais professeur.

Parent : (Silence)

Enfant : J'ai de bons résultats quand j'ai un bon professeur, mais lorsque je tombe sur quelqu'un comme M. Latour, ça m'enlève le goût d'apprendre. Pourquoi le laisse-t-on continuer à enseigner ?

Parent : (Hausse les épaules)

Enfant : Je crois bien que je vais être obligée de m'habituer, car je n'aurai pas toujours des bons professeurs. Il y en a plus de mauvais que de bons, et si je me laisse décourager par les mauvais, je ne vais pas obtenir les notes qui vont me permettre d'entrer dans une bonne université. Je me fais du tort, j'en ai bien peur.

La valeur du silence est clairement démontrée dans ce bref épisode. L'écoute passive du parent incite l'enfant à dépasser le stade de la narration de ce qui lui est arrivé. Ce silence intéressé et attentif lui permet de constater pourquoi elle a été punie, de calmer sa colère et ses sentiments de haine à l'égard de son professeur, de considérer les conséquences que pourrait causer son habitude de réagir de façon hostile aux mauvais professeurs, et finalement, d'en arriver librement à la conclusion qu'elle se fait du tort par ses propres réactions inappropriées dans de telles circonstances. Durant ce court moment où elle était *acceptée,* elle a évolué. On lui a permis d'exprimer ses sentiments ; on l'a aidée à poursuivre *seule* une recherche de solution qu'elle avait elle-même amorcée. De cette intervention est ressortie sa propre solution constructive, bien que le résultat n'en fût pas assuré.

Le silence du parent a facilité ce « moment de développement », ce petit « pas vers la maturité », cet effort d'un organisme en processus de changement autodéterminé. Ç'aurait vraiment été dommage si le parent avait raté cette chance de contribuer au développement de son enfant, s'il s'était interposé dans la communication de l'enfant en y intercalant des réponses caractéristiques d'inacceptation telles que :

« Quoi, on t'a envoyée au bureau du principal-adjoint ? »
« Eh bien, que ça te serve de leçon ! »
« Mais voyons, M. Latour n'est pas aussi mauvais professeur que cela. »
« Mais, ma chérie, tu devrais apprendre à te contrôler. »
« Comme tu veux continuer tes études, tu ferais mieux d'apprendre à t'adapter à toutes sortes de professeurs. »

Tous ces messages, et tous les autres que les parents émettent souvent à l'occasion de situations semblables, non seulement communiquent à l'enfant une inacceptation, mais ils peuvent couper toute communication plus poussée et aussi empêcher l'enfant de résoudre lui-même son problème.

On voit donc que, même en ne disant rien ou en ne faisant rien, on peut communiquer l'acceptation. Et l'acceptation contribue à l'épanouissement et au changement constructif.

La communication verbale de l'acceptation.

La plupart des parents se rendent bien compte qu'il n'est pas possible de garder le silence très longtemps dans une interaction entre personnes. Les gens exigent une forme d'échange verbal. De toute évidence, les parents doivent parler à leurs enfants, et les enfants à leurs parents, s'ils veulent avoir entre eux une relation intime et chaleureuse.

Il reste essentiel de parler, mais la *façon* dont les parents parlent à leurs enfants est primordiale. Je peux vous en dire beaucoup sur la relation entre un parent et un enfant simplement en observant le genre de communication verbale qui existe entre eux, particulièrement la façon dont le parent réagit aux communications de l'enfant. Les parents doivent regarder de près le genre d'observations qu'ils adressent à leurs enfants, car c'est là que se trouve un secret de leur efficacité dans leurs fonctions de parents.

Lors des rencontres de nos groupes de formation, nous employons un exercice pour aider les parents à reconnaître les sortes de réactions verbales qu'ils ont lorsque leurs enfants leur présentent des sentiments ou des problèmes. Si vous voulez tenter cet exercice dès maintenant, tout ce dont vous avez besoin, c'est d'une feuille de papier et d'un crayon. Supposez que votre enfant de quinze ans vous annonce un soir à table :

« Ça ne donne rien d'aller à l'école. On n'y apprend rien d'essentiel. J'ai décidé de ne pas poursuivre mes études. On n'a pas besoin d'aller à l'Université pour devenir quelqu'un d'important. Il y a bien d'autres façons de réussir dans la vie. »

Maintenant, écrivez sur votre feuille exactement ce que vous diriez en réponse à ce message de votre enfant. Écrivez votre communication verbale, employez les mots exacts que vous emploieriez pour répondre à votre enfant.

Maintenant que c'est fait, passons à une autre situation. Votre fille de dix ans vous dit :

« Je ne sais pas ce que j'ai fait de mal. Julie était mon amie, maintenant elle ne m'aime plus. Elle ne vient plus jamais jouer ici. Et puis je vais chez elle mais elle est toujours occupée à jouer avec Louise. Elles ont du plaisir à jouer ensemble et je reste là plantée toute seule. Je les déteste toutes les deux. »

Écrivez encore exactement ce que serait votre réponse à ce message de votre fille.

Prenez maintenant une autre situation où votre enfant de onze ans vous dit :

« Pourquoi dois-je nettoyer la cour et sortir les déchets ? La mère de Pierrot ne lui demande pas de faire toutes ces choses ! Ce n'est pas juste ! Les enfants ne devraient pas avoir tant de choses à faire. On n'impose à personne autant d'ouvrage que l'on m'en demande. »

Écrivez votre réponse.

Maintenant, voici une dernière situation. Votre enfant de cinq ans devient de plus en plus frustré lorsque après dîner il ne parvient pas à attirer l'attention de son père et de sa mère et de leurs deux invités Vous êtes tous les quatre très intéressés par votre conversation, car il y a très longtemps que vous ne vous êtes pas rencontrés. Soudainement vous avez la surprise d'entendre votre fils qui se met à crier :

« Vous n'êtes rien qu'une bande de vieux fous. Je vous déteste tous. »

Les différents messages que vous avez donnés comme réponses peuvent être classés en plusieurs catégories. La plupart des réactions verbales des parents peuvent être distribuées dans une douzaine de catégories. Nous vous en donnons ici la liste. Prenez vos réponses écrites et essayez de les répartir selon la catégorie qui correspond le mieux à chacune.

1. Donner des ordres, diriger, commander.

Dire à l'enfant de faire quelque chose, lui donner un ordre ou un commandement :

« Ce que font les autres parents m'importe peu, tu dois nettoyer la cour ! »

« Ne parle pas à ta mère de cette façon ! »

« Maintenant retourne jouer avec Julie et Louise ! »

« Arrête de te plaindre ! »

2. Avertir, mettre en garde, menacer.

Dire à l'enfant qu'il subira des conséquences s'il fait certaines choses :

« Si tu fais ça, tu vas le regretter ! »

« Encore une phrase comme celle-là et je te mets dehors de cette pièce ! »

« Si tu tiens à ta santé, tu vas y penser avant de le faire une autre fois ! »

3. Moraliser, prêcher, faire la leçon.

Dire à l'enfant ce qu'il *doit* ou *devrait* faire :

« Tu ne devrais pas agir comme ça ! »

« Tu devrais faire ceci, ou cela ! »

« Il faut toujours respecter ses aînés ! »

4. Conseiller, donner des suggestions ou des solutions.

Dire à l'enfant comment résoudre un problème, lui donner des conseils ou des suggestions, lui fournir des réponses ou des solutions ;

« Pourquoi ne demandes-tu pas à Julie et à Louise de venir jouer ici ? »

« Tu ferais mieux d'attendre quelques années avant de prendre une décision au sujet de l'Université. »

« Je te suggère d'en parler à ton professeur. »

« Tu n'as qu'à te faire d'autres amies. »

5. *Argumenter, expliquer, persuader par la logique.*

Essayer d'influencer l'enfant par des faits, des arguments contraires, par la logique, l'information ou par votre opinion sur le sujet :

« L'Université peut être l'expérience la plus merveilleuse de ta vie. »

« Les enfants doivent apprendre à s'entendre entre eux. »

« Examinons les faits concernant les diplômés d'Université. »

« Si un enfant apprend à être responsable à la maison, il deviendra beaucoup plus facilement un adulte responsable. »

« Regarde bien la situation en face : en fait, ta mère a besoin d'aide dans la maison. »

« Lorsque j'avais ton âge, j'avais deux fois plus de travail à faire que tu n'en as. »

6. *Juger, critiquer, être en désaccord, blâmer.*

Porter un jugement négatif ou faire une évaluation négative de l'enfant :

« Tu n'as pas les idées claires. »

« C'est un point de vue enfantin. »

« Tu as complètement tort sur ce sujet. »

« Je suis en complet désaccord avec toi. »

7. *Complimenter, être d'accord, évaluer positivement, approuver.*

Exprimer une évaluation ou un jugement positif, être d'accord :

« Tu sais que je te trouve jolie ? »

« Je suis certain que tu es capable de réussir. »

« Je crois que tu as raison. »

« Je suis d'accord avec toi. »

8. Dire des noms, ridiculiser, faire honte.

Amener l'enfant à se sentir ridicule, lui accorder une étiquette, lui faire honte :

« Tu es une vraie peste. »

« On sait bien, Monsieur connaît tout ! »

« Tu te comportes comme un sauvage. »

« Ça va, petit bébé. »

9. Interpréter, psychanalyser, diagnostiquer.

Dire à l'enfant quels sont ses motifs ou analyser pourquoi il dit telle chose ou il agit de telle façon ; lui communiquer que vous avez découvert son jeu ou que vous avez établi son diagnostic :

« Tu es jalouse de Julie. »

« Tu dis ça seulement pour me déranger. »

« Tu ne crois pas du tout ce que tu dis. »

« Tu éprouves ce sentiment parce que tu ne réussis pas bien à l'école. »

10. Rassurer, sympathiser, consoler, soutenir.

Essayer d'amener l'enfant à se sentir mieux, effacer ses sentiments en lui parlant, essayer de faire disparaître ses idées, nier la force de ses sentiments :

« Demain tu ne penseras plus de la même façon. »

« Tous les enfants passent par là à un moment ou à un autre. »

« Ne t'inquiète pas : ça va s'arranger. »

« Tu seras un très bon étudiant, avec les capacités que tu as. »

« J'ai déjà pensé ça moi aussi. »

« Je sais, il arrive que l'école soit vraiment ennuyante. »

« Habituellement, tu t'entends pourtant très bien avec les autres. »

11. Enquêter, questionner, interroger.

Essayer de trouver des raisons, des motifs, des causes ; essayer de ramasser des renseignements pour vous aider à résoudre le problème :

« Quand as-tu commencé à avoir ces impressions ? »

« Pour quelle raison crois-tu haïr l'école ? »

« Est-ce que les enfants t'ont déjà dit pourquoi ils ne voulaient pas jouer avec toi ? »

« A combien d'enfants as-tu parlé de ces travaux qu'ils doivent faire ? »

« Qui t'a mis cette idée dans la tête ? »

« Que vas-tu faire si tu ne vas pas à l'Université ? »

12. Esquiver, distraire, faire de l'humour.

Essayer d'éloigner l'enfant du problème ; éviter vous-même le problème ; distraire l'enfant, esquiver le problème par une blague, mettre le problème de côté :

« Oublie ça, tout simplement. »

« Si tu veux bien, ne parle pas de ça à table. »

« Allons donc, on ne pourrait pas parler de quelque chose de plus agréable ? »

« Comment ça va dans ton équipe de football ? »

« Pourquoi n'essaies-tu pas de mettre le feu à l'école ? »

« Nous avons déjà traité toute cette question. »

Si vous avez classé toutes vos réponses à l'intérieur de ces catégories, vous pouvez vous considérer comme un parent typique. Si une de vos réponses ne trouve pas sa place dans ces catégories, conservez-la ; car nous vous présenterons plus tard d'autres catégories de réponses aux messages des enfants. Peut-être en trouverez-vous alors une où vous pourrez la classer.

Lorsque nous faisons cet exercice dans nos groupes de formation, plus de quatre-vingt-dix pour cent des réponses entrent dans ces catégories. Unanimité qui surprend beaucoup les pères et les mères. Pour la plupart d'entre eux, c'est aussi la première fois que quelqu'un leur fait observer la façon dont ils parlent à leurs enfants, les modes de communication qu'ils emploient pour répondre à leurs problèmes et aux expressions de leurs sentiments.

Invariablement, l'un d'entre eux va demander : « Eh bien, maintenant que nous savons comment nous parlons à nos enfants, qu'est-ce qu'on fait ? » Qu'est-ce que ça nous apprend de découvrir que nous employons tous les « douze réponses typiques ? »

Les douze réponses typiques.

Pour comprendre les effets des « douze réponses typiques » sur un enfant ou sur une relation entre parent et enfant, il faut tout d'abord voir avec les parents que leurs réponses verbales contiennent généralement plus d'un sens, plus d'un message. Par exemple, si votre enfant vient tout juste de se plaindre que son amie ne l'aime plus et ne veut plus jouer avec elle et si vous lui dites : « Je te suggère d'essayer d'être plus gentille avec Julie, peut-être qu'alors elle voudra jouer encore avec toi », l'enfant reçoit beaucoup plus que le « contenu » de votre suggestion. En effet, l'enfant peut comprendre un de ces messages cachés ou même plusieurs :

« Tu n'acceptes pas mon problème tel que je le ressens, tu veux que je change. »

« Tu n'as pas confiance que je puisse régler ce problème moi-même. »

« Tu veux dire que c'est ma faute. »

« Tu crois que je ne suis pas aussi intelligente que toi. »

« Tu penses que j'ai fait quelque chose de mal. »

Si un enfant vous dit : « Je n'aime pas l'école et je ne veux plus en entendre parler », et si vous lui répondez par ces mots : « Nous avons tous ressenti la même chose à un moment ou à un autre, tu verras, ça te passera », l'enfant peut interpréter ce message de plusieurs façons et se faire les réflexions suivantes :

« Alors, tu penses que mes sentiments ne sont pas tellement importants. »

« Tu ne peux pas m'accepter, avec mes sentiments actuels. »

« Tu penses que c'est moi qui ne suis pas bien, qu'il n'y a pas de problème à l'école. »

« Tu ne me prends pas bien au sérieux, je trouve. »

« Tu ne trouves pas que mon jugement sur l'école soit justifié. »

« Ça semble t'importer bien peu que je me sente malheureux. »

Lorsque les parents disent quelque chose *à un enfant*, ils disent souvent par le fait même quelque chose *à son sujet*. C'est pourquoi la communication avec un enfant a autant d'impact sur lui en tant que personne et finalement sur toute votre relation avec lui. Chaque fois que vous parlez à un enfant, vous ajoutez une pierre à l'édifice de la relation qui se bâtit entre lui et vous. Il se construit graduellement une image de la façon dont vous le percevez en tant que personne. La manière dont vous lui parlez peut s'avérer *constructive* pour l'enfant et votre relation ou encore elle peut les *détruire*.

Une des façons que nous employons pour aider les parents à comprendre que les « douze réponses typiques » peuvent se révéler destructrices consiste à leur demander de se remémorer leurs propres réactions lorsqu'ils parlent de leurs sentiments à leurs amis. Invariablement les parents des groupes déclarent que la plupart du temps les « douze réponses typiques » ont des effets destructeurs sur eux-mêmes ou sur leur relation avec la personne à qui ils racontent leurs problèmes. Voici quelques-uns des effets que les parents nous rapportent :

Elles me portent à me refermer, à m'arrêter de parler.

Elles me portent à me défendre, à résister.

Elles me portent à argumenter ou à contre-attaquer.

Elles me laissent un sentiment d'infériorité.

Elles suscitent en moi de la rancune et de la colère.

Elles me portent à me sentir coupable ou méchant.

Elles me font sentir que l'on me presse de changer, que je ne suis pas accepté tel que je suis.

Elles me donnent l'impression que l'on me traite de façon paternaliste, comme si j'étais un enfant.

Elles me font sentir que je ne suis pas compris.

Elles me donnent l'impression que mes sentiments semblent injustifiés.

Je me sens interrompu, je perds le fil de mes sentiments.

Je me sens alors frustré.

Je me sens comme si j'étais témoin dans un procès et interrogé rigoureusement.

J'ai l'impression que celui qui m'écoute n'est pas intéressé.

Les parents de nos groupes reconnaissent que ce sont là les effets que les « douzes réponses typiques » ont sur *eux*, dans leur relation avec les autres. Ils peuvent alors comprendre quels en sont les effets sur leurs *enfants*. Et nous tombons d'accord sur ce point !

Ces douze types de réponses verbales sont justement ceux que les thérapeutes et les consultants ont appris à éviter pour travailler avec des enfants. Ces façons de réagir risquent de devenir « non thérapeutiques » ou « destructives », elles créent des « obstacles » à la communication. Les professionnels apprennent à compter sur d'autres façons de répondre aux messages des enfants ; ils emploient des réponses qui comportent, semble-t-il, moins de risques d'amener l'enfant à s'arrêter de parler, à se sentir coupable, à se mésestimer, à développer une attitude défensive ou du ressentiment, à se sentir inaccepté, et ainsi de suite.

En annexe à ce livre, vous pouvez retrouver ces « douze réponses typiques » ; on y présente en détail les effets destructeurs que chacune peut causer.

Lorsque les parents se rendent compte à quel point ils font usage de ces « douze obstacles à la communication » ils demandent toujours avec impatience : « De quelle autre façon pouvons-nous répondre ? Quelles réponses nous reste-t-il ? ». La plupart des parents ne voient pas d'autres possibilités, mais il y en a plusieurs.

Invitations et simples réceptions.

Une des façons les plus efficaces et les plus constructives de répondre aux messages des enfants sur leurs sentiments ou leurs problèmes est la « simple réception » ou l'invitation à en dire davantage. Ce sont des réponses qui ne communiquent aucune opinion, jugement ou sentiment de celui qui écoute, tout en invitant l'enfant à partager ses idées, jugements ou sentiments personnels. Elles ouvrent la porte et l'invitent à parler. Les plus simples de celles-ci sont des réactions neutres telles que :

« Je vois. »

« Oh ! »

« Mm hmm... »

« Intéressant. »

« Ah bon ! »

« Vraiment ? »

« Tu ne me dis pas... »

« Tu as fait ça ? »

« Oui, oui... »

« Sans blague ? »

D'autres sont plus explicites et transmettent une invitation à en dire davantage :

« Raconte-moi un peu. »

« J'aimerais en entendre davantage. »

« Dis-en un peu plus. »

« Je suis intéressé par ton point de vue. »

« Aimerais-tu en parler ? »

« Voyons ce que tu as à dire. »

« Raconte-moi toute l'histoire. »

« Vas-y, je t'écoute. »

« On dirait que tu en as beaucoup sur le cœur. »

« Ça me semble une chose très importante pour toi. »

« Parle. Ça te fera du bien. »

Ces simples réceptions ou invitations à parler peuvent grandement aider une autre personne à communiquer. Elles lui conservent aussi l'initiative de la conversation. Elles ne donnent pas l'impression de lui enlever la parole comme pourraient le faire d'autres messages venant de vous, comme poser des questions, donner des conseils, lui enseigner quelque chose, lui faire la morale, et le reste. Ces simples réceptions et invitations gardent vos propres pensées et sentiments en dehors du processus de communication. La réponse des enfants et des adolescents aux simples réceptions va surprendre les parents. Tout comme les adultes, les jeunes aiment parler et ils le font généralement lorsqu'on leur en donne l'occasion. Ces simples réceptions contiennent une acceptation de l'enfant et un respect de lui en tant que personne : elles lui disent de façon sous-entendue :

« Tu as le droit d'exprimer ce que tu ressens. »

« Je te respecte comme personne avec tes opinions et tes sentiments. »

« Je peux avoir des choses à apprendre de toi. »

« Je veux vraiment connaître ton point de vue. »

« Tes idées sont valables : ça vaut la peine de les écouter. »

« Je m'intéresse à toi. »

« Je veux être en contact avec toi, je veux mieux te connaître. »

Qui ne réagirait pas favorablement à de telles attitudes ? Quel adulte ne se sent pas bien lorsqu'on lui manifeste que l'on reconnaît sa valeur, qu'on le respecte, qu'on l'accepte, qu'il est intéressant ? Les enfants éprouvent les mêmes sentiments. Invitez-les à parler et vous serez très surpris par le flot de leur expression et de leur extériorisation. Vous avez aussi des chances d'apprendre du nouveau sur eux ou sur vous-mêmes dans ce processus.

L'écoute active.

Il y a une autre façon de réagir aux messages des jeunes qui est beaucoup plus efficace que les simples réceptions qui sont des invitations franches à parler. Vous *ouvrez* tout simplement la porte à l'enfant en l'invitant à parler. Reste à apprendre comment *garder la porte ouverte.*

Beaucoup plus efficace que *l'écoute passive* (le silence), l'écoute active est une façon remarquable d'impliquer et l'*émetteur* et le *récepteur* du message. Le récepteur y est actif tout comme l'émetteur. Cependant, pour apprendre comment employer l'écoute active, les parents doivent comprendre davantage le processus de communication entre deux personnes. Quelques schémas seront utiles.

Chaque fois qu'un enfant décide de communiquer avec un parent, il le fait parce qu'il a un *besoin.* C'est toujours parce qu'il se passe quelque chose chez lui que l'enfant communique.

Il veut quelque chose, il ne se sent pas bien, il éprouve un sentiment face à une situation, il est troublé par tel événement, etc. Nous disons que l'organisme de l'enfant est alors dans un état de *déséquilibre* momentané. Afin de rétablir son équilibre, l'enfant décide de parler. Disons que l'enfant a faim.

En vue de se libérer de la faim (état de déséquilibre), l'enfant devient un « émetteur » ; il communique avec l'espoir que cela va lui apporter à manger. Il ne peut pas communiquer littéralement ce qu'il ressent à l'intérieur de lui-même (sa faim), car la faim est un ensemble de réactions physiologiques complexes qui se produisent *à l'intérieur d'un organisme* d'où elles ne peuvent sortir. Alors, pour manifester sa faim à quelqu'un d'autre, il doit choisir des signaux qui puissent faire comprendre ce qu'il veut exprimer. Dans ce cas-ci : « J'ai faim. » Ce procédé s'appelle le « codage », l'enfant choisit un *code.*

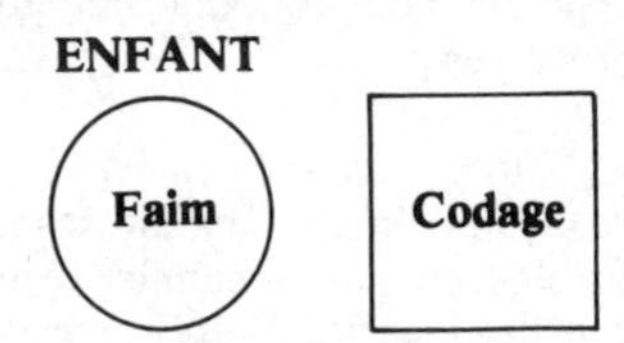

Supposons que, dans ce cas particulier, l'enfant choisisse le code : « Maman, quand allons-nous dîner ? » Ce code ou combinaison de symboles verbaux est alors transmis dans l'air de la pièce et la mère le capte.

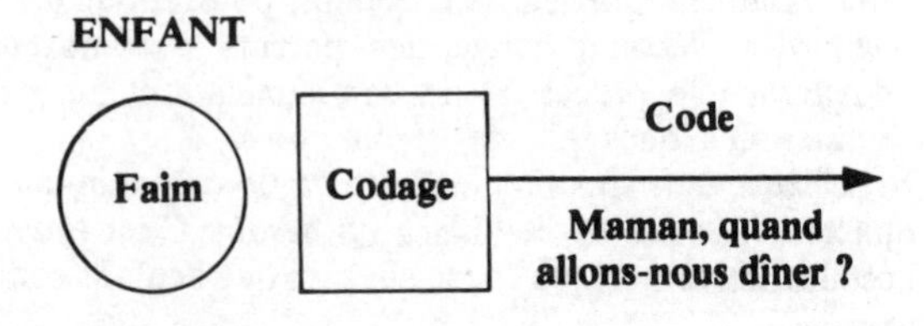

Lorsque la mère reçoit le message, elle doit faire une opération de *décodage* afin d'en comprendre la signification et de saisir ce qui se passe chez l'enfant.

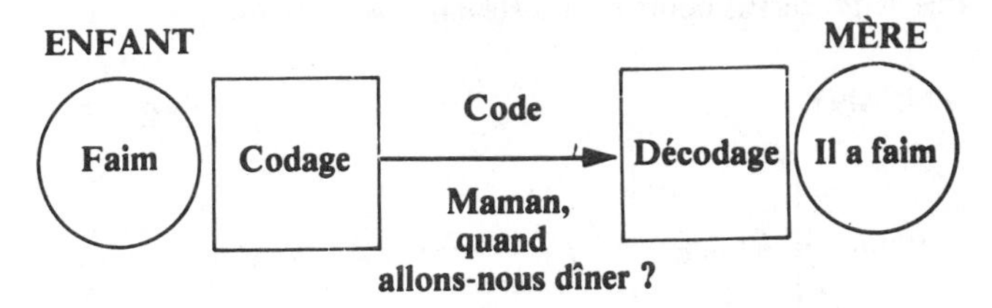

Si la mère décode correctement, elle comprendra que l'enfant a faim. Mais s'il arrive que la mère interprète que l'enfant a hâte de manger pour pouvoir aller jouer avec ses amis, elle n'a pas compris correctement et le processus de communication est rompu. Et c'est là la difficulté ; l'enfant ne le sait pas, ni la mère, parce que l'enfant ne peut pas lire les pensées de sa mère pas plus que la mère ne peut voir à l'intérieur de son enfant.

C'est souvent là que le processus de communication se brise entre deux personnes : le récepteur interprète mal le message de l'émetteur et ni l'un ni l'autre ne se rendent compte du malentendu qui existe.

Supposons, toutefois, que la mère décide de vérifier la justesse de son interprétation pour s'assurer qu'elle ne s'est pas trompée. Elle peut le faire simplement en communiquant à l'enfant sa pensée, le résultat de son décodage : « Tu as hâte d'aller jouer avec tes amis. » Alors l'enfant entend la réponse de sa mère, et il peut lui dire qu'elle n'a pas décodé correctement.

Enfant : Non, ce n'est pas ce que j'ai voulu dire, maman. J'ai vraiment faim et j'ai hâte que le dîner soit prêt.

Mère : Ah ! je vois, tu as bien faim. Aimerais-tu une collation en attendant ? Nous ne mangerons que dans une heure, quand ton père reviendra de son travail.

Enfant : C'est une bonne idée, j'en prendrais bien une.

Lorsque la mère communique pour la première fois ce qu'elle a compris du message de l'enfant, elle fait usage de l'écoute active.

Dans ce cas particulier, elle a tout d'abord mal interprété le message de l'enfant mais sa réponse l'en a informé. Alors il émet un autre message qui finalement va faire comprendre le premier. Si elle avait décodé correctement la première fois, le processus pourrait être schématisé comme suit :

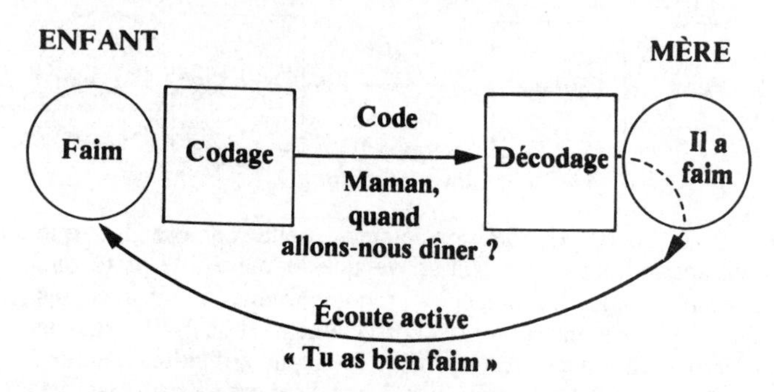

Voici quelques exemples d'écoute active :

1.

Enfant : *(Il pleure)* Martin m'a enlevé mon camion.

Parent : Tu en es malheureux, tu n'es pas content lorsqu'il fait ça.

Enfant : C'est bien ça.

2.

Enfant : Je n'ai personne avec qui jouer depuis que François est parti en vacances avec sa famille. Je ne sais plus quoi faire pour m'amuser.

Parent : Tu t'ennuies : tu n'as plus François pour jouer avec toi et tu te demandes ce que tu pourrais faire pour t'amuser.

Enfant : Oui, j'aimerais bien trouver quelque chose à faire.

3.

Enfant : C'est incroyable comme j'ai un mauvais professeur cette année ! Je ne l'aime pas. Elle dispute tout le temps.

Parent : On dirait que tu es vraiment déçue de ton professeur.

Enfant : Oui ! Bien sûr !

4.

Enfant : Eh, papa, tu sais quoi ? J'ai été accepté par l'équipe de ballon.

Parent : Tu en es vraiment fier, n'est-ce pas ?

Enfant : Tu peux le dire.

5.

Enfant : Papa, quand tu étais jeune, qu'est-ce que tu aimais chez les filles ? Qu'est-ce qui te faisait aimer une fille ?

Parent : Il me semble que tu es préoccupée : tu te demandes ce qu'il te faut pour plaire aux garçons. Est-ce que c'est ça ?

Enfant : Oui. J'ai l'impression que les garçons ne m'aiment pas et j'aimerais savoir pourquoi.

Dans chacun de ces exemples, le parent a décodé correctement le sentiment de l'enfant ; il a bien compris ce qui se passait à l'« intérieur » de lui. Chaque fois l'enfant confirme après coup la justesse de l'interprétation du parent par des expressions qui signifient : « Tu m'as bien compris. »

Dans l'écoute active, le récepteur essaie de comprendre ce que ressent l'émetteur, de saisir ce que son message veut dire. Ensuite, il transforme sa compréhension dans ses propres mots et retourne le message à l'émetteur pour vérification. Le « receveur » ne transmet pas son propre message, comme une évaluation, une opinion, un conseil un raisonnement, une analyse ou une question. Il retourne seulement *ce qu'il pense être le sens véritable du message de l'émetteur,* rien de plus, rien de moins.

Voici un échange plus long au cours duquel le parent fait un bon usage de l'écoute active. Notez comment l'enfant confirme à chaque fois la perception du parent. Remarquez également à quel point l'écoute active aide l'enfant à en dire plus, à approfondir, à mieux développer sa pensée. Pouvez-vous sentir ce mouvement ? Surveillez l'enfant et voyez comment elle commence d'elle-même à redéfinir son problème ; observez-la ensuite se pencher sur elle-même et finalement faire un premier pas vers la résolution de son problème.

Enfant : Je souhaiterais avoir un rhume de temps à autre comme Margot. Elle est chanceuse.

Père : Tu te sens en sorte privée de quelque chose.

Enfant : Oui, elle peut s'absenter de l'école et moi ça ne m'arrive jamais.

Père : Tu aimerais pouvoir t'absenter de l'école plus souvent ?

Enfant : Oui, j'aimerais ça. Je n'aime pas aller à l'école tous les jours, jour après jour. J'en deviens dégoûtée.

Père : Tu es vraiment fatiguée de l'école ?

Enfant : Quelquefois je déteste ça, tout simplement.

Père : C'est plus que ne pas aimer cela, quelquefois même tu détestes l'école.

Enfant : C'est exact. Je déteste les devoirs à la maison et je déteste les cours.

Père : Tu détestes à peu près tout à l'école.

Enfant : En réalité, je ne déteste pas tous les professeurs, seulement deux. Et il y en a une en particulier que je ne peux supporter. C'est la pire.

Père : Tu en détestes une en particulier, n'est-ce-pas ?

Enfant : Si je la déteste ! C'est cette Mme Tremblay. Je l'ai en horreur, et je l'ai pour toute l'année aussi.

Père : Tu es prise avec elle pour une longue période.

Enfant : Oui. Je ne sais pas comment je pourrai supporter cela. Tu sais ce qu'elle fait ? Chaque jour nous avons une longue conférence : elle se tient là debout, elle sourit, comme ceci *(elle démontre)* et elle nous explique comment un étudiant responsable est supposé se comporter ; et elle nous dit toutes ces choses que nous devons faire pour obtenir un « A » dans sa classe. Ça me rend malade !

Père : Tu détestes sûrement entendre toute cette histoire.

Enfant : Oui. D'après ce qu'elle dit, il semble pratiquement impossible d'obtenir un « A », à moins d'être une espèce de génie ou un chouchou du professeur.

Père : Tu te sens battue même avant de commencer : tu penses qu'il t'est impossible d'obtenir un « A ».

Enfant : Oui ! Je ne serai sûrement pas un des chouchous du professeur ! Les autres jeunes les haïssent. Je ne suis déjà pas tellement populaire auprès des jeunes. J'ai tout simplement l'impression que bien peu de filles m'aiment. (Elle pleure.)

Père : Tu ne te sens pas tellement populaire et ça te bouleverse.

Enfant : Oui. Ça me met toute à l'envers. Il y a un groupe de filles qui sont les meilleures dans l'école. Elles sont les plus aimées des jeunes. J'aimerais pouvoir être dans leur groupe. Mais je ne sais pas comment.

Père : Tu aimerais vraiment appartenir à ce groupe, mais c'est la manière de le faire qui t'embarrasse.

Enfant : C'est ça. Je ne sais franchement pas comment les filles entrent dans ce groupe. Ce ne sont pas les plus belles, pas toutes. Ce ne sont pas toujours non plus celles qui ont les meilleures notes. Certaines dans ce groupe ont de hautes notes mais la plupart ont des plus basses notes que moi. Je ne sais vraiment pas.

Père : Tu es comme intriguée : tu voudrais bien savoir ce qu'il faut faire pour entrer dans ce groupe.

Enfant : Eh bien, il y a une chose, c'est qu'elles sont toutes très amicales : elles parlent beaucoup, et tu sais, elles se font des amis. Elles vous disent bonjour la première, elles parlent avec beaucoup de facilité. Je ne peux pas faire ça. Je ne suis tout simplement pas bonne dans ce genre de choses.

Père : Tu penses que c'est peut-être ça qu'elles ont et que tu n'as pas.

Enfant : Je sais que je ne suis pas tellement bonne pour la conversation. Je peux parler facilement avec une fille, mais pas quand je me retrouve au milieu de toute une poignée de filles, je reste tout simplement tranquille. C'est difficile pour moi de trouver quoi dire.

Père : Tu te sens à l'aise avec une fille, mais avec toute une bande de filles, tu te sens assez différente.

Enfant : Oui, j'ai toujours peur de dire une chose ridicule, ou une chose qu'il ne faut pas dire, ou quelque chose du genre. Alors, je reste là plantée debout et je me sens comme délaissée. C'est terrible !

Père : Tu détestes sûrement éprouver ce sentiment.

Enfant : Oui, je déteste rester en dehors du groupe, toutefois j'ai peur d'essayer d'entrer dans la conversation.

Au cours de cette brève rencontre entre le père et la fille, le père laisse de côté ses opinions et ses sentiments personnels (messages-je), pour mieux écouter, décoder et comprendre les pensées et les sentiments de sa fille. Notez que les réponses du père commencent généralement par « tu ». Noter aussi comment le père évite d'employer les « douze réponses typiques ». En s'en tenant strictement à l'écoute active, il démontre de la compréhension et de l'empathie à l'égard de sa fille mais lui permet de conserver la responsabilité de son problème.

Quels avantages les parents auraient-ils à apprendre l'écoute active ?

Certains des parents à qui nous présentons cette nouvelle technique dans nos groupes ont les réactions suivantes :

« Ça ne me semble pas naturel. »

« Les gens ne parlent pas comme ça. »

« Quel est le but de l'écoute active ? »

« Je me sentirais idiot de répondre de cette façon à mes enfants. »

« Ma fille croirait que je suis tombée sur la tête si je commençais à employer l'écoute active avec elle. »

Ce sont des réactions compréhensibles, car les parents sont tellement habitués à commander, prêcher, questionner, juger, menacer, réprimander ou rassurer ! Il est tout naturel qu'ils se demandent si cela vaut la peine de changer et d'apprendre l'écoute active. Un père parmi les plus sceptiques que nous ayons rencontrés dans nos groupes fut convaincu par une expérience personnelle : ce changement se produisit durant la semaine qui suivit la rencontre où il avait été initié à cette nouvelle façon d'écouter.

« Je veux rapporter au groupe une expérience surprenante qui m'est arrivée cette semaine. Jeanne, ma fille de quinze ans, et moi ne nous étions pas parlé depuis deux ans, si ce n'est pour se dire des banalités comme « Passe-moi le pain » ou « Donne-moi le poivre et le sel ». L'autre soir, elle était assise à la table de la cuisine avec son ami lorsque je suis arrivé à la maison. J'entendis ma fille dire à son ami à quel point elle détestait l'école et ne s'entendait pas avec la plupart des filles qu'elle connaissait. Je me décide sur-le-champ et me voilà assis avec eux, ne faisant rien d'autre que d'écouter activement, même si je trouvais cette chose la

plus difficile au monde. Je ne dis pas que j'ai été parfait, mais je me suis surpris moi-même. Vous ne me croirez pas : tous les deux se sont mis à me parler et ça n'a pas cessé durant deux heures. J'en ai appris plus sur ma fille et sur ce qu'elle pense pendant ces deux heures qu'au cours des cinq dernières années. En plus de ça, elle s'est montrée amicale pour tout le reste de la semaine. Pour un changement, c'en est un vrai ! »

Ce père n'est pas le seul à avoir eu cette surprise. Beaucoup de parents ont un succès spontané lorsqu'ils font l'essai de cette nouvelle technique. Avant même d'acquérir une quelconque maîtrise de l'écoute active, ils rapportent souvent des résultats assez incroyables.

Beaucoup de gens croient se débarrasser de leurs sentiments en les refoulant, en les oubliant ou en pensant à autre chose. En fait, on se libère de sentiments gênants quand on est encouragé à les exprimer ouvertement. *L'écoute active aide justement cette expression.* Elle aide les enfants à découvrir ce qu'ils ressentent exactement. Après avoir été exprimés, bien souvent les sentiments semblent disparaître comme par magie.

L'écoute active aide les enfants à réduire leur peur des sentiments négatifs. Dans nos groupes, nous employons l'expression « nos sentiments sont nos amis » pour faire comprendre aux parents que les sentiments ne sont pas « mauvais ». Lorsqu'un parent démontre par l'écoute active qu'il accepte les sentiments d'un enfant, cela aide aussi l'enfant à les accepter. Par la réponse du parent, il apprend que ses sentiments *sont* ses amis.

L'écoute active établit des liens chaleureux entre le parent et l'enfant. L'expérience de se sentir écouté et compris par une autre personne apporte tellement de satisfaction qu'invariablement l'émetteur ressent de la sympathie pour celui qui écoute. Les enfants en particulier témoignent en retour des sentiments d'affection. Des sentiments similaires s'éveillent chez la personne qui écoute : elle commence à se sentir plus près de la personne qui parle. Lorsqu'on écoute quelqu'un avec empathie et attention, on en vient à le comprendre, à apprécier sa façon de voir le monde. En un sens, *on devient cette autre personne* pour le temps où on se met à sa place. Invariablement, en tentant de se « mettre dans la peau » de l'autre personne, on ressent à son égard un rapprochement et une certaine tendresse. S'intéresser à un autre avec empathie, c'est le voir comme une personne distincte, tout en étant prêt à se joindre à lui ou à être avec lui. En d'autres mots, on devient « son compagnon » pour une brève période de son périple dans l'existence. Un tel acte implique une profonde affection et un amour pour l'autre. Les parents qui apprennent à sympathiser par l'écoute active découvrent une nouvelle sorte d'appréciation et de respect et une plus grande sollicitude envers leur enfant ; en retour, ce dernier éprouve à l'égard du parent des sentiments semblables.

L'écoute active aide l'enfant à résoudre lui-même ses problèmes. Nous savons par expérience que les gens réussissent mieux à clarifier un problème et à découvrir une solution lorsqu'ils peuvent « en parler » plutôt que simplement y penser. Comme l'écoute active est tellement efficace à faciliter l'expression verbale, elle aide une personne dans sa recherche de solutions à ses problèmes. Tout le monde a entendu des expressions telles : « Ça me soulage tellement de t'en parler ! » « J'ai un problème et il faut que je t'en parle : il faut que j'en parle à quelqu'un ! » « J'aimerais en parler avec toi, ça pourrait m'aider. »

L'écoute active amène l'enfant à être plus réceptif aux opinions et aux idées de ses parents. C'est une expérience courante de voir qu'il est plus facile d'être attentif *aux problèmes de quelqu'un* s'il s'est montré réceptif à notre point de vue. Les enfants sont plus enclins à être réceptifs aux messages de leurs parents si ceux-ci ont tout d'abord écouté les leurs. Lorsque les parents se plaignent que leurs enfants ne les écoutent pas, on pourrait parier que les parents ne les écoutent pas avec assez d'attention.

L'écoute active laisse à l'enfant l'initiative de la conversation. Lorsque les parents répondent aux problèmes de leurs enfants par l'écoute active, ils peuvent souvent observer à quel point ces derniers commencent à penser par eux-mêmes. Un enfant va commencer à analyser son problème de lui-même, et en arriver éventuellement à quelques solutions réalistes. L'écoute active encourage l'enfant à penser par lui-même, à trouver sa propre définition de son problème et à découvrir ses propres solutions. L'écoute active transmet de la confiance, alors que les messages tels que les conseils, les raisonnements, les commandements et les autres obstacles à la communication transmettent de la méfiance et enlèvent à l'enfant la responsabilité de résoudre ses problèmes.

L'écoute active est en résumé un des meilleurs moyens d'aider un enfant à mieux prendre en main son orientation et ses responsabilités et à devenir autonome.

Les attitudes requises pour employer l'écoute active.

L'écoute active n'est pas une simple technique que les parents « sortent » lorsque leurs enfants ont des problèmes. C'est une méthode qui vise à mettre en œuvre un ensemble d'attitudes de base. Sans ces attitudes, la méthode atteint rarement son but ; elle paraîtra fausse, vide, mécanique et peu sincère. Voici quelques-unes des attitudes de base d'un parent qui emploie l'écoute active fructueusement. Sans ces attitudes, un parent ne peut pas employer efficacement l'écoute active.

1. On doit *vouloir* écouter ce que l'enfant veut dire. Il faut prendre le temps d'écouter. Si on n'a pas le temps, mieux vaut le dire tout simplement.

2. On doit sincèrement *vouloir* aider l'autre à résoudre le problème particulier qu'il ressent en ce moment. Si on ne le veut pas, mieux vaut attendre de le vouloir.

3. On doit sincèrement être capable *d'accepter les sentiments de l'autre,* quels qu'ils soient, aussi différents qu'ils puissent être de ses propres sentiments ; on doit pouvoir mettre de côté son idée des sentiments que l'enfant « devrait » ressentir. Cette attitude ne se développe cependant qu'avec le temps.

4. On doit avoir un profond sentiment de confiance dans la capacité de l'enfant de s'occuper de ses propres sentiments, d'y voir clair et de trouver des solutions à ses problèmes. Vous acquerrez cette confiance en observant votre enfant régler ses problèmes.

5. On doit se rendre compte que ces sentiments évoluent, et ne sont pas nécessairement permanents. Les sentiments se modifient : la haine peut se transformer en amour, le découragement peut rapidement être remplacé par l'espoir. En conséquence, il n'y a pas lieu de s'effrayer des sentiments qui sont exprimés ; ils ne persisteront sans doute pas chez l'enfant. L'écoute active vous le démontrera.

6. On doit être capable de voir son enfant comme une personne différente de soi, un être unique qui a son existence propre, un individu distinct à qui on a donné sa propre vie et son identité personnelle.

Cette « différenciation » va vous rendre apte à « permettre » l'enfant de vivre ses propres sentiments et d'acquérir sa propre façon de percevoir les choses. C'est seulement en ressentant cette « différence » que vous pourrez réussir à être un agent d'aide pour l'enfant. Vous devez être « avec » lui au moment où il vit ses problèmes, mais vous ne pouvez pas lui être lié.

L'écoute active comporte un risque.

L'écoute active exige de toute évidence qu'on fasse abstraction de ses opinions et de ses sentiments pour ainsi porter une attention exclusive au message de l'enfant. Elle *exige* une perception exacte ; si le parent veut comprendre le message avec le sens que lui donne l'enfant, il doit se mettre lui-même à la place de l'enfant, se « mettre dans sa peau », entrer dans son champ de référence, dans sa perception de la réalité. De cette façon, il peut comprendre la signification qu'a *voulu* lui donner l'émetteur. Par la partie « retour » de l'écoute active, le parent peut, en fait, vérifier la justesse de sa compréhension ; lorsqu'il entend son propre « message » qui lui est retourné correctement par une écoute réussie, l'émetteur (l'enfant) est par le fait même assuré qu'il a été bien compris.

Lorsqu'une personne emploie l'écoute active, il se produit quelque chose en elle. Comprendre exactement ce qu'une *autre personne* pense ou ressent, saisir son point de vue, se mettre à sa place momentanément, voir le monde comme *elle* le voit, comporte un risque : en effet, la personne qui écoute peut ainsi changer ses opinions et ses attitudes. En d'autres mots, on est transformé par ce qu'on *comprend vraiment.* Être réceptif, « ouvert à l'expérience » d'un autre, appelle la possibilité d'avoir à redéfinir sa propre expérience. Cela peut faire peur. Les personnes qui sont toujours sur la « défensive » ne peuvent pas se permettre de s'exposer à des idées et des opinions différentes des leurs. Par contre, les personnes de caractère flexible n'ont pas peur de se changer. Les enfants qui ont des parents de caractère souple réagissent favorablement lorsqu'ils voient que leur père et leur mère sont prêts à les comprendre, qu'ils sont prêts à être humains.

4

L'application de vos capacités d'écoute active.

Les parents sont généralement emballés lorsqu'ils découvrent ce que l'écoute active peut leur permettre d'accomplir. Cependant, son application demande des efforts : et même si elle présente des difficultés dans les débuts, il y a lieu de l'employer souvent. Les parents demandent : « Comment savoir quand l'employer », « Est-il possible d'acquérir une compétence suffisante pour offrir à mes enfants des consultations efficaces ? »

Mme T..., une femme intelligente et bien éduquée, mère de trois enfants, révèle aux autres parents de son groupe : « Je me rends maintenant compte que j'ai une forte tendance à donner des conseils à mes enfants et à trouver des solutions à leurs problèmes. J'ai aussi pris cette habitude envers mon mari et avec mes amis. Est-il possible de changer cette manière d'agir ? »

Nous pouvons répondre « oui » à cette question, sans beaucoup de craintes de nous tromper. Oui, la plupart des parents peuvent changer et apprendre à employer adéquatement l'écoute active au moment propice, pourvu qu'ils aillent de l'avant et commencent son application sans tarder. C'est par la pratique que vient l'efficacité, ou, tout au moins, la pratique apportera aux parents un niveau de compétence raisonnable.

Aux parents qui hésiteraient à essayer cette nouvelle méthode de parler avec les enfants, nous recommandons la bonne vieille méthode de l'essai : « Même si vous vous sentez loin de la perfection, essayez : le résultat vous récompensera certainement de votre effort. »

Dans ce chapitre, nous démontrerons comment des parents ont appris à employer l'écoute active. Comme dans l'apprentissage de toute nouvelle activité, on rencontre inévitablement des difficultés, quelquefois même des échecs. Cependant, nous savons maintenant que les parents qui développent sérieusement leur capacité d'écoute et leur réceptivité pourront observer des progrès remarquables chez leurs enfants : ils les verront évoluer vers l'indépendance et la maturité, et jouiront avec eux d'une nouvelle relation plus intime et plus chaleureuse.

Quand le problème appartient-il à l'enfant ?

Le moment le mieux approprié pour employer l'écoute active, c'est lorsque l'enfant *laisse voir qu'il a un problème.* Habituellement, le parent va percevoir ces situations, car il entendra ou verra l'enfant exprimer ses sentiments.

Dans leur vie quotidienne, tous les enfants font face à des situations décevantes, frustrantes, pénibles ou bouleversantes : ils ont des problèmes avec leurs amis, leurs frères ou sœurs, leurs parents, leurs professeurs, leur environnement ainsi qu'avec eux-mêmes. Les enfants qui peuvent compter sur une aide pour résoudre ces problèmes conservent leur santé psychologique et continuent d'avoir une plus grande force intérieure et une plus grande confiance en eux-mêmes. Les enfants qui ne trouvent pas cette aide nécessaire manifestent des troubles affectifs.

Pour reconnaître le moment propice à employer l'écoute active, les parents doivent se sensibiliser aux problèmes exprimés par l'enfant. Mais il faut signaler un principe très important : celui de la *localisation des problèmes.*

Dans toute relation humaine, il y a des moments où une personne (A) « a un problème », c'est-à-dire que certains de ses besoins ne sont pas satisfaits ou qu'elle n'est pas contente de son propre comportement. A un moment particulier de la relation, elle peut être agacée, frustrée, troublée ou privée de quelque chose. Pour cette raison, la relation devient à ce moment-là insatisfaisante pour *A*. La personne *A* éprouve un problème : on dit ici que le problème lui appartient.

En d'autres moments, les besoins de A sont satisfaits par son comportement, mais ce comportement empêche B de satisfaire ses propres besoins. C'est maintenant *B* qui est agacé, frustré, privé de quelque chose ou troublé par le comportement de *A*. En conséquence, cette fois c'est *B qui a un problème.*

Dans la relation entre parent et enfant, trois situations se produisent. Nous les expliciterons davantage un peu plus loin en présentant des situations vécues :

1. L'enfant a un problème parce qu'il ne peut satisfaire un de ses besoins personnels. Ce n'est pas un problème pour le parent puisque le comportement de l'enfant ne l'empêche en aucune façon de satisfaire ses propres besoins. Il en découle que LE PROBLÈME APPARTIENT A L'ENFANT.
2. Les besoins de l'enfant sont satisfaits (il n'est pas frustré) et de plus son comportement n'interfère pas avec les besoins du parent. Il en découle QU'IL NE SE POSE PAS DE PROBLÈME DANS LA RELATION.
3. Les besoins de l'enfant sont satisfaits (il n'est pas frustré). Cependant son comportement pose un problème au parent, car cela empêche sérieusement le parent de satisfaire ses propres besoins.

Alors le problème appartient au parent.

Il est primordial que les parents classifient toujours chacune des situations qui surviennent dans la relation. Dans laquelle de ces trois catégories faut-il classer la situation ? Un schéma aidera à s'en souvenir :

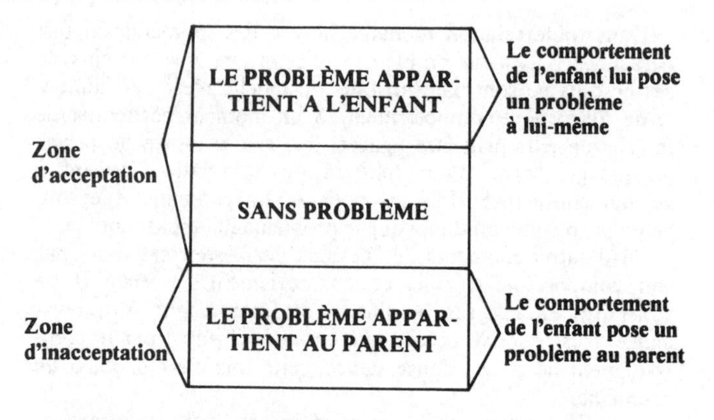

Il s'avère très utile que le parent emploie l'écoute active lorsque l'enfant a un problème, mais ce n'est pas très approprié quand c'est le parent qui a le problème ; l'écoute aide *l'enfant* à trouver des solutions à *ses* propres problèmes, mais elle peut rarement aider le parent lorsque le comportement de l'enfant lui cause un problème. (Dans le prochain chapitre, nous présenterons des méthodes qui peuvent permettre aux parents de régler les problèmes qui leur appartiennent.)

Voici des exemples de problèmes qui généralement *« appartiennent » à l'enfant :*

Gilles se sent rejeté par un de ses amis.

Luc est triste car il n'a pas été choisi par l'équipe de football.

Line est frustrée parce que les garçons ne l'invitent pas.

Nathalie éprouve des difficultés à décider de son orientation.

Roger est incertain : il pense peut-être aller à l'Université.

Alain a été sévèrement réprimandé à l'école.

Françoise n'aime pas ses leçons de piano.

Robert se fâche lorsqu'il perd au jeu avec son frère.

Michèle met peu d'effort à son travail scolaire et de plus elle n'aime pas son professeur.

Lucie est timide à cause de sa taille.

Jeanne est troublée parce qu'elle craint de rater deux examens.

Jean éprouve des difficultés dans ses travaux scolaires.

Les enfants rencontrent inévitablement des problèmes de ce genre lorsqu'ils essaient de faire face à la vie, leur vie à *eux*. Les frustrations des enfants, leurs questions, leurs privations et même leurs échecs leur appartiennent, et non pas aux parents.

Au début les parents ont de la difficulté à accepter ce concept. La plupart des pères et des mères sont portés à s'approprier un trop grand nombre de problèmes de leurs enfants. Ce faisant, ils s'infligent des peines inutiles et, comme nous le démontrerons plus loin, ils contribuent ainsi à détériorer leurs relations avec leurs enfants et ratent d'innombrables occasions d'agir comme consultants efficaces auprès d'eux.

Lorsqu'un parent accepte que certains problèmes appartiennent à l'enfant, cela ne veut nullement dire qu'il refuse de s'intéresser à lui, de se soucier de son bien-être ou de lui offrir son aide. Un consultant professionnel se préoccupe vraiment de chaque enfant qu'il essaie d'aider et s'intéresse sincèrement à son sort. Cependant, à la différence de la plupart des parents, il laisse *à l'enfant* la responsabilité de résoudre le problème. Il accepte que l'enfant ait ce problème. Il accepte l'enfant comme une personne *distincte de lui-même.* Il s'appuie fortement sur les ressources internes de l'enfant et il lui accorde une confiance fondamentale pour régler ses propres problèmes. C'est seulement parce qu'il laisse le problème dans les mains de l'enfant que le consultant professionnel peut employer l'écoute active.

L'écoute active reste une méthode puissante pour aider une personne à résoudre un problème, à condition que celui qui écoute accepte que le problème appartienne à l'autre et qu'il permette de trouver ses propres solutions. L'écoute active peut accroître de beaucoup l'efficacité des parents comme agent d'aide pour leurs enfants, mais il s'agit d'une aide différente de celle que les parents essaient habituellement de donner.

Paradoxalement, cette méthode va augmenter l'influence du parent sur l'enfant, mais encore là, ce sera une influence différente de celle qu'en général les parents tentent d'exercer sur leurs enfants. *L'écoute active est une méthode propre à influencer les enfants à trouver des solutions à leurs propres problèmes.* La plupart des parents sont toutefois tentés de s'approprier les problèmes de leurs enfants, comme cela se passe dans le cas suivant :

Louis : Denis ne veut pas jouer avec moi aujourd'hui. Il ne veut jamais faire ce que j'aimerais qu'on fasse.

Mère : Pourquoi ne lui offres-tu pas de faire ce qu'il veut faire ? Tu dois apprendre à t'entendre avec tes amis. (DONNER DES CONSEILS, FAIRE LA MORALE)

Louis : Je n'aime pas faire ce qu'il veut faire et en plus je n'ai pas le goût de m'entendre avec cet imbécile.

Mère : Eh bien, va te chercher quelqu'un d'autre avec qui jouer, alors, si tu veux faire ta mauvaise tête. (OFFRIR UNE SOLUTION, DIRE DES NOMS)

Louis : C'est lui la mauvaise tête, pas moi. A part ça, il n'y a personne avec qui je peux jouer.

Mère : Tu t'inquiètes seulement parce que tu es fatigué. Ton problème sera réglé en te réveillant demain matin, tu verras. (INTERPRÉTER, RASSURER).

Louis : Je ne suis pas fatigué et demain ce sera encore la même histoire. Tu ne comprends tout simplement pas à quel point je déteste cet idiot.

Mère : Cesse de parler ainsi ! Et que je ne t'entende plus jamais parler de tes amis de cette façon. (DONNER DES ORDRES, MENACER)

Louis : *(Il s'éloigne en boudant :)* Je n'aime pas demeurer dans ce quartier, j'aimerais qu'on déménage.

Voici comment cette mère peut aider ce même garçon par l'écoute active :

Louis : Denis ne veut pas jouer avec moi aujourd'hui, il ne veut jamais faire ce que j'aimerais qu'on fasse.

Mère : Tu sembles fâché contre Denis. (ÉCOUTE ACTIVE)

Louis : Tu l'as dit. Je ne veux plus jamais jouer avec lui. Je n'en veux pas comme ami.

Mère : Tu es tellement fâché que tu ne veux plus jamais le voir. (ÉCOUTE ACTIVE)

Louis : C'est ça. Mais si je ne l'ai plus comme ami, je n'aurais plus personne avec qui jouer.

Mère : Tu n'aimerais pas te retrouver seul pour jouer. (ÉCOUTE ACTIVE)

Louis : Ouais, j'ai bien l'impression que je vais avoir à m'entendre avec lui de quelque manière. Mais en même temps j'ai tellement de difficulté à ne pas me fâcher contre lui.

Mère : Tu aimerais mieux t'entendre avec Denis, mais tu trouves difficile de ne pas te fâcher contre lui. (ÉCOUTE ACTIVE)

Louis : Ce n'était pas comme ça avant, il était toujours d'accord pour faire ce que j'avais envie de faire. Maintenant, il ne veut plus me laisser décider.

Mère : Denis n'est plus aussi facile à influencer maintenant. (ÉCOUTE ACTIVE)

Louis : C'est bien ça. Il n'est plus un bébé maintenant. Mais il est plus intéressant comme ça.

Mère : Tu l'apprécies mieux tel qu'il est maintenant. (ÉCOUTE ACTIVE)

Louis : Oui, mais c'est difficile d'arrêter de tout décider tout seul. Peut-être qu'on se disputerait moins si je le laissais décider de temps en temps. Je pense que ça marcherait.

Mère : Tu crois que si tu cédais de temps en temps, ça pourrait aider. (ÉCOUTE ACTIVE)

Louis : Oui, je pense que ça marcherait. Je vais essayer.

Dans la première version, la mère emploie huit des douze obstacles à la communication. Dans la seconde, la mère fait un emploi judicieux de l'écoute active. Dans la première, la mère « s'empare du problème », dans la seconde, elle laisse à Louis la responsabilité de son problème. Dans la première version, Louis résiste aux suggestions de sa mère ; sa colère et ses frustrations ne se calment pas, le problème demeure sans solution et il n'y a pas d'évolution de la part du garçon. Dans la seconde, une fois sa colère passée, il aborde un processus de résolution de son problème et il approfondit alors son attitude et les causes de ses ennuis. Il découvre sa propre solution et, de toute évidence, il fait un pas important en direction d'une maturité personnelle qui lui permettra de régler lui-même ses problèmes.

Voici un autre exemple typique de la façon dont les parents essaient habituellement d'aider leurs enfants :

Lise : Je ne veux pas manger ce soir.

Père : Force-toi un peu, voyons. Les enfants de ton âge ont besoin de trois repas par jour. (ARGUMENTER, PERSUADER PAR LA LOGIQUE)

Lise : J'ai pris un gros repas ce midi.

Père : Viens quand même t'asseoir à table et voir ce que nous mangeons. (SUGGÉRER).

Lise : Je suis certaine que je ne vais rien manger.

Père : Qu'est-ce qui ne va pas ce soir ? (QUESTIONNER)

Lise : Rien.

Père : Alors, dépêche-toi, viens manger. (COMMANDER)

Lise : Je n'ai pas faim et je ne mangerai pas.

Voici comment cette jeune fille aurait pu être aidée grâce à l'écoute active.

Lise : Je ne veux pas manger ce soir.

Père : Tu n'as pas le goût de manger ce soir ? (ÉCOUTE ACTIVE)

Lise : Absolument pas. J'ai l'estomac en boule aujourd'hui.

Père : Tu te sens tendue aujourd'hui ; est-ce que je saisis bien ? (ÉCOUTE ACTIVE)

Lise : Tendue n'est pas le mot. J'ai peur.

Père : Quelque chose te fait peur, c'est ça ? (ÉCOUTE ACTIVE)

Lise : Tu peux le dire ! Robert m'a téléphoné aujourd'hui et il m'a demandé de lui parler ce soir. Il paraissait très sérieux, ce n'est pas son habitude.

Père : Tu as cru déceler qu'il y avait quelque chose de spécial (ÉCOUTE ACTIVE)

Lise : J'ai peur qu'il ne veuille me quitter.

Père : Tu n'aimerais pas que ça se produise. (ÉCOUTE ACTIVE)

Lise : Ce serait terrible ! Surtout parce que je crois qu'il s'intéresse à Suzanne. Ce serait le pire !

Père : C'est vraiment ce qui te fait peur, que Suzanne le prenne. (ÉCOUTE ACTIVE)

Lise : Oui. Elle a tous les garçons intéressants. Elle est décourageante, elle parle toujours aux garçons et s'amuse à rire avec eux. Ils se font tous prendre. Elle en a toujours trois ou quatre autour d'elle dans les couloirs à l'école. Je ne sais pas comment elle fait ; moi, je ne sais jamais quoi dire aux garçons.

Père : Tu aimerais être aussi à l'aise que Suzanne avec les garçons. (ÉCOUTE ACTIVE).

Lise : Oui. Je manque toujours mes chances. Je suppose que je veux tellement qu'ils me trouvent intéressante que j'ai peur de dire des sottises.

Père : Tu veux tellement être populaire que tu as peur de faire des erreurs. (ÉCOUTE ACTIVE)

Lise : Oui. Mais je ne pourrais pas faire pire que ce que je fais en ce moment, à rester là à ne rien dire.

Père : Tu crois que tu te trouves encore en moins bonne position maintenant, que si tu te décidais et tu te mettais à parler. (ÉCOUTE ACTIVE)

Lise : Ah oui ! J'en ai assez. Je suis fatiguée de toujours me taire.

Dans la première version, le père de Lise interprète mal son message dès le départ et la conversation en reste au problème du repas. Dans la seconde, l'écoute active pratiquée par le père aide Lise à exprimer son véritable problème, l'encourage à trouver elle-même une solution et l'amènera peut-être à changer son attitude.

Comment les parents appliquent-ils concrètement l'écoute active ?

Voici quelques situations qui vous donneront une chance d'observer comment des parents emploient l'écoute active lorsqu'ils font face aux petits problèmes de la vie quotidienne. Faites bien attention de ne pas trop vous laisser prendre par ces situations vécues et n'oubliez pas de noter comment ces parents font usage de l'écoute active.

Daniel, « l'enfant qui avait peur de s'endormir ».

Dans la situation décrite, la mère qui a suivi nos cours emploie quelques-uns des « douze obstacles à la communication » dans ses réponses, mais elle fait aussi un usage important de l'écoute active. L'enfant de huit ans avait de plus en plus de difficultés à aller dormir depuis l'âge de cinq ans. Après avoir partagé une chambre avec ses deux frères plus jeunes pendant plusieurs années, il a maintenant sa chambre à lui seul depuis environ huit mois. Bien qu'il ait manifesté un vif désir d'avoir sa propre chambre, son problème s'est intensifié.

La mère :	Éteins la lampe et va dormir.
Daniel :	Je ne dormirai pas.
La mère :	Tu dois dormir, il est tard, tu seras fatigué demain.
Daniel :	Je ne dormirai pas.
La mère :	*(Brusquement :)* Éteins la lampe immédiatement.
Daniel :	*(Sèchement :)* Je ne dormirai jamais.
La mère :	*(Je suis tentée de lui donner une bonne fessée, je suis tellement fatiguée. Je ne peux supporter cela ce soir... Je vais dans la cuisine, je prends un moment de repos, puis je décide d'essayer « l'écoute active » même si je dois en mourir !)* En entrant dans sa chambre je lui dis : « Allons, il est tard mais je m'assoirai sur ton lit pour un moment et je me reposerai les pieds avant de laver la vaisselle. » *(Je lui enlève le livre, j'éteins la lampe, je ferme la porte et je m'assois sur le lit près de lui, en m'appuyant le dos au mur).*
Daniel :	Donne-moi ce livre-là. N'éteins pas la lampe. Sors d'ici. Je ne veux pas que tu restes ici. Je ne dormirai pas. Je te déteste.
La mère :	Tu es fâché.
Daniel :	Ouais, je déteste l'école, je n'y retournerai jamais, jamais.
La mère :	*(Il aime l'école.)* Tu en as assez de l'école.
Daniel :	C'est écœurant. Je ne suis pas bon à l'école. Je ne sais rien. Je devrais être en deuxième degré. *(Il est dans le troisième degré.)* Les mathématiques, je n'y connais rien. *(Il est très bon dans ce domaine.)* La maîtresse doit penser que nous sommes au secondaire ou quelque chose du genre.

La mère : Tu as beaucoup de difficultés en mathématiques ?

Daniel : Non, c'est facile. Ça ne me tente tout simplement pas de les faire.

La mère : Ah !

Daniel : *(Il change soudainement :)* J'aime cependant le football. J'aime mieux jouer au football que d'aller à l'école.

La mère : Tu aimes vraiment le football ?

Daniel : Est-ce qu'on doit aller à l'Université ?
(Le frère aîné est sur le point d'y entrer ; la famille en parle beaucoup.)

La mère : Non.

Daniel : Combien de temps doit-on aller à l'école ?

La mère : Tu dois y aller jusqu'à l'âge de seize ans environ.

Daniel : Eh bien ! je n'irai pas à l'Université. Je n'y suis pas obligé, n'est-ce pas ?

La mère : C'est ça.

Daniel : Bon, je jouerai au football.

La mère : Le football, ça te plaît beaucoup ?

Daniel : Bien sûr. *(Complètement calmé, il parle confortablement, sans colère :)* Eh bien, bonsoir.

La mère : Bonsoir.

Daniel : Veux-tu rester avec moi encore un peu ?

La mère : Mmhmm
(Il tire les couvertures qu'il avait foulées aux pieds Il me couvre soigneusement les genoux et les tapote.)

La mère : Oui, merci.

Daniel : De rien.
(Période de calme, l'enfant commence à ronfler, à renifler et à se racler la gorge et le nez avec un bruit exagéré. Il renifle et il ronfle à plusieurs reprises. Daniel a une légère allergie au nez, mais les symptômes ne sont jamais aigus. Je n'ai jamais entendu Daniel ronfler comme cela auparavant.)

La mère : Ton nez t'agace ?

Daniel : Oui, bien sûr. Je pense que j'ai besoin de remède pour le nez congestionné.

La mère : Penses-tu que ça aiderait ?

Daniel : Non. *(Il ronfle et renifle.)*

La mère : Ton nez t'agace vraiment ?

Daniel : Oui *(Il ronfle.) (Signes d'angoisse.)* Oh ! j'aimerais qu'on n'ait jamais à respirer par le nez quand on dort.

La mère : *(Très surprise de cela, elle tente de lui demander d'où lui vient cette idée) :* Tu penses que tu dois respirer par le nez quand tu dors.

Daniel : Je sais que je dois le faire.

La mère : Tu es sûr de cela.

Daniel : Je le sais. Alain me l'a dit, il y a longtemps. *(Alain est un ami fortement admiré, de deux ans plus âgé que lui.)* Il m'a dit qu'on doit le faire. On ne peut respirer par la bouche quand on dort.

La mère : Tu veux dire que tu n'es pas censé le faire ?

Daniel : Tu ne peux tout simplement pas. *(Il ronfle.)* Maman, c'est ça, n'est-ce pas ? Je veux dire : on doit respirer par le nez quand on dort, n'est-ce-pas ? *(Longue explication, plusieurs questions de l'enfant au sujet de son ami qu'il admire fortement. « Il ne me mentirait pas. »)*

La mère : *(Je lui dis que cet ami essaie sans doute de l'aider mais que les enfants quelquefois ont de faux renseignements. J'insiste beaucoup sur le fait que tous et chacun respirent par la bouche en dormant.)*

Daniel : *(Très soulagé :)* Eh bien, bonsoir.

La mère : Bonsoir. *(Daniel respire facilement par la bouche.)*

Daniel : *(Soudainement, il ronfle et renifle à nouveau.)*

La mère : Tu as encore peur ?

Daniel : Mm hmm, maman, qu'est-ce qui arrivera si je m'endors en respirant par la bouche, et que mon nez s'embourbe, et si au milieu de la nuit, quand je dors dur, je me ferme la bouche ?

La mère : *(Je me rends compte qu'il a eu peur de s'endormir durant plusieurs années parce qu'il avait peur de mourir étouffé. Je pense : « Oh mon pauvre petit ! »)* Tu as peut-être peur d'étouffer ?

Daniel : Mm hmm. On doit respirer. *(Il n'a pu dire « je pourrais mourir ».)*

La mère *(J'explique davantage :)* Ça ne peut tout simplement pas arriver. Ta bouche s'ouvrirait, tout comme ton cœur pompe ton sang et tes yeux clignent tout seuls.

Daniel : Es-tu sûre ?

La mère : Oui, j'en suis sûre.

Daniel : Eh bien ! Bonsoir.

La mère : Bonsoir chéri. *(Je l'embrasse. Daniel s'endort en quelques minutes.)*

Le cas de Daniel n'est pas le seul exemple où l'écoute active a apporté une solution étonnante à un problème affectif. Les parents de nos groupes nous rapportent souvent des expériences semblables : les témoignages de cette nature confirment notre conviction que la grande majorité des parents peuvent maîtriser suffisamment les techniques employées par les consultants professionnels et s'en servir pour aider leurs enfants à résoudre des problèmes ancrés profondément, même si d'ordinaire on considère ce domaine réservé aux seuls spécialistes.

Quelquefois, cette écoute thérapeutique amène un soulagement bienfaisant d'un sentiment qu'éprouve l'enfant ; tout ce dont l'enfant semble avoir besoin, c'est d'une oreille sympathique, comme dans le cas de Sylvie, une petite fille très intelligente, âgée de dix ans. Sa mère suggéra d'enregistrer la conversation pour qu'elle puisse l'écouter avec son groupe. Dans nos cours, nous encourageons les parents à enregistrer quand c'est possible ; cela nous permet d'employer l'enregistrement pour la formation pratique de la mère et aussi pour l'apprentissage des autres parents. En lisant la transcription textuelle de ce dialogue, essayez d'imaginer des parents qui répondent au message de Sylvie concernant ses sentiments à l'égard de son professeur. Imaginez les « douze obstacles à la communication » si souvent employés dans de telles circonstances et voyez la différence.

Mère : Comme ça, tu ne veux pas aller à l'école demain.

Sylvie : Il n'y a rien à faire là-bas.

Mère : Tu veux dire que tu t'ennuies...

Sylvie : Oui, on n'a rien d'autre à faire que de regarder Mme Imbécile ; elle est tellement grosse et elle a toujours un air bête.

Mère : Comme ça, tout ce qu'elle fait te tape sur les nerfs.

Sylvie : Oui, elle dit tout le temps : « C'est bien, je te donnerai ça demain. » Le lendemain arrivé, elle dit : « J'ai oublié. Je te le donnerai une autre fois. »

Mère : Comme ça, elle promet de faire des choses...

Sylvie : Et elle ne les fait jamais...

Mère : Et elle ne tient pas ses promesses, c'est ce qui t'embête...

Sylvie : Oui, elle ne m'a pas encore donné l'attache-feuilles qu'elle m'a promise en septembre.

Mère : Elle dit qu'elle va faire des choses, tu comptes sur elle et elle ne les fait pas : tu n'aimes sûrement pas ça.

Sylvie : Elle nous a promis toutes sortes d'excursions, elle dit qu'un de ces jours nous allons aller à la bibliothèque... ensuite elle dit qu'elle ne nous en a jamais parlé... elle en parle seulement... et ne fait jamais rien. Après ça, elle recommence par de nouvelles promesses.

Mère : Elle vous fait croire que des choses vont se passer, vous vous attendez à quelque chose d'intéressant et finalement, il ne se passe jamais rien.

Sylvie : C'est complètement idiot, mais c'est comme ça.

Mère : Après, tu es vraiment déçue de ce qui se produit le reste de la journée.

Sylvie : Oui, le seul moment que j'aime, c'est quand on fait du dessin. Au moins, à ces moments-là, elle ne critique pas mon écriture ! Elle est toujours sur mon dos, pour me dire : « Ton écriture est tellement horrible. Pourquoi ne t'améliores-tu pas ? Tu devrais faire plus attention. »

Mère : Tu dis que tu en as assez de sa surveillance et de ses remarques...

Sylvie : Oui, et pendant les périodes de dessin elle me dit quelle couleur employer et je ne le fais pas. Je fais de beaux dessins et alors elle veut me montrer comment y faire des ombres...

Mère : Tu n'as que peu de temps où tu es tranquille durant les périodes de dessin.

Sylvie : A peu près pas, prends par exemple quand je dessine le toit d'une maison...

Mère : J'imagine qu'elle veut que tu le dessines d'une certaine manière et que ça t'agace...

Sylvie : Oui, mais je ne fais pas ce qu'elle dit...

Mère : Ça t'embête qu'elle te fasse des suggestions et qu'elle insiste...

Sylvie : Je ne les suivrai pas, je ne suis jamais ses suggestions, mais ensuite j'ai des problèmes...

Mère : Tu as peur d'avoir des problèmes si tu ne suis pas ses suggestions...

Sylvie : La plupart du temps ça ne se passe pas comme ça. Il faut que je fasse comme elle veut. Prends par exemple la façon dont elle me fait faire mes exercices : un A puis un B, ah zut !

Mère : Tu voudrais ignorer ses suggestions, mais tu finis toujours par les suivre et alors tu te fâches...

Sylvie : Tout est si long avec elle : il faut qu'elle explique tout en détail et qu'elle donne un ou deux exemples au groupe, qu'elle répète comment faire. Elle nous prend pour des bébés. Elle dit que c'est un nouveau sujet, on se croirait à la maternelle.

Il est parfois difficile aux parents de laisser finir une conversation comme celle-ci sans avoir une conclusion en vue. Cela devient beaucoup plus facile lorsqu'ils comprennent que la chose se produit fréquemment dans le travail des consultants professionnels et ils laissent alors plus facilement l'enfant s'arrêter, car ils ont confiance que plus tard il trouvera lui-même une solution. L'expérience apprend aux consultants professionnels que l'on peut faire confiance à la capacité des enfants à régler de façon constructive les problèmes qui surgissent dans leur vie. Les parents sous-estiment souvent cette capacité.

Voici maintenant un exemple tiré d'une entrevue avec un adolescent. Il illustre bien que l'écoute active ne provoque pas toujours un changement spontané. Fréquemment l'écoute active déclenche plutôt une série d'événements dont la conclusion peut ne pas parvenir à la connaissance du parent ou encore prendre un certain temps avant de devenir apparente. Cela se produit bien souvent car l'enfant après coup trouve de lui-même une solution. Les consultants professionnels observent continuellement ce phénomène. Un enfant peut terminer une consultation d'une heure en plein milieu d'une discussion sur un problème et revenir la semaine suivante en disant qu'il a trouvé la solution.

C'est justement ce qui s'est produit avec Fernand, un adolescent de seize ans qui m'avait été amené en consultation par ses parents inquiets de son mépris de l'école, de sa révolte à l'égard des adultes, de son intérêt pour les drogues et de son manque de collaboration à la maison.

Pendant plusieurs semaines, Fernand employa la durée entière de chacune des consultations à défendre son habitude de fumer de la marijuana et à critiquer celle des adultes de faire usage du tabac et de l'alcool. Il ne voyait rien de répréhensible à fumer de la « mari ». Il pensait que tout le monde devrait l'essayer parce que c'était pour lui une expérience extraordinaire.

Il remettait en question la valeur de l'école. Il n'y voyait qu'une préparation à trouver un emploi pour gagner de l'argent et ainsi tomber dans le même piège que tous les membres de la société. Il avait les plus basses notes à l'école ; il lui paraissait futile de faire quoi que ce soit de constructif. Un jour, il arriva à sa consultation en déclarant qu'il avait décidé d'arrêter de fumer de la marijuana et qu'il avait fini de « ruiner sa vie ». Il ne savait pas encore ce qu'il voulait faire dans la vie ; il me dit qu'il était certain qu'il ne voulait pas gaspiller sa vie en suivant l'exemple des « clochards ». Il m'annonça également qu'il travaillait très sérieusement à deux cours d'été qu'il avait commencés après avoir échoué à tous ceux de l'année régulière, à l'exception d'un seul. Pour ces deux cours, Fernand obtint des notes assez fortes, il gradua la même année et fit son entrée à l'Université. Je n'ai jamais su ce qui avait changé chez lui, mais je crois personnellement que c'est son propre sens des valeurs qui s'est réveillé à la suite de l'expérience de se trouver face à quelqu'un qui l'a écouté « activement ».

Il arrive aussi quelquefois que l'écoute active aide un enfant à accepter une situation qu'il se voit incapable de changer. L'écoute active permet à l'enfant d'exprimer ses sentiments au sujet d'une situation et lui enlève un poids sur le cœur. De plus, l'enfant se sent accepté par quelqu'un qui comprend ses sentiments. C'est le même phénomène qui semble jouer quand on se plaint de la température : même si on se plaint, on sait évidemment qu'on ne peut pas changer la situation, mais il semble qu'en exprimant ses sentiments négatifs en présence d'une personne qui accepte et comprend, on se sent soulagé et aidé.

La conversation qui suit, entre Jeannette, douze ans, et sa mère illustre bien ce point :

Jeannette : Je déteste Mme Smith, mon nouveau professeur d'anglais. C'est bien la pire que j'aie jamais eue.

Mère : Tu n'es pas chanceuse ce semestre-ci...

Jeannette : Tu peux le dire ! Elle se plante devant nous et commence à nous raconter des histoires idiotes sur elle-même jusqu'à nous endormir. Chaque fois qu'elle commence, j'ai envie de lui dire de se taire.

Mère : Elle te tape vraiment sur les nerfs.

Jeannette : C'est la même chose pour tout le monde. Personne ne l'aime. Des personnes comme elle ne devraient pas avoir le droit d'enseigner dans les écoles. Je me demande comment une pareille incapable fait pour garder son emploi ?

Mère : Tu te demandes comment te libérer d'un tel professeur.

Jeannette : Oui, mais elle est là et je suis obligée de l'endurer tous les jours. Ah ! j'oubliais, j'ai promis à Lucie de l'aider à faire des affiches. Salut. A tout à l'heure.

De toute évidence, on n'a trouvé aucune solution. Jeannette ne peut d'ailleurs pas changer son professeur. Cependant, elle a pu exprimer ses sentiments, elle s'est sentie acceptée et comprise et cela lui permet de passer à autre chose. Cette mère a aussi démontré à sa fille qu'elle pouvait compter sur elle et qu'elle pouvait se confier à elle en toute sécurité lorsqu'elle avait des problèmes.

Quand un parent décide-t-il d'employer l'écoute active ?

Faut-il attendre qu'un problème important survienne pour employer l'écoute active ? Doit-on réserver cette technique pour les problèmes graves comme celui de Daniel qui avait peur de s'endormir ? Tout au contraire ! Vos enfants vous transmettent à longueur de journée des messages vous indiquant qu'ils vivent des sentiments pénibles.

Le petit Robert vient de se brûler un doigt sur le fer à repasser de sa mère :

Robert : Aie, je me suis brûlé le doigt ! Maman, je me suis brûlé le doigt ! Ça fait mal, ça fait mal *(il pleure).* Je me suis brûlé le doigt, aie, aie !

Mère : Oh, ça fait mal, ça fait terriblement mal.

Robert : Oui. Regarde, c'est une grosse brûlure.

Mère : Ça doit être douloureux, très douloureux.

Robert *(Il s'arrête de pleurer) :* Mets-moi quelque chose là-dessus tout de suite.

Mère : Voilà, je te donne de la glace pour enlever la douleur. Dans deux minutes je te mettrai un onguent.

Dans sa réaction à ce petit incident domestique, la mère évite de rassurer Robert en lui disant :

« Ce n'est pas grave », ou « Tu vas voir, ça ne fera plus mal tout à l'heure », ou « Tu ne t'es brûlé qu'un peu. » Elle respecte le sentiment de Robert : ça lui fait mal, c'est pour lui une brûlure grave. Elle a aussi évité la réaction souvent employée par des parents dans des circonstances semblables : « Mais voyons, Robert, tu n'es pas un bébé. Arrête de pleurer tout de suite. »

L'écoute active de la mère témoigne de certaines attitudes importantes à l'égard de son fils.

Il vit un moment pénible de *son* existence ; c'est *son* problème et il a droit à une réaction qui lui est *propre.* Je ne veux pas nier les sentiments qu'*il* éprouve, car pour *lui,* ils sont bien réels.

Je peux accepter qu'*il* se sente mal et que la brûlure *lui* semble très douloureuse.

Je ne veux pas qu'il se sente coupable ou qu'il croie avoir tort.

Les parents de nos groupes rapportent que lorsqu'un enfant s'est fait mal et qu'il pleure beaucoup, l'emploi de l'écoute active provoque souvent un arrêt soudain des pleurs, dès *qu'il est certain que son parent sait ce qu'il ressent et comprend jusqu'à quel point il a mal ou a peur.* Dans de telles circonstances, l'enfant semble éprouver un besoin primordial, celui de faire comprendre ses sentiments.

Il peut être difficile pour les parents de supporter les enfants quand ces derniers sont inquiets, craintifs ou se sentent en insécurité, lorsque leurs parents les quittent pour la soirée ou qu'ils ne savent pas où trouver leur poupée favorite ou leur couverture, ou encore lorsqu'ils doivent dormir dans un lit étranger, et en bien d'autres circonstances. Rassurer l'enfant est rarement efficace en pareil cas et l'on comprendra que les parents s'impatientent si l'enfant ne veut pas arrêter de se plaindre et de réclamer sans cesse ce qui lui manque :

« Je veux ma couverture, je veux ma couverture, je veux ma couverture ! »
« Je ne veux pas que tu partes, je ne veux pas que tu partes ! »
« Je veux ma poupée, je veux ma poupée, je veux ma poupée ! »

L'écoute active peut faire des merveilles dans de telles circonstances. Le principal désir de l'enfant semble celui de faire reconnaître par le parent la profondeur de ses sentiments.

Peu de temps après avoir participé à un de nos groupes, M. H... nous raconta l'incident suivant :

Michèle, âgée de trois ans et demi, commença à pleurnicher sans arrêt lorsque sa mère la laissa avec moi dans l'auto pour aller au marché. Elle répéta des douzaines de fois : « Je veux ma maman, je veux ma maman », même si j'essayais de la rassurer à chaque fois en lui disant que sa mère reviendrait dans quelques minutes. Elle commença ensuite à réclamer sa poupée avec un entêtement semblable. Après avoir tout essayé pour la calmer, mais sans succès, je me suis souvenu de l'écoute active. En désespoir de cause je lui ai dit : « Tu t'ennuies de ta mère lorsqu'elle est partie. » Elle fit signe que oui. « Tu n'aimes pas que ta mère parte sans t'emmener avec elle. » Elle acquiesça à nouveau ; serrant toujours son toutou, elle avait dans les yeux un air de petit chat perdu dans un coin du siège arrière. Je continuai : « Quand tu t'ennuies de ta maman, tu veux avoir ta poupée. » Elle fit de grands signes affirmatifs de la tête. « Mais tu n'as pas ta poupée ici dans l'auto et tu t'ennuies d'elle aussi. » A ce moment, tout à fait comme par magie, elle laissa tomber son toutou, se leva de son coin, s'arrêta de pleurer et grimpa sur le siège avant avec moi. Elle se mit alors à parler gentiment et à s'amuser à regarder les gens passer.

Tout comme l'a fait M. H..., les parents peuvent y trouver une leçon : il vaut mieux *accepter* les sentiments de vos enfants tels qu'ils sont, plutôt que de prendre l'approche directive qui consiste à tenter de *se débarrasser* du pleurnichage et des cris en essayant de rassurer ou de menacer l'enfant. *Les enfants veulent que vous sachiez qu'ils éprouvent des sentiments pénibles et que vous vous rendiez compte de leur importance.*

On peut aussi employer l'écoute active dans d'autres situations comme celle où les enfants émettent des messages dans un code embrouillé ; il est alors difficile pour les parents de comprendre ce qui se passe dans leur tête et l'écoute active les aidera à le clarifier.

Très souvent, bien que ce ne soit pas dans tous les cas, ces messages sont présentés sous forme de questions :

« Penses-tu que je vais me marier un jour ? »
« Comment se sent-on quand on meurt ? »
« Pourquoi les autres enfants me disent-ils des noms ? »
« Papa, qu'est-ce qui te plaisait chez les filles quand tu étais jeune ? »

Cette dernière question me fut posée par ma propre fille, à table, un matin, alors qu'elle s'apprêtait à partir pour son école. Comme tous les adultes, j'ai eu immédiatement le réflexe de saisir la perche qui m'était tendue et de commencer à me remémorer ma jeunesse. Par chance, je me suis vite ressaisi et je répondis par l'écoute active :

Père : J'ai l'impression que tu te demandes ce qu'il te faut pour que les garçons s'intéressent à toi. Est-ce que je me trompe ?

Fille : Oui. Il me semble que je ne leur plais pas et je ne sais pas pourquoi...

Père : Tu te demandes pour quelle raison ils ne t'aimeraient pas.

Fille : Bien, tu sais que je ne parle pas beaucoup. Et puis, je ne parviens pas à parler devant les garçons.

Père : Tu ne réussis pas à être ouverte et décontractée avec les garçons.

Fille : Oui, en réalité j'ai peur de dire quelque chose qui va me rendre ridicule à leurs yeux.

Père : Tu as peur qu'ils te trouvent ridicule.

Fille : Oui. En restant tranquille, sans dire un mot, je ne cours pas de risque.

Père : Il te semble plus sûr de rester tranquille.

Fille : Oui, mais ça ne me donne pas une place dans le groupe, car ils croient maintenant que je ne suis pas intéressante.

Père : Rester tranquille ne te donne pas ce que tu voudrais.

Fille : Non, je pense que je vais devoir tenter ma chance, moi aussi.

Il me semble clair que j'aurais commis une grossière erreur si j'avais cédé à la tentation de commencer à raconter à ma fille quelles étaient mes préférences lorsque j'étais jeune homme.

Grâce à l'écoute active, ma fille a pu faire un autre pas en avant. Elle a découvert un nouvel aspect, et les découvertes de ce genre mènent souvent à des changements de comportement qui prennent leur source chez la personne même.

Habituellement, les messages codés que les enfants émettent, en particulier sous forme de questions, signifient qu'ils sont aux prises avec un problème plus profond. L'écoute active donne au parent une occasion de s'approcher de l'enfant et de l'aider à définir lui-même son problème, et permettre aussi à *l'enfant d'amorcer lui-même* un processus de résolution du problème. Répondre directement à ces sentiments-présentés-sous-forme-de-questions amène presque toujours le parent à perdre une occasion d'agir efficacement pour aider son enfant à surmonter le problème auquel il fait face.

Lors de leurs premières tentatives, les parents de nos groupes oublient souvent que l'écoute active a aussi une valeur considérable pour répondre aux problèmes intellectuels des enfants. Ces derniers rencontrent continuellement des problèmes lorsqu'ils essaient d'intégrer et de donner un sens à tout ce qu'ils lisent ou entendent dire sur le monde qui les entoure ; que ce soit la contestation étudiante, les grèves, les émeutes, la ségrégation, la brutalité policière, les guerres, les assassinats, la pollution, le contrôle de la population, le divorce ou la criminalité.

Très souvent, les enfants énoncent leurs opinions avec vigueur et ils emploient des manières qui ont pour effet de souligner encore davantage leur apparente naïveté ou immaturité. Ces manières font sursauter les parents, qui sont facilement tentés de rétablir les faits ou de leur donner un point de vue plus détaillé sur le sujet. Dans ce cas, la motivation des parents peut être louable : ils veulent contribuer au développement intellectuel de leurs enfants ; leur motif peut aussi être égoïste, comme de démontrer la supériorité de leur propre intelligence.

Quelle que soit la motivation, les parents tombent inévitablement dans l'un ou même plusieurs des « douze obstacles à la communication » avec l'inévitable résultat de décourager les enfants ou de commencer une bataille verbale qui se termine par des blessures d'amour-propre et des remarques pleines d'aigreur.

Nous soumettons les parents de nos groupes à une réflexion profonde afin de les amener à comprendre qu'ils peuvent employer l'écoute active lorsque leurs enfants sont aux prises avec des idées ou des questions d'actualité, tout aussi bien que lorsqu'ils ont des problèmes personnels. Nous leur demandons :

« Est-ce que votre enfant doit penser comme vous ? »
« Pourquoi vous sentez-vous obligé de lui en remontrer ? »
« Pouvez-vous tolérer que quelqu'un exprime une opinion différente de la vôtre ? »
« Pourquoi ne lui permettriez-vous pas de développer son propre point de vue sur la complexité du monde ? »

« Pourquoi ne lui permettriez-vous pas de vivre la difficulté qu'il rencontre face à un problème ? »

« Ne vous souvenez-vous pas que lorsque vous étiez enfant vous aviez vous aussi des idées sur le monde que vous trouvez maintenant complètement farfelues ? »

C'est alors que les parents de nos groupes ont commencé à se tourner la langue et à ouvrir les oreilles : et ils rapportent des changements marqués dans les conversations, à table, durant les repas. Leurs enfants soulèvent des problèmes qu'ils n'avaient jamais discutés avec eux, la drogue, la sexualité, l'avortement, l'alcool, la moralité et combien d'autres sujets qui sont importants pour les adolescents. L'écoute active peut faire des merveilles pour transformer une maison en un lieu où les parents et les enfants peuvent se rencontrer et traiter en profondeur les problèmes à la fois complexes et critiques auxquels les enfants ont à faire face.

Lorsque des parents de nos groupes se plaignent que leurs enfants n'abordent jamais de sujets sérieux à la maison, nous finissons toujours par découvrir qu'en plusieurs occasions les enfants ont fait de timides tentatives et que les parents y ont répondu par des obstacles typiques : reproches, sermons, morale, leçons, évaluations, jugements. Il ne faut pas être surpris de voir un fossé se dresser entre les générations ! Ce triste drame existe dans de trop nombreuses familles parce que les parents n'écoutent pas : ils transforment, corrigent, déprécient ou ridiculisent les messages que leur adressent leurs enfants.

Erreurs fréquentes dans l'emploi de l'écoute active.

Les parents trouvent souvent difficile de comprendre ce qu'est l'écoute active et en quoi elle diffère des « douze obstacles à la communication ». Par contre, il est rare qu'un parent ne reconnaisse pas les immenses avantages à employer l'écoute active avec les enfants. Quoi qu'il en soit, certains parents éprouvent plus de difficultés que d'autres à maîtriser l'emploi de cette technique. Comme dans l'apprentissage de toute nouvelle connaissance, des erreurs sont possibles, soit par manque de compétence ou parce que la technique n'est pas employée de façon appropriée. Nous présentons ici quelques-unes de ces erreurs avec l'espoir qu'en les connaissant on pourra les éviter plus facilement.

Manipuler les enfants par les conseils.

Certains parents connaissent un échec au moment où ils commencent à employer l'écoute active tout simplement parce que leurs intentions ne sont pas en accord avec l'esprit de cette technique. Ils veulent l'employer pour manipuler leurs enfants et les amener à agir et à penser tout à fait comme eux-mêmes.

A la quatrième rencontre d'un de nos groupes, Mme J... nous arriva en disant qu'elle était profondément déçue de sa première expérience d'écoute active : « Ça n'a pas marché dans mon cas. Vous nous avez dit que l'écoute active aidait les enfants à parler. Eh bien ! mon fils m'a tout simplement regardée sans dire un mot. »

Le moniteur lui demanda alors de raconter au groupe ce qui s'était passé et elle fit le récit suivant :

Jacques, mon fils de seize ans, revient de son école et vient d'apprendre qu'il a échoué à deux cours. J'essaie immédiatement de l'encourager à parler en employant ma nouvelle technique. Il se renferme et s'éloigne sans avoir exprimé ce qu'il ressent.

Le moniteur lui suggère alors de recréer la scène : il s'offre à tenir le rôle de Jacques et demande à Mme J... de reprendre sa propre intervention. Mme J... accepte, en avertissant cependant le groupe qu'elle ne croit pas que le moniteur puisse être aussi peu communicatif dans son rôle que son fils ne l'est généralement à la maison. Voici comment le moniteur joua le rôle de Jacques. Notez bien le type de réponse de la mère :

Jacques : Cela a vraiment mal été aujourd'hui. Je viens tout juste de subir deux échecs, un en mathématiques, l'autre en français.

Mme J... *(Calmement) :* Tu en es bouleversé.

Jacques : Certainement que je suis bouleversé.

Mme J... *(Toujours calmement) :* Tu es déçu.

Jacques : C'est bien peu dire. Ça veut dire que je n'aurai pas mon diplôme. C'est fini pour moi, les études !

Mme J... : Tu crois qu'il n'y a rien que tu pourrais faire maintenant que tu as reçu ces notes. *(Ici la mère essaie de passer son propre message.)*

Jacques : Tu veux dire que je me mette à étudier davantage ? *(Jacques a compris le message.)*

Mme J... : Oui, il n'est pas trop tard, tu ne penses pas ? *(Maintenant la mère insiste sur sa solution.)*

Jacques : Étudier ces bêtises ? Pourquoi est-ce que je le ferais ? Il n'y a rien qui m'intéresse là-dedans !

C'en était fait. Jacques se retrouvait acculé au mur par Mme J... Sous le prétexte d'employer l'écoute active, elle essayait en réalité de faire pression sur son fils et de le décider à entreprendre un plan d'étude intensive. Se sentant trahie par sa mère, Jacques refuse la suggestion et se met sur la défensive.

Comme bien d'autres parents, elle s'est tout d'abord intéressée à l'écoute active parce qu'elle y voyait une nouvelle technique pour manipuler les enfants, une manière subtile de les influencer à agir comme les parents pensent qu'ils devraient le faire ou encore de guider leur comportement ou leur pensée. Les parents ne devraient-ils pas tenter d'orienter leurs enfants ? L'orientation des enfants n'est-elle pas l'une des principales responsabilités des parents ? Cette fonction d'orienter leurs enfants est à la fois une des notions les plus universellement acceptées par les parents et cependant l'une des plus mal comprises. Orienter ou guider signifie conduire dans une certaine direction. Cela implique que le parent a une main sur le volant et tente de conduire l'enfant dans une direction particulière. Lorsqu'il exerce une telle pression, le parent peut s'attendre à une résistance de la part de l'enfant.

Les enfants décèlent rapidement les intentions des parents. Ils perçoivent immédiatement l'orientation des parents comme un manque d'acceptation de leur propre personne. L'enfant se rend compte que le parent essaie de l'atteindre d'une certaine façon. Il craint cette forme indirecte de contrôle et sent son indépendance menacée.

L'écoute active est une technique d'orientation. Les parents qui l'emploient pour diriger ou transformer leurs enfants émettront des messages indirects, déformations, idées, ou pressions subtiles. Voici quelques exemples de messages que des parents ont glissés dans leurs réponses à des communications de leurs enfants :

Denise : Je suis fâchée contre Marise et je ne veux pas jouer avec elle.

Sa mère : Tu ne veux pas joueur avec elle aujourd'hui parce que, pour l'instant, tu es fâchée contre elle.

Denise : Je ne veux plus jamais jouer avec elle, jamais !

Notez comment le parent a glissé son propre message : « J'espère que c'est seulement temporaire et que demain tu ne seras plus fâchée contre elle. » Denise sent le désir de sa mère de la changer et dans son second message, elle la corrige avec vigueur.

Un autre exemple :

Paul : Qu'est-ce qu'il y a de mal à fumer de la marijuana ? Ça ne fait pas de dommage comme la cigarette et l'alcool. Je pense qu'on a tort de la considérer comme illégale. Il faudrait changer la loi.

Parent : Tu penses que la loi devrait être changée pour permettre à un plus grand nombre d'enfants d'avoir des problèmes.

Il est évident que la réplique du parent est une tentative d'amener l'enfant à changer son opinion sur la marijuana. Il ne faut pas être surpris que la réponse du parent se révèle inadéquate, car elle contient son propre message et ainsi ne reflète pas correctement le contenu du premier message de l'enfant. Une vraie réponse d'écoute active aurait pu être quelque chose comme ceci : « Tu es convaincu qu'il faudrait légaliser la marijuana, n'est-ce-pas ? »

Ouvrir la porte, puis la refermer brusquement.

Lorsque certains parents commencent à employer l'écoute active, ils le font pour ouvrir à leur enfant la porte de la communication, mais ils la referment aussitôt car ils ne s'en tiennent pas suffisamment longtemps à l'écoute active pour entendre tout ce que l'enfant a à dire. Ils communiquent alors : « Vas-y, dis-moi ce que tu ressens, je vais te comprendre. » Puis, dès qu'il a entendu l'enfant exprimer ses sentiments, le parent referme brusquement la porte parce qu'il n'aime pas ce qu'il a entendu.

François, âgé de dix ans, arrive à la maison avec un air maussade et sa mère essaie de l'aider :

Mère : Tu as l'air bien malheureux. (ÉCOUTE ACTIVE)

François : Eric m'a encore poussé.

Mère : Tu n'as pas aimé ça. (ÉCOUTE ACTIVE)

François : Non. La prochaine fois que je le verrai, je lui mettrai mon poing dans le visage.

Mère : Ce n'est pas bien gentil, ce que tu dis là. (ÉVALUATION).

François : Ça ne me dérange pas. Je voudrais le frapper très fort. Tiens, comme ça. *(Il fait un geste brsque avec son poing.)*

Mère : François, se battre n'est jamais un bon moyen de régler un problème avec ses amis. (FAIRE LA MORALE) Pourquoi ne retournes-tu pas chez lui pour faire la paix ? (DONNER DES CONSEILS, OFFRIR UNE SOLUTION)

François : Tu n'y penses pas ? *(Silence.)*

La porte a brusquement été refermée au nez de François, et la communication s'arrête là. Par son évaluation, sa morale et ses conseils cette mère a perdu une chance d'aider François à faire face à ses sentiments et à y découvrir une solution par lui-même. En outre, François a pu apprendre que sa mère ne lui fait pas confiance quand il s'agit de régler ce genre de problèmes, qu'elle est incapable d'accepter ses sentiments de colère, qu'elle pense qu'il n'est pas un garçon gentil et que ses parents ne semblent pas le comprendre.

Un parent n'a pas de meilleure façon de vouer l'écoute active à l'échec que de l'employer pour encourager un enfant à exprimer ses sentiments profonds, pour ensuite commencer à évaluer, juger, moraliser ou donner des conseils. Les parents qui le font s'aperçoivent rapidement que leurs enfants deviennent méfiants ; ces derniers découvrent que tout ce que leurs parents essaient de faire c'est de leur soutirer des renseignements pour ensuite se retourner contre eux et employer ce qu'ils ont dit à les juger et les rabaisser.

Le parent-perroquet.

Dans un groupe, Mme T... exprime son découragement à la suite de son premier essai d'écoute active. « Mon fils m'a regardée en souriant et m'a demandé d'arrêter de répéter tout ce qu'il disait. » Mme T... témoignait d'une expérience que beaucoup de parents vivent lorsqu'ils reprennent ou répètent les mots de leurs enfants plutôt que de comprendre leurs sentiments. Ces parents ont besoin qu'on leur rappelle que les mots de l'enfant (son code particulier) ne sont que le véhicule qui lui permet de faire connaître ses sentiments. *Le code n'est pas le message ;* le parent doit le décoder.

« Tu n'es rien qu'une vieille taupe », s'écrie un enfant, en colère, contre sa mère.

Il est certain que l'enfant connaît la différence entre une taupe et sa mère ; son message n'est donc pas : « Maman, tu es une vieille taupe ». Ce code particulier, c'est plutôt la seule façon que l'enfant a trouvée pour communiquer sa colère.

Si la mère lui répond : « Tu crois que je suis une vieille taupe », l'enfant aura de la difficulté à croire qu'il s'est fait comprendre. Si la mère lui dit : « Tu es fâché contre moi ! », l'enfant répondra sans doute : « Oui, je suis très fâché ! » et il se sentira compris.

Les exemples qui suivent démontrent le constraste entre des réponses qui répètent le code et celles où le parent décode dans un premier temps, puis reflète à l'enfant son sentiment profond (le vrai message qu'il veut communiquer) :

1.

André : Je n'ai jamais la chance d'attraper la balle quand les plus grands jouent avec nous.

(a)

Parent : Tu n'as jamais une chance d'attraper la balle quand tu joues avec les plus grands. (RÉPÉTITION DU CODE)

(b)

Parent : Tu veux jouer, toi aussi, et tu trouves pénible qu'on te laisse de côté. (REFLET DU VÉRITABLE SENS DU MESSAGE)

2.

Elizabeth : Pendant un certain temps, cela allait bien à l'école ; maintenant, c'est pire que jamais. Je ne réussis rien de tout ce que j'entreprends. On dirait qu'il n'y a rien à faire.

(a)

Parent : Tes résultats sont pires que jamais et tout ce que tu fais ne t'aide pas. (RÉPÉTITION DU CODE)

(b)

Parent : Tu es découragée et cela te donne le goût de tout lâcher. (REFLET DU SENTIMENT)

3.
Simon : Regarde, papa, je viens de faire un avion avec mes nouveaux outils.

(a)
Parent : Tu as fait un avion avec tes outils. (RÉPÉTITION DU CODE)

(b)
Parent : Tu es fier de l'avion que tu as fait. (REFLET DU SENTIMENT)

Il faut de la pratique avant que les parents en viennent à maîtriser l'écoute active. Cependant, nous avons fait la preuve dans nos groupes que la plupart des parents qui reçoivent une formation et participent à des exercices pratiques taillés sur mesure en viennent à posséder un niveau de compétence surprenant de cette technique de consultation.

L'écoute sans sympathie.

Apprendre l'écoute active uniquement dans un livre présente un danger réel pour les parents, car la page imprimée ne leur permet pas de sentir la chaleur et la sympathie qui doivent exister dans chaque tentative. La sympathie est une qualité essentielle de cette communication : elle signifie que la personne qui écoute fait comprendre à l'émetteur d'un message qu'elle *partage* ses sentiments, qu'elle se met à sa place et vit pour un moment comme si elle était l'émetteur du message.

On veut que les autres comprennent ce qu'on ressent lorsqu'on parle, et non seulement ce qu'on dit. Les enfants sont des personnes particulièrement sensibles ; conséquemment, quand ils communiquent ils manifestent beaucoup de sentiments : joie, haine, déception, peur, amour, inquiétude, colère, orgueil, frustration, tristesse, et ainsi de suite. Lorsqu'ils communiquent avec leurs parents, ils s'attendent à une certaine sympathie. Si les parents n'en démontrent pas, les enfants se sentent naturellement incompris dans leurs sentiments.

L'erreur la plus commune que les parents font lors de leurs premiers essais d'écoute active est, sans doute, de donner une réponse qui ne contient pas l'élément de sentiment exprimé par l'enfant dans son message.

Jeannette, âgée de onze ans, se précipite dans la cuisine où sa mère travaille :

Jeannette : Mathieu (son frère de neuf ans) est une peste. Il est mesquin ! Maman, il a tout sorti mon linge de mes tiroirs. Je le déteste. Je pourrais le tuer quand il fait ça.

Mère : Tu n'aimes pas qu'il fasse ça.

Jeannette : Je n'aime pas ça, je déteste ça et je le déteste.

La mère de Jeannette entend ses *mots* mais non ses *sentiments.*

A ce moment précis, Jeannette éprouve des sentiments de colère et de haine. « Tu es très fâchée contre Mathieu », aurait rejoint ses sentiments. Comme la mère ne répond froidement qu'au désagrément de trouver ses tiroirs vidés, Jeannette se sent incomprise et son prochain message visera à corriger sa mère par : « Je n'aime pas ça ! » (L'aspect le moins important), et « Je le déteste » (l'aspect primordial).

Claude, âgé de six ans, implore son père qui essaie de l'encourager à se baigner lors de vacances familiales à la plage :

Claude : Je ne veux pas y aller. C'est trop profond et j'ai peur des vagues !

Père : L'eau est trop profonde pour toi.

Claude : Je ne veux pas y aller. C'est trop profond et j'ai peur des vagues.

Ce père passe à côté des sentiments de l'enfant, et sa réponse le démontre bien. Claude n'émet pas une évaluation intellectuelle de la profondeur de l'eau. Il lance un cri d'urgence à son père : « Ne me force pas à y aller, j'ai trop peur ! » Le père aurait pu manifester sa compréhension par une phrase comme celle-ci : « Tu as peur, et tu ne veux pas que je te force à aller dans l'eau. »

Certains parents qui participent à nos groupes découvrent qu'ils sont très mal à l'aise face aux sentiments. les leurs tout aussi bien que ceux de leurs enfants. Il semble qu'ils soient obligés d'ignorer les sentiments de l'enfant parce qu'ils ne peuvent pas tolérer qu'il en ait. Tout ce qu'ils désirent, c'est écarter ses sentiments en refusant de les reconnaître.

Certains parents ont tellement peur des sentiments qu'ils en viennent à ne plus les percevoir dans les messages de leurs enfants.

Ces parents apprennent ordinairement dans nos groupes que les enfants (et les adultes) éprouvent inévitablement des sentiments. Les sentiments forment une partie essentielle de la vie et ne sont pas des choses maladives ou dangereuses. Le système nerveux démontre également que les sentiments sont généralement transitoires ; ils vont et viennent sans laisser de dommages permanents à l'enfant. La clef de leur évolution, cependant, c'est l'acceptation et la compréhension que les parents transmettent à l'enfant par une écoute active pleine de sympathie. Lorsque les parents y parviennent, ils réalisent à quel point des sentiments peuvent se dissiper, même s'ils sont négatifs et intenses.

André et Lucie, parents de deux jeunes enfants, nous ont rapporté un incident qui a grandement confirmé leur croyance aux effets bénéfiques de l'écoute active. Tous les deux avaient été élevés dans des foyers très stricts. Leurs parents leur avaient appris par cent manières différentes qu'exprimer des sentiments était un signe de faiblesse et qu'une personne « bien » ne le faisait jamais. André et Lucie avaient appris : « Ce n'est pas bien de haïr. » « Retiens ta langue, jeune fille ! » « Lorsque tu seras poli avec ta mère, tu pourras revenir à table ! »

Habitués à de telles maximes, André et Lucie trouvèrent difficile comme parents d'accepter les sentiments de leurs enfants et d'être réceptifs aux fréquentes communications émotives de leurs deux filles. Notre programme fut pour eux une révélation. Au début, ils commencèrent par accepter l'existence de sentiments dans leur propre relation. Ensuite, comme beaucoup de parents de nos groupes le font, ils commencèrent à se communiquer *leurs propres sentiments* l'un à l'autre, aidés par une écoute active mutuelle.

Comme ils appréciaient la valeur de cette franchise et de cette intimité nouvelle, André et Lucie développèrent suffisamment de confiance pour commencer à écouter les deux jeunes filles. En quelques mois, de tranquilles, correctes, introverties et refoulées qu'elles étaient, elles devinrent expressives, spontanées, extraverties, communicatives et joyeuses. Les sentiments devinrent une chose tout à fait naturelle dans cette famille libérée.

« C'est tellement plus agréable maintenant », nous déclare André. « Nous n'avons pas à nous sentir coupables d'éprouver des sentiments et les enfants sont devenus plus ouverts et plus francs avec nous.

L'écoute active au mauvais moment.

Il se produit souvent des échecs lors des premières tentatives d'écoute active parce que les parents l'emploient à des moments inopportuns.

Comme toute bonne chose, l'écoute active peut-être exagérée.

A certains moments, les enfants n'ont pas le goût de parler de leurs sentiments, même si on les y invite avec sympathie. Ils peuvent vouloir vivre leurs sentiments pendant un certain temps. Ils peuvent trouver trop pénible d'en parler tout de suite. Ils peuvent ne pas avoir le temps d'entrer dans un long échange avec leurs parents. Les parents devraient respecter le besoin de l'enfant de vivre sa vie privée, le monde de ses sentiments et alors ne pas tenter de le forcer à parler.

Quelle que soit la valeur de l'écoute active comme incitation à parler, il arrive souvent que les enfants n'ont pas le goût de le faire. Une mère nous a dit le moyen que sa fille avait trouvé pour lui faire savoir qu'elle n'avait pas le goût de parler. « Garde ça pour plus tard ! Je sais que ça pourrait être bon de parler, mais j'en ai pas le goût maintenant. S'il te plaît, pas d'écoute active pour le moment. »

Certaines fois, les parents ouvrent la porte de l'écoute active quand eux-mêmes ne peuvent pas consacrer le temps nécessaire à écouter les sentiments que l'enfant aurait besoin d'exprimer. Cette pratique est non seulement pénible pour l'enfant mais elle est néfaste à la relation entre les deux. L'enfant en viendra à penser que ses parents ne se préoccupent pas suffisamment de lui pour l'écouter. Nous disons aux parents : « Si vous commencez une écoute active, envisagez assez de technique pour écouter tous les sentiments que cette technique a pour effet de libérer. »

Certains parents ont senti de la résistance parce qu'ils ont employé l'écoute active à un moment où leur enfant avait besoin d'une aide différente. Lorsque, de bonne foi, un enfant demande un renseignement à ses parents, de l'aide ou une assistance spéciale, il peut ne pas avoir besoin d'en discuter ou de traiter un problème.

Quelquefois les parents deviennent tellement emballés de l'écoute active qu'ils l'emploient même lorsque l'enfant n'a pas besoin d'être aidé ou encouragé à exprimer ses sentiments profonds. J'ai imaginé les situations suivantes pour illustrer que l'écoute active peut parfois être tout à fait inappropriée :

1.

Enfant : Maman, est-ce que toi ou papa pourrait m'emmener en ville, samedi ? Il faut que j'y aille m'acheter quelque chose.

Parent : Tu voudrais avoir un moyen d'aller en ville, samedi.

2.

Enfant : A quelle heure maman et toi allez revenir à la maison ?

Parent : Tu t'inquiètes vraiment de l'heure où nous allons revenir à la maison ?

3.

Enfant : Combien devrais-je payer pour les assurances si j'achète ma propre auto ?

Parent : Tu t'inquiètes du coût de tes assurances.

Ces enfants n'ont probablement pas besoin d'être encouragés à communiquer davantage. Ils demandent une aide bien différente de celle que procure l'écoute active. Ils n'expriment pas des sentiments. Ils demandent une information, des faits. Répondre à des demandes semblables par l'écoute active peut non seulement paraître étrange à l'enfant, mais va souvent produire des frustrations et de l'irritation. Il y a des moments où tout ce que l'enfant demande et tout ce dont il a besoin, c'est une réponse directe.

Les parents découvrent également que leurs enfants réagissent négativement lorsqu'ils continuent à appliquer l'écoute active quand l'enfant a cessé d'émettre des messages.

Les parents doivent savoir à quel moment s'arrêter. Règle générale, l'enfant émet certains signes révélateurs, comme une expression du visage, se lever pour partir, garder le silence, remuer sans arrêt, regarder sa montre, ou autres gestes de même nature. L'enfant peut aussi dire des choses comme :

« Bien, je pense que tout est correct maintenant. »

« Je n'ai pas le temps de continuer. »

« Je vois les choses différemment. »
« Peut-être qu'il vaudrait mieux s'arrêter pour le moment. »
« J'ai beaucoup d'études à faire ce soir. »
« Je prends beaucoup de ton temps. »

Les parents avisés s'arrêtent lorsqu'ils perçoivent ces indications ou messages, même si, selon eux, le problème particulier n'a pas été réglé par l'enfant. Comme les thérapeutes professionnels s'en rendent compte, l'écoute active ne constitue que le premier pas vers la résolution d'un problème. Il est très fréquent que les enfants prennent seuls la relève à ce dernier stade et parviennent d'eux-mêmes à une solution.

5

Comment écouter les enfants trop jeunes pour s'expliquer.

Beaucoup de parents demandent : « Il est vrai que l'écoute active peut faire des merveilles avec les enfants de trois ou quatre ans et les plus âgés, mais comment faire avec les bébés et les enfants qui sont encore trop jeunes pour parler ? »

Ou bien encore : « Je comprends pourquoi il faut compter beaucoup plus sur la capacité qu'ont nos enfants de régler eux-mêmes leurs problèmes avec l'aide de l'écoute active. Mais les très jeunes enfants n'ont pas cette même capacité ; ne devons-nous pas alors régler nous-mêmes *leurs problèmes* ? »

Notre expérience nous a appris que l'écoute active peut servir même avec les enfants qui ne sont pas assez grands pour parler. Pour employer l'écoute active avec les enfants plus jeunes, les parents doivent comprendre la communication non verbale et trouver une façon de répondre effectivement aux messages non verbaux qu'émettent leurs jeunes enfants. Les parents croient que leurs jeunes enfants, parce qu'ils dépendent des adultes pour un grand nombre de leurs besoins, ont très peu de possibilités de résoudre eux-mêmes les problèmes qu'ils rencontrent. C'est aussi une erreur d'appréciation.

A quoi ressemblent les tout petits enfants ?

D'abord, les tout-petits ont des besoins tout comme les enfants plus grands et les adultes. Ils rencontrent aussi leur part de problèmes en essayant de les satisfaire. Ils ont froid, faim ou soif ; ils peuvent être mouillés et incommodés, fatigués, frustrés ou malades. Aider un bébé qui ressent un de ces problèmes pose aux parents des difficultés particulières.

Deuxièmement, les bébés et les très jeunes enfants dépendent grandement de leurs parents pour satisfaire leurs besoins ou pour trouver des solutions à leurs problèmes.

Leurs ressources intérieures et leurs capacités *sont* limitées. On n'a jamais vu un bébé affamé se rendre dans la cuisine, ouvrir le réfrigérateur et se servir un verre de lait.

Troisièmement, les bébés et les très jeunes enfants n'ont pas encore développé la capacité de communiquer leurs besoins par la parole. Ils ne possèdent pas le moyen du langage pour nous faire part de leurs problèmes et de leurs besoins. La plupart du temps, les parents sont perplexes : ils se demandent ce qui se passe dans la tête de leurs enfants qui n'ont pas encore l'âge de s'exprimer, pour la bonne raison que les bébés ne se promènent pas en annonçant clairement qu'ils ont besoin de recevoir de l'affection ou de libérer des gaz d'estomac.

Quatrièmement, les bébés et les très jeunes enfants bien souvent « ne savent pas » ce qui les dérange. C'est qu'une forte proportion de leurs besoins sont physiologiques, c'est-à-dire causés par des besoins physiques qui ne sont pas satisfaits (faim, soif, douleur, et autres).

De plus, les capacités de parler et de connaître des jeunes enfants sont encore peu développées, ils sont peut-être incapables de déterminer les sensations qu'ils éprouvent.

En conséquence, aider de très jeunes enfants à satisfaire leurs besoins et à résoudre leurs problèmes est une tâche différente de celle d'aider des enfants plus âgés. Mais ce n'est pas aussi différent que la plupart des parents le croient.

S'ajuster aux besoins et aux problèmes des tout jeunes enfants.

Même si les parents aiment voir leurs bébés satisfaire d'eux-mêmes leurs besoins et résoudre leurs problèmes, il est presque toujours de la responsabilité d'un parent de voir à ce que le petit Paul mange à sa faim, soit au sec, soit bien au chaud, reçoive de l'affection, et le reste. Voici où se pose le problème : comment un parent fait-il pour découvrir ce qui fait pleurer un enfant ?

La plupart des parents « suivent les recommandations des livres ». Ils se fient à ce qu'ils ont pu lire sur les besoins des enfants en général. Il n'y a pas de doute que le Dr Benjamin Spock a rendu un grand service aux parents en leur fournissant de l'information sur les jeunes enfants et leurs besoins et en décrivant aux parents ce qu'ils peuvent faire pour assurer la satisfaction de ces besoins. Cependant, comme tout parent le sait, le Dr Spock n'a pas traité de toutes les questions. Pour aider efficacement un enfant particulier à satisfaire ses besoins et résoudre ses problèmes personnels, il faut que le parent apprenne à comprendre cet enfant. Cet apprentissage se fait principalement *par une écoute appropriée des messages de l'enfant,* même si ce dernier n'emploie pas encore la parole.

Le parent d'un très jeune enfant doit *apprendre à écouter correctement* tout autant que les parents d'enfants plus âgés. Il s'agit d'une écoute d'un genre différent, principalement parce que la communication de l'enfant est non verbale.

Un enfant commence à pleurer à 5 h. 30 du matin. Il est évident qu'il a un problème ; quelque chose ne va pas, il a un besoin, il veut quelque chose. Il ne peut pas émettre un message verbal à ses parents : « Je me sens incommodé et j'en suis misérable. » En conséquence, le parent ne peut pas employer l'écoute active comme nous l'avons décrite précédemment (« Tu te sens indisposé, quelque chose te dérange ? ») Il est évident que dans ce cas l'enfant ne pourrait pas comprendre.

Le parent reçoit un message non verbal (les pleurs) et il doit employer un procédé de décodage pour en arriver à comprendre ce qui se passe chez l'enfant. Puisque le parent ne peut pas employer une réponse *verbale* pour vérifier la justesse de son interprétation, il doit employer une méthode *non verbale ou répondre par des gestes.*

Le parent peut commencer par couvrir l'enfant d'une couverture (s'il croit que les pleurs de l'enfant signifient : « J'ai froid. ») Mais l'enfant continue à pleurer (Tu n'as pas encore compris mon message.) Alors le parent prend l'enfant dans ses bras et commence à le bercer. (Il décode maintenant : « Il a fait un mauvais rêve, et il a eu peur. ») L'enfant continue de pleurer (« Ce n'est pas mon problème. ») Finalement, le parent donne à boire à l'enfant (il a faim) et après quelques tétées l'enfant s'arrête de pleurer. (« C'est ce que je voulais dire. J'avais faim. Tu m'as finalement compris. »)

Être un parent efficace avec un très jeune enfant, tout comme avec ceux qui sont plus âgés, dépend beaucoup de *la qualité de la communication entre le parent et l'enfant.* Dans cette relation, la responsabilité d'établir une communication de qualité incombe au parent. Il doit apprendre à décoder correctement le comportement non verbal de l'enfant avant de pouvoir établir ce qui le dérange. Il doit employer le même procédé afin de vérifier la justesse de ses interprétations. Ce genre de réponse peut aussi être appelé de l'écoute active ; il s'agit du même mécanisme que nous avons décrit dans le processus de communication avec des enfants plus volubiles. Cependant, avec l'enfant qui émet un message non verbal (pleurer), le parent doit employer une réponse non verbale (lui donner à boire).

La nécessité de ce type de communication non verbale dans les deux sens explique partiellement pourquoi il est si important que les parents passent beaucoup de temps avec leur enfant au cours des deux premières années qui suivent sa naissance.

Un parent en vient à *connaître* son enfant mieux que quiconque, c'est-à-dire que le parent acquiert le pouvoir de comprendre le comportement non verbal de l'enfant. Plus que toute autre personne, il devient capable de savoir quoi faire pour satisfaire les besoins de l'enfant ou pour trouver des solutions à ses problèmes.

Tout le monde a vécu l'expérience de ne pas parvenir à « décoder » le comportement de l'enfant d'un ami. Nous demandons : « Qu'est-ce qu'il veut dire lorsqu'il secoue les côtés de son parc ? Il doit vouloir quelque chose ? » La mère répond : « Il fait toujours ça lorsqu'il commence à s'endormir. Notre premier enfant tirait sa couverture lorsqu'il s'endormait. »

Employer l'écoute active pour aider les petits enfants.

Beaucoup de parents de jeunes enfants ne se préoccupent pas d'employer l'écoute active pour vérifier la justesse de leur « décodage ». Ils se précipitent et font n'importe quoi pour aider l'enfant sans chercher à trouver ce qui le dérange vraiment.

Jacques est debout dans son lit et commence à pleurnicher, puis à pleurer très fort. Sa mère le recouche et lui donne son hochet. Jacques s'arrête de pleurer un instant, puis lance le hochet sur le plancher et recommence à pleurer de plus belle. La mère ramasse le hochet et le lui place vigoureusement entre les mains en lui disant sèchement : « Si tu le lances encore, je ne te le donnerai plus jamais. » Jacques continue à pleurer et lance à nouveau le hochet hors de son lit. La mère lui tape la main. Jacques hurle maintenant.

Cette mère a pensé qu'elle savait ce dont le bébé avait besoin, mais elle n'a pas réussi à comprendre que le bébé lui disait que son « décodage » n'était pas exact. Comme dans le cas de beaucoup de parents, cette mère n'y a pas consacré suffisamment de temps pour *compléter le processus de communication.* Elle n'a pas vérifié si elle avait compris ce que l'enfant voulait ou ce dont il avait besoin. L'enfant est frustré et la mère, irritée. C'est de cette façon que l'on contribue à détériorer une relation et à susciter chez un enfant des problèmes affectifs.

Évidemment, plus l'enfant est jeune, moins le parent peut compter sur les ressources ou les capacités personnelles de l'enfant. Dans ces cas, le processus sera plus long : le parent devra faire plusieurs interventions pour arriver à résoudre les problèmes du jeune enfant. Tout le monde sait que les parents doivent donner du lait à l'enfant, le changer de couches, le couvrir, le dépêtrer de sa couverture, le bouger, le lever, le bercer, le prendre dans leurs bras, et les mille autres petites choses qui sont nécessaires pour s'assurer que ses besoins ne sont *pas* négligés. Encore une fois, cela signifie qu'il faut consacrer du temps à l'enfant, beaucoup de temps. Ses premières années requièrent la présence presque constante du parent. L'enfant *a besoin de ses parents,* et cette présence est pour lui indispensable. C'est pourquoi les pédiatres insistent fortement sur la présence des parents durant cette période déterminante où l'enfant est tellement dépourvu et dépendant.

Mais la présence n'est pas suffisante en elle-même. *Le facteur principal est l'efficacité des parents à écouter et à comprendre correctement* la communication non verbale de l'enfant pour ainsi savoir ce qui se passe en lui et pouvoir lui donner *ce dont il a besoin quand il en a besoin.*

Plusieurs spécialistes de l'éducation des enfants n'ont pas compris ce fait fondamental : en conséquence beaucoup de recherches dans le domaine du développement de l'enfant ont été mal orientées et leurs résultats mal interprétés. De nombreuses recherches ont été mises sur pied pour démontrer la supériorité d'une méthode sur une autre : le biberon ou le lait maternel, l'alimentation sur demande ou à horaire fixe, l'habitude de la propreté très tôt ou plus tard, sevrage hâtif ou tardif, sévérité ou permissivité. Pour la plupart, ces études n'ont pas tenu compte de la diversité des besoins selon les enfants et de l'extrême différence entre l'efficacité des mères à bien percevoir les communications de leurs enfants.

Que l'enfant soit sevré tôt ou tard, par exemple, peut ne pas être le facteur important qui déterminera sa personnalité future ou son équilibre mental. Ce qui nous paraît important, c'est plutôt que sa mère comprenne correctement les messages que cet enfant particulier lui émet quotidiennement sur ses besoins spécifiques de nourriture, pour ensuite avoir la flexibilité de proposer des solutions qui apportent une véritable satisfaction de ses besoins. Une écoute adéquate peut avoir comme résultat qu'une mère sèvre un enfant plus tard, un autre plus tôt et un troisième quelque part entre les deux. Je crois fermement que le même principe s'applique à la plupart des pratiques d'éducation des enfants qui suscitent tellement de controverses : l'alimentation, les contacts physiques, la présence de la mère, le sommeil, l'entraînement à la propreté, le sucement, etc. Si ce principe est valide, nous devrions alors dire aux parents : Vous serez des parents efficaces en fournissant à votre enfant un climat familial où vous saurez satisfaire adéquatement ses besoins par l'emploi de l'écoute active pour comprendre les messages par lesquels il manifeste ses besoins particuliers.

Donner à l'enfant la chance de satisfaire ses besoins.

Le but ultime des parents, c'est certainement d'aider leurs très jeunes enfants à développer graduellement leurs propres capacités, à devenir indépendants des ressources des parents et à être de plus en plus capables de répondre à leurs propres besoins, de résoudre leurs propres problèmes.

Le parent qui sera le plus efficace en ce sens est celui qui de façon régulière pourra appliquer le principe suivant : tout d'abord donner à l'enfant la chance de résoudre ses problèmes lui-même avant de lui proposer des solutions.

Dans les exemples suivants, le parent applique très efficacement ce principe :

Enfant	*(Il pleure) :* Camion... parti...
Parent :	Tu veux ton camion, mais tu ne peux pas le trouver. (ÉCOUTE ACTIVE)
Enfant :	*(Il regarde sous le divan, mais ne trouve pas son camion.)*
Parent :	Le camion n'est pas là. (RÉPONDANT A UN MESSAGE NON VERBAL)
Enfant :	*(Il court dans sa chambre et regarde, mais ne le trouve pas.)*
Parent :	Le camion n'est pas là non plus : dommage ! (RÉPONDANT A UN MESSAGE NON VERBAL)
Enfant :	*(Il réfléchit et se dirige vers la porte arrière.)*
Parent :	Peut-être que le camion est dans la cour : tu as envie d'aller voir ? (RÉPONDANT A UN MESSAGE NON VERBAL)
Enfant	*(Il court dehors, trouve son camion dans le carré de sable ; il est fier) :* Camion !
Parent :	Tu as trouvé ton camion tout seul. Tu es bien content. (ÉCOUTE ACTIVE)

Ce parent a complètement laissé à l'enfant la responsabilité de résoudre le problème en évitant une intervention directe ou un conseil. En agissant ainsi, le parent a aidé l'enfant à développer ses propres capacités et à les employer.

Beaucoup de parents sont trop pressés de régler les problèmes de leurs enfants. Ils veulent tellement aider l'enfant ou encore ils éprouvent un tel malaise (ils n'acceptent pas) à voir leur enfant en difficulté qu'ils se sentent obligés de prendre la responsabilité du problème et d'offrir rapidement une solution à l'enfant. Si le parent agit ainsi fréquemment, il prend le meilleur moyen de retarder l'évolution de l'enfant car il l'empêche alors d'apprendre à utiliser ses propres ressources et de développer son autonomie et son initiative.

6

Comment parler pour que vos enfants vous écoutent.

Souvent, dans nos groupes, lorsque les parents se familiarisent à l'écoute active, ils deviennent impatients et demandent :

« Quand allons-nous apprendre comment nous faire écouter par nos enfants ? C'est le problème chez nous. »

Sans aucun doute, c'est un problème dans beaucoup de familles, car il est inévitable que les enfants ennuient, dérangent et frustrent les parents à certains moments ; en effet, il peut leur arriver de ne pas réfléchir ou d'être négligents lorsqu'ils tentent de satisfaire leurs propres besoins. Comme de jeunes animaux, les enfants peuvent être turbulents et destructeurs, bruyants et exigeants. Comme tous les parents le savent, les enfants occasionnent du travail supplémentaire, ils les retardent lorsqu'ils sont pressés, ils veulent parler lorsque les parents désirent être tranquilles, ils viennent les toucher avec leurs mains sales lorsque les parents ont mis des vêtements propres en vue d'une sortie, etc.

Les parents ont besoin de moyens efficaces pour traiter les comportements de leurs enfants qui briment leurs propres besoins. Après tout, les parents ont eux aussi *des besoins.* Ils ont leur propre vie à vivre ainsi que le droit de retirer plaisir et satisfaction de leur existence.

Malgré cela, plusieurs parents que nous rencontrons dans nos groupes ont accordé à leurs enfants une position de faveur au sein de la famille. Ces enfants exigent la satisfaction de leurs besoins mais n'ont aucune considération pour les besoins de leurs parents.

A leur grande déception, bien des parents découvrent, à mesure que leurs enfants grandissent, que ceux-ci agissent comme s'ils n'avaient aucune conscience des besoins de leurs parents. Lorsque les parents le permettent, les enfants se comportent comme si la vie était un sens unique orienté vers la satisfaction continuelle de leurs propres besoins. Quand ils laissent leurs enfants agir ainsi, les parents deviennent habituellement aigris et éprouvent un profond ressentiment à l'égard de leurs enfants « égoïstes et ingrats ».

Lorsque Mme Labelle s'est inscrite à un de nos groupes, elle était préoccupée et blessée parce que sa fille Julie devenait de plus en plus égoïste et mesquine. Gâtée par son père et sa mère depuis l'enfance, Julie n'avait aucune responsabilité dans la famille ; par contre, elle s'attendait à ce que ses parents comblent ses moindres désirs. Si elle n'obtenait pas satisfaction, elle tenait des propos injurieux à l'égard de ses parents, se mettait en colère et quittait la maison pour n'y revenir qu'après des heures.

Mme Labelle tenait de sa mère l'opinion qu'une famille cultivée n'est pas censée se permettre d'avoir des conflits ou d'exprimer des sentiments vifs. Aussi cédait-elle à la plupart des demandes de Julie afin d'éviter une scène ou, comme elle le disait, « pour garder la paix et la tranquillité dans la maison ». Arrivée à l'adolescence, Julie était devenue encore plus arrogante et égoïste ; elle n'aidait que rarement dans la maison et ne consentait presque jamais à modifier son comportement selon les besoins de ses parents.

A plusieurs reprises, elle dit à ses parents qu'ils avaient la responsabilité de l'avoir mise au monde et qu'en conséquence, c'était à eux de satisfaire ses besoins. Mme Labelle, femme consciencieuse qui voulait à tout prix être une bonne mère, nourrissait beaucoup de rancunes à l'égard de Julie.

Après tout ce qu'elle avait fait pour sa fille, elle était fâchée tout en étant chagrinée de voir son manque de considération pour les besoins de ses parents.

« C'est toujours à nous de donner, elle n'est jamais là que pour prendre », fut la façon dont cette mère nous décrivit la situation qui prévalait chez elle.

Mme Labelle était convaincue qu'elle faisait une erreur quelque part, mais elle n'aurait jamais pensé que le comportement de Julie était directement relié à sa peur d'affirmer ses propres droits. Notre programme l'a tout d'abord aidée à accepter ses propres besoins comme légitimes, et nous lui avons fourni des procédés qui lui étaient nécessaires pour confronter Julie lorsqu'elle agissait d'une façon inacceptable pour ses parents.

Qu'est-ce que les parents peuvent faire lorsque, sincèrement, il ne leur est pas possible d'accepter un comportement de la part d'un enfant ? Comment peuvent-ils amener l'enfant à considérer les besoins des parents ? Nous allons maintenant centrer notre propos sur la façon dont les parents doivent parler à leurs enfants pour que ceux-ci écoutent *leurs* sentiments et respectent *leurs* besoins.

Lorsque l'enfant pose un problème au parent, on a besoin de techniques de communication complètement différentes de celles qu'on doit employer lorsque c'est l'enfant qui vit un problème. Dans le dernier cas, le problème appartient à l'enfant : cependant, lorsque l'enfant pose un problème à un parent, c'est le parent qui « a » le problème. Ce chapitre va servir à enseigner aux parents les procédés qui leur sont nécessaires pour être efficaces à trouver des solutions aux problèmes de leurs enfants.

Quand le problème appartient au parent.

Beaucoup de parents ont au départ des difficultés à comprendre notre expression : « A qui appartient le problème ? » Peut-être sont-ils trop habitués à penser en termes d'enfants-problèmes, ce qui situe le problème chez l'enfant, plutôt que chez le parent. Il est primordial pour les parents de comprendre cette différence.

Pour les parents, la meilleure indication qu'ils commencent à avoir des problèmes avec leurs enfants, c'est le sentiment d'inacceptation, lorsqu'ils commencent à ressentir de l'ennui, de la frustration, du ressentiment. Ils se rendent compte qu'ils deviennent tendus, ils se sentent mal à l'aise, n'aiment pas ce que l'enfant fait ou ils cherchent à contrôler sa conduite.

Prenons les exemples suivants :

Un enfant s'approche trop près d'un vase de grand prix.
Un enfant a les pieds sur les barreaux de votre chaise neuve.
Un enfant interrompt votre conversation avec un ami.
Un enfant insiste pour que vous vous occupiez de lui pendant que vous conversez avec un voisin.
Un enfant a laissé ses jouets par terre, dans le salon.
Un enfant s'apprête à verser son lait sur le tapis.
Un enfant demande que vous lui lisiez une histoire, puis une autre et puis une autre encore.
Un enfant refuse de nourrir son animal domestique.
Un enfant néglige sa part des tâches ménagères.
Un enfant se sert de vos outils et les laisse dehors.
Un enfant conduit votre auto trop vite.

Tous ces comportements empiètent de fait ou risquent d'empiéter sur des besoins légitimes des parents. Le comportement de l'enfant affecte le parent d'une façon tangible et directe : la mère ne veut pas que son vase soit brisé, sa chaise égratignée, son tapis sali, sa conversation interrompue, ses outils rouillés, etc.

En face de comportements comme ceux-ci, le parent a besoin de façons de s'aider et non d'aider l'enfant. Le tableau suivant aide à démontrer la différence dans le rôle du parent selon que le problème lui appartient ou appartient à l'enfant.

Quand le problème appartient à l'enfant	**Quand le problème appartient au parent**
L'enfant prend l'initiative de la communication	Le parent prend l'initiative de la communication
Le parent est l'écouteur	Le parent est l'émetteur
Le parent agit comme consultant	Le parent agit pour influencer
Le parent veut aider l'enfant	Le parent veut s'aider
Le parent aide l'enfant à s'exprimer	Le parent veut s'exprimer
Le parent aide l'enfant à trouver sa propre solution	Le parent doit trouver une solution pour lui-même

Le parent accepte la solution de l'enfant	Le parent doit lui-même être satisfait de la solution
Le parent s'intéresse alors aux besoins de l'enfant	Le parent a une attitude plutôt agressive
Le parent a une attitude plutôt neutre	Le parent s'intéresse alors à ses propres besoins

Lorsque le parent a un problème, il se trouve devant plusieurs solutions :

1. Il peut essayer de modifier l'attitude de l'enfant ;
2. Il peut essayer de modifier l'environnement ;
3. Il peut essayer de se modifier lui-même.

Pierre, le fils de M. Tremblay, a l'habitude de sortir les outils de son père de son coffre et de les laisser éparpillés dans la cour. Ce comportement est inacceptable pour M. Tremblay : le problème *lui* appartient.

Il peut confronter Pierre, lui dire quelque chose et espérer que son message l'amène à une meilleure attitude.

Il peut modifier l'environnement de Pierre en lui achetant un ensemble d'outils pour enfants, espérant par là modifier sa façon de faire.

Il peut essayer de modifier sa propre attitude à l'égard du comportement de Pierre en se disant à lui-même que « les garçons seront toujours des garçons » ou bien « il apprendra bien un jour à avoir soin des outils ».

Dans ce chapitre, nous allons traiter de la première possibilité. Nous centrerons notre attention sur la façon dont les parents peuvent parler à leurs enfants et les confronter pour les amener à modifier un comportement inacceptable pour les parents.

Dans les chapitres suivants, nous verrons les deux autres possibilités.

Des façons inefficaces de confronter un enfant.

Il n'est pas exagéré de dire que plus de quatre-vingts pour cent des parents de nos groupes emploient souvent des méthodes de communication inefficaces lorsque le comportement de leurs enfants dérange leur vie. Dans un groupe composé de vingt parents, le moniteur lit à voix haute la description d'une situation courante où un enfant dérange ses parents :

« Vous êtes très fatigué à la suite d'une longue journée de travail. Vous avez besoin de vous asseoir et de vous reposer quelques minutes. Vous aimeriez profiter de cette période de temps pour lire le journal. Cependant, votre fils de cinq ans insiste pour que vous jouiez avec lui : il n'arrête pas de vous tirer le bras, de monter sur vos genoux, de froisser votre journal. Jouer avec lui est la dernière chose que vous auriez envie de faire à ce moment-là. »

Ensuite, le moniteur demande à chacun de prendre une feuille de papier et d'y écrire exactement ce qu'il dirait à l'enfant dans cette situation. (Vous pouvez participer à cet exercice en écrivant dès maintenant votre propre réponse.) Alors, le moniteur lit une autre situation, puis une troisième et demande à chacun d'écrire ses réponses.

« Votre enfant de quatre ans a sorti des chaudrons de l'armoire et commence à jouer avec ces casseroles sur le parquet de la cuisine. Il vous empêche de préparer le repas de vos invités. Vous êtes déjà en retard. »

« Votre fils de douze ans revient de l'école, se fait un sandwich et laisse la cuisine en désordre alors que vous venez tout juste de consacrer une heure à la nettoyer pour que tout soit propre lorsque vous commencerez à préparer le souper ».

« Vous vous apprêtez à bricoler ou faire quelques réparations dans la maison. Vous découvrez alors que vos ciseaux à bois ont été ébréchés et vous vous rendez compte que votre fils joue dehors avec plusieurs de vos autres outils. Vous n'avez que peu de temps à votre disposition et, à cause du manque de soin de votre fils, vous devrez remettre à plus tard des réparations urgentes ».

Nous avons découvert par cet exercice que les parents, à quelques exceptions près, se tirent très mal d'affaire dans ces situations relativement courantes. Ils suggèrent des choses qui peuvent fort bien conduire aux résultats suivants :

1. Amener l'enfant à résister à l'influence du parent en refusant de changer ;
2. Amener l'enfant à penser que le parent ne le croit pas très intelligent ;
3. Faire croire à l'enfant que le parent n'a aucune considération pour ses besoins ;

4. Amener l'enfant à se sentir coupable ;
5. Détruire l'amour-propre de l'enfant ;
6. Amener l'enfant à se défendre vigoureusement ;
7. Provoquer l'enfant et l'inciter à attaquer le parent ou à recourir à une forme de vengeance.

Les parents sont très surpris de ces observations ; en effet, il est très rare qu'un parent essaie consciemment de faire subir de telles difficultés à son enfant. La plupart des parents n'ont simplement jamais observé avec soin les effets que leurs paroles pouvaient produire sur leurs enfants.

Nous décrivons ensuite, dans nos groupes, chacune de ces méthodes inefficaces de confronter verbalement les enfants et nous approfondissons les raisons qui les rendent improductives.

Émettre un « message de solution ».

Vous est-il jamais arrivé d'être sur le point d'avoir un geste aimable envers une personne ou de modifier votre comportement afin de lui faire plaisir, quand soudainement elle vous indique, vous demande, vous suggère ou même exige que vous fassiez exactement ce que vous alliez faire ?

Votre réaction aura probablement été de dire (ou du moins de penser) : « Je n'avais pas besoin qu'on me le dise » ou « Vous n'auriez pas pu attendre une minute : je l'aurais fait sans que vous me le disiez ». Ou vous êtes probablement devenu irrité parce que vous avez senti que l'autre personne ne vous faisait pas suffisamment confiance ou qu'elle vous avait enlevé la chance de lui rendre service de votre propre initiative.

Lorsque les gens vous placent dans cette situation, ils « donnent une solution ». C'est précisément ce que les parents font très souvent avec les enfants. Il n'attendent pas que l'autre prenne l'initiative d'un comportement plus prévenant ; ils lui disent ce qu'il *doit, devrait* ou *est obligé* de faire. Tous les types de messages suivants « donnent des solutions ».

1. DONNER DES ORDRES, DIRIGER, COMMANDER

   « Va te chercher un jeu. »

   « Arrête de froisser mon journal. »

   « Remets les chaudrons à leur place. »

   « Nettoie ce dégât tout de suite. »

   « Rapporte mes outils ici immédiatement. »

2. AVERTIR, METTRE EN GARDE, MENACER
   « Si tu n'arrêtes pas, je vais te punir. »
   « Maman va se fâcher si tu ne t'enlèves pas de là. »
   « Si tu ne remets pas la cuisine en ordre comme elle était, tu vas le regretter. »
   « Si tu recommences, tu ne pourras plus jamais y toucher. »
3. MORALISER, PRÊCHER, FAIRE LA LEÇON
   « Il ne faut pas déranger une personne quand elle lit. »
   « Serais-tu assez gentil pour jouer ailleurs ? »
   « Tu ne devrais pas jouer quand ta mère est occupée. »
   « Il faut toujours nettoyer après s'être servi de quelque chose. »
4. CONSEILLER, DONNER DES SUGGESTIONS OU DES SOLUTIONS
   « Pourquoi ne vas-tu pas jouer dehors ? »
   « Laisse-moi te proposer une autre activité. »
   « Tu ne pourrais pas remettre les choses à leur place ? »

Ce genre de réponses verbales communique à l'enfant la solution que *vous* avez trouvée pour lui, et plus précisément ce que vous pensez qu'il devrait faire. Vous dictez, vous avez la direction en main, vous prenez le contrôle, vous claquez le fouet. *Vous l'excluez de la situation.* Le premier type de message lui ordonne d'employer *votre* solution, le deuxième le menace, le troisième le supplie, le quatrième le conseille.

Les parents demandent : « Quel inconvénient y a-t-il à émettre ma solution ; après tout, c'est lui qui cause le problème ? » C'est vrai, c'est lui. Mais lui donner la solution de ce problème peut amener les effets suivants :

1. Les enfants n'apprécient pas qu'on leur dise quoi faire : ils résistent à ce procédé. Ils peuvent aussi ne pas aimer votre solution et se rebellent à l'idée d'avoir à modifier leur comportement.
2. Indiquer votre solution à votre enfant comporte aussi un autre message : « Je ne te fais pas confiance pour le choix d'une solution » ou « Je ne pense pas que tu sois assez réceptif ou assez intelligent pour trouver une façon de m'aider à régler mon problème. »
3. Émettre votre solution indique à l'enfant que vos besoins sont plus importants ; cela signifie que quels que soient

ses besoins, il doit agir comme vous le pensez. (« Tu as fait quelque chose que je ne peux pas accepter, alors la seule solution, c'est ce que je te dis de faire. »).

Si un ami en visite à la maison plaçait son pied sur le barreau d'une de vos chaises neuves, vous ne lui diriez certainement pas :

« Enlève tes pieds de là tout de suite. »
« On ne doit jamais mettre ses pieds sur les chaises neuves de quelqu'un. »
« Si tu tiens à ta santé, enlève tes pieds de sur ma chaise. »
« Je te suggère de ne jamais mettre les pieds sur ma chaise. »

C'est ridicule d'imaginer une situation qui implique un ami, pour la bonne raison que la plupart des gens traitent leurs amis avec un plus grand respect. Les adultes veulent permettre à leurs amis de « sauver la face ». Ils pensent aussi qu'un ami a suffisamment d'intelligence pour trouver lui-même une solution à leur problème, une fois qu'ils lui auront fait savoir que ce problème existe. Un adulte va simplement communiquer ses sentiments à son ami. Il va lui laisser la responsabilité de répondre de façon appropriée, sachant qu'il aura suffisamment de considération pour respecter ses sentiments. Très probablement, le propriétaire de la chaise en question émettrait des messages qui ressemblent à ceux-ci :

« Je crains que ton pied n'égratigne ma nouvelle chaise. »
« Je n'arrive pas à tenir en place ; je suis nerveux à voir ton pied sur ma nouvelle chaise. »
« Je m'excuse de te dire ça, mais je viens tout juste de recevoir ces nouvelles chaises et je tiens beaucoup à ne pas les égratigner pour mieux les conserver. »

Ces messages ne contiennent pas de « solution ». Bien qu'on emploie souvent ce type de message avec ses amis, on le fait rarement avec ses enfants. On s'abstient naturellement de commander, de demander, de menacer ou de conseiller à ses amis de modifier leur comportement d'une certaine façon ; cependant, en tant que parent, on le fait tous les jours avec ses enfants.

Il ne faut pas être surpris si les enfants offrent de la résistance, prennent une attitude défensive ou répondent par de l'agressivité. Il ne faut pas être étonné qu'ils « perdent la face ». Il ne faut pas être surpris non plus si certains grandissent et s'attendent toujours à ce que quelqu'un trouve les solutions à leur place. Les parents se plaignent fréquemment que leurs enfants ne prennent pas leurs responsabilités au sein de la famille ; qu'ils ne font montre d'aucune considération pour les besoins des parents. Comment voulez-vous que les enfants apprennent à agir de façon responsable quand les parents leur enlèvent toutes les chances de poser d'eux-mêmes des actes responsables, par simple considération des besoins de leurs parents ?

Émettre un « message dévalorisant ».

Tout le monde sait ce qu'on ressent quand on reçoit un message dévalorisant qui veut faire honte, qui contient un blâme, un jugement, un élément de ridicule, une critique. Les « messages dévalorisants » peuvent se retrouver dans chacune des catégories suivantes :

1. JUGER, CRITIQUER, BLAMER
   « Tu devrais pourtant le savoir. »
   « Tu ne penses à rien », « Tu ne réfléchis pas. »
   « Tu es insupportable. »
   « Tu es l'enfant le plus ingrat que je connaisse. »
2. DIRE DES NOMS, RIDICULISER, FAIRE HONTE
   « Tu n'es qu'un enfant gâté. »
   « On sait bien, Monsieur se pense fin. »
   « Es-tu fier de ton rôle de parasite dans cette maison ? »
   « Tu devrais avoir honte ! »
3. INTERPÉTER, PSYCHANALYSER, DIAGNOSTIQUER
   « Tu cherches seulement à attirer l'attention. »
   « Tu fais tout pour m'exaspérer. »
   « Tu t'amuses à voir jusqu'où tu peux aller avant que je me fâche. »
   « Tu veux toujours jouer au moment où j'ai du travail à faire. »
4. FAIRE LA LEÇON, ARGUMENTER
   « Ce n'est pas poli d'interrompre quelqu'un. »
   « Les enfants bien élevés ne font pas ça. »
   « Comment aimerais-tu que ce soit moi qui te fasse ça ? »
   « Pourquoi n'essaies-tu pas d'être gentil pour changer. »

« Ne fais pas aux autres..., etc. »

« On ne laisse pas sa vaisselle sale. »

Ce sont tous des « messages dévalorisants » : ils mettent en doute le caractère de l'enfant, le déprécient en tant que personne, s'attaquent à son amour-propre, soulignent ses faiblesses, portent un jugement sur sa personnalité.

Ils lèvent un doigt accusateur en direction de l'enfant : ils le blâment.

Quels effets ces messages risquent-ils de produire ?

1. Les enfants ont souvent des remords et se sentent coupables lorsqu'on les juge ou qu'on les blâme.
2. Les enfants trouvent que leurs parents leur donnent ainsi un coup bas, ils en éprouvent une injustice : « Je n'ai rien fait de mal » ou « Je n'ai pas voulu être méchant. »
3. Les enfants se sentent souvent rejetés, mal aimés : « Elle ne m'aime pas parce que j'ai fait quelque chose de mal. »
4. Souvent, les enfants vont très mal recevoir ces messages, ils vont serrer les dents de rage. Changer le comportement qui dérange le parent équivaudrait pour l'enfant à admettre la validité du blâme ou du jugement du parent. Sa réaction typique sera : « Je ne te dérange pas » ou « La vaisselle ne nuit à personne ! ».
5. Souvent les enfants reviennent à la charge contre les parents : « Tu n'es pas toujours propre, toi-même » ou « Tu es toujours fatigué » ou « Une maison n'est-elle pas un endroit où l'on est censé vivre ? »
6. Les messages dévalorisants amènent l'enfant à se sentir inférieur à la situation, ils réduisent l'estime qu'il a de lui-même.

Les messages dévalorisants peuvent avoir des effets dévastateurs sur le développement de l'image qu'un enfant se fait de lui-même. L'enfant qui reçoit continuellement des messages qui le déprécient va apprendre à se voir lui-même comme un incapable, un méchant, un vaurien, un paresseux, un insouciant, un étourdi, un imbécile, un ingrat, etc. Comme une appréciation négative de soi, formée dès l'enfance, a des chances de persister chez l'adulte, les messages dévalorisants sèment le germe d'un handicap permanent.

Voilà la façon dont les parents contribuent, jour après jour, à la destruction de la personnalité de leurs enfants et de l'estime qu'il ont d'eux-mêmes. Comme des gouttes d'eau tombant sur une pierre, graduellement, imperceptiblement, ces messages quotidiens produisent chez eux un effet destructeur.

Des façons efficaces de confronter un enfant.

Le langage des parents peut aussi être constructif. Quand ils ont découvert les effets destructeurs des messages dévalorisants, les parents sont, en général, pressés d'apprendre des façons plus efficaces de confronter leurs enfants. Dans nos groupes, nous n'avons jamais rencontré un parent qui voulait consciemment détruire l'estime que tout enfant doit avoir de lui-même.

Les « messages-tu » et les « messages-je »

Une bonne façon de faire comprendre aux parents la différence entre une confrontation efficace et une confrontation inefficace est de leur demander de penser en terme de « message-tu » et de « message-je ». Lorsque nous demandons aux parents d'examiner les messages que nous avons déjà vus et déclarés inefficaces, ils sont très surpris de constater qu'ils commencent tous par le mot « tu » ou qu'ils contiennent ce mot. Tous ces messages sont orientés vers l'autre :

Arrête-*toi.*
Tu ne devrais pas faire ça...
Si jamais *tu* recommences...
Si *tu* n'arrêtes pas, *tu* vas voir...
Pourquoi ne fais-*tu* pas ceci, cela... ?
Tu es insupportable.
Tu agis comme un bébé.
Tu cherches à attirer l'attention.
Pourquoi n'es-*tu* pas gentil ?
Tu devrais comprendre mieux.

Par contre, lorsqu'un parent dit simplement à un enfant *le sentiment* que provoque chez lui un comportement inacceptable, le message est en général un « message-je ».

« Je ne peux pas me reposer lorsque quelqu'un me monte sur les genoux. »
« Je n'ai pas le goût de jouer lorsque je suis fatigué. »
« Je ne peux pas faire la cuisine lorsque je dois faire le tour des chaudrons éparpillés sur le plancher. »

« J'ai peur que le repas ne soit prêt à temps. »
« Je suis découragée de voir que ma cuisine qui était toute propre est déjà en désordre. »
« Je ne peux pas réparer cette porte parce qu'il me manque plusieurs de mes outils. »

Les parents comprennent déjà la différence entre les messages-je » et les « messages-tu », mais leur signification n'est pleinement appréciée que lorsque nous revenons au schéma du processus de communication qui a déjà été présenté pour expliquer l'écoute active. Ce schéma aide les parents à mieux saisir l'importance des « messages-je ».

Lorsque le comportement d'un enfant est inacceptable à un parent parce que, d'une façon tangible, il lui rend la vie plus difficile ou l'empêche de satisfaire ses propres besoins, le problème « appartient » clairement au parent. Il est bouleversé, désappointé, fatigué, inquiet, préoccupé, accablé, etc, et pour faire connaître à l'enfant ce qui se passe dans son for intérieur, le parent doit choisir un code approprié. Dans le cas d'un parent fatigué qui n'a pas le goût de jouer avec son fils de quatre ans, notre schéma donnerait ceci :

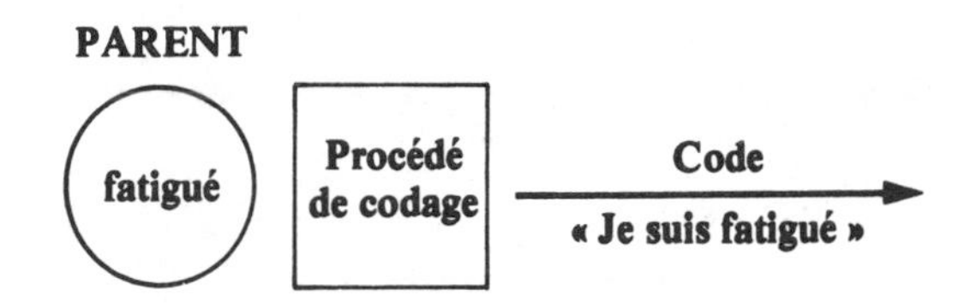

Mais si le parent choisit un code qui est orienté vers l'autre, il ne codera pas son « sentiment de fatigue » correctement :

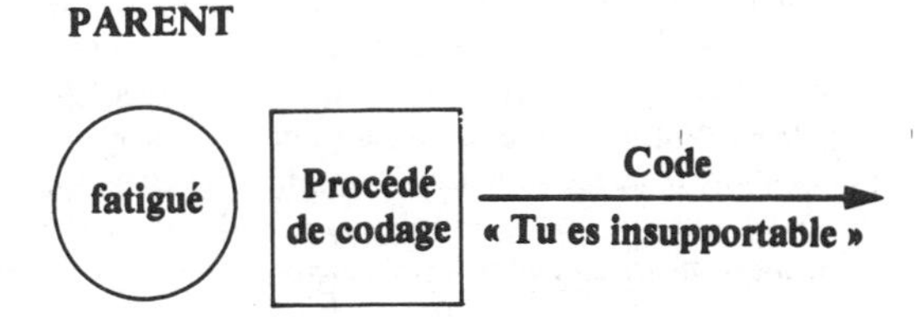

« Tu es insupportable » est un code bien impropre à exprimer le sentiment de fatigue d'un parent ; le message-je est clair et précis : « Je suis fatigué », « Je n'ai pas le goût de jouer », « Je veux me reposer ».

Le code d'un message-tu ne transmet pas clairement le sentiment. Un « message-tu » est axé sur l'enfant et non sur le parent.

Étudions ces messages du point de vue de l'enfant qui les reçoit :

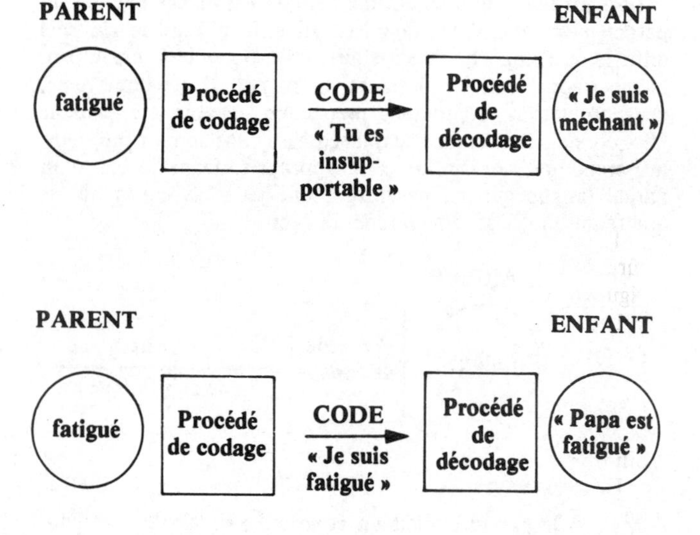

L'enfant décode le premier message comme une évaluation de lui-même. Il décode le second comme un *renseignement* sur l'état du parent. Les « messages-tu » sont des codes peu appropriés pour communiquer ce qu'un *parent* ressent, surtout parce que l'enfant les décode souvent comme des messages où on lui dit quoi faire (donner une solution) ou encore à quel point *il est* méchant (jeter un blâme ou émettre un jugement).

En quoi les « messages-je » sont plus efficaces.

Les « messages-je » sont plus efficaces pour influencer un enfant à modifier un comportement inacceptable pour les parents ; ils sont également plus sains pour l'enfant et pour la relation entre le parent et l'enfant.

Le message-je risque beaucoup moins de provoquer la résistance et la révolte. Communiquer sincèrement à un enfant les effets de son comportement *sur vous* est beaucoup moins menaçant que de lui suggérer qu'il est méchant ou malfaisant parce qu'il agit de telle façon. Pensons à la différence de réaction d'un enfant face à ces deux messages :

L'enfant a frappé le parent ; ce dernier peut dire :

« Aie ! Ça me fait vraiment mal ! Je n'aime pas qu'on me donne des coups de pied. »

« C'est très méchant de ta part. Ne frappe plus jamais personne de cette façon. »

Le premier message dit simplement à l'enfant de quelle façon son coup de pied vous a affecté, un fait qu'il peut difficilement refuser. Le second dit à l'enfant qu'il a été « méchant » et l'avertit de ne plus le faire, deux affirmations qu'il peut sûrement discuter et auxquelles il résistera probablement avec vigueur.

Les « messages-je » sont aussi infiniment plus efficaces, parce qu'ils laissent à l'enfant la responsabilité de modifier son comportement. « Aie ! Ça me fait vraiment mal » et « Je n'aime pas qu'on me donne des coups de pied » disent à l'enfant ce que vous ressentez, tout en lui laissant la responsabilité de faire quelque chose à ce sujet.

En conséquence, les « messages-je » aident l'enfant à se développer et à apprendre à assumer la responsabilité de ses actes. Un « message-je » communique à l'enfant que vous lui laissez la responsabilité, que vous avez confiance qu'il prendra la situation en main d'une manière constructive, que vous êtes persuadé qu'il respectera vos besoins, car vous lui donnez une chance de commencer à se comporter d'une façon constructive.

A cause de leur sincérité, les « messages-je » poussent un enfant à s'exprimer lui aussi par des messages francs et honnêtes *à chaque fois qu'il éprouve un sentiment.* Dans une relation, des « messages-je » exprimés par l'une des personnes incitent l'autre personne à communiquer ses « messages-je ».

Pour la même raison, dans une relation détériorée, les conflits dégénèrent souvent car les blâmes d'une personne suscitent une réaction semblable chez l'autre :

Parent : Tu oublies de plus en plus souvent de laver la vaisselle après le petit déjeuner. (MESSAGE-TU)

Enfant : Toi non plus, tu ne laves pas toujours la tienne chaque matin. (MESSAGE-TU)

Parent : C'est différent. Une mère a beaucoup trop d'autres choses à faire dans la maison, comme tout ramasser derrière des enfants traînards. (MESSAGE-TU)

Enfant : Je n'ai rien laissé à la traîne. (MESSAGE DÉFENSIF)

Parent : Tu es aussi insouciant que les autres, et tu le sais. (MESSAGE-TU)

Enfant : Tu t'attends à ce que tout le monde soit parfait. (MESSAGE-TU)

Parent : Ce n'est pas ton cas, tu as certainement un long chemin à faire avant d'y arriver. (MESSAGE-TU)

Enfant : Tu exagères toujours quand il s'agit de l'entretien de la maison. (MESSAGE-TU)

Cet extrait est typique de beaucoup de conversations entre parents et enfants lorsque le parent débute sa confrontation par un « message-tu ». Invariablement, ils en viennent à une dispute, où tous les deux s'attaquent et se défendent à tour de rôle.

Les « messages-je » ont beaucoup moins de chance de produire des disputes semblables. Ce qui ne veut pas dire que si les parents émettent des « messages-je » tout deviendra beau et bon instantanément. On comprendra que les enfants n'aiment pas entendre dire que leur comportement a posé un problème à leurs parents (tout comme les adultes, qui ne sont jamais tout à fait à l'aise lorsqu'ils sont confrontés et qu'ils apprennent que leur comportement a dérangé quelqu'un). Néanmoins, dire ce que vous ressentez est moins dangereux que d'accuser d'avoir provoqué un sentiment de frustration.

Il faut un certain courage pour émettre un « message-je », mais les résultats en valent généralement le risque. Il faut du courage et de la confiance en soi pour exposer ses sentiments intimes. En émettant un « message-je » sincère, on risque de se faire connaître *tel qu'on est* par l'autre. En se confiant, en étant d'une franchise transparente, on révèle sa sensibilité. On révèle à l'autre qu'on est une personne capable d'être blessée, déconcertée, effrayée, désappointée, fâchée, découragée, etc.

Révéler ses sentiments signifie s'ouvrir pour être vu par l'autre. Qu'est-ce que l'autre va penser de moi ? Est-ce qu'il va me rejeter ? Est-ce que je vais baisser dans son estime ? Les parents, en particulier, trouvent difficile de se montrer à leurs enfants tels qu'ils sont parce qu'ils aiment être considérés comme infaillibles, sans faiblesse, invulnérables et incapables d'erreur. Pour beaucoup de parents, il est plus facile de cacher leurs sentiments derrière un « message-tu » et de jeter le blâme sur l'enfant que d'exposer leur propre sensibilité.

La plus grande satisfaction qu'un parent retire en se montrant tel qu'il est à son enfant se retrouve dans la qualité de la relation qui s'établit entre eux. La franchise, la sincérité et l'ouverture amènent un contact intime qui est la base d'une véritable relation *« inter-personnelle »*. Mon enfant apprend à me connaître tel que je suis, ce qui l'encourage ensuite à se révéler tel qu'il est. Plutôt que d'être étranger l'un à l'autre, nous développons une relation intime. Notre relation devient *authentique,* car nous sommes deux véritables personnes intéressées à nous connaître dans notre réalité l'une face à l'autre.

Lorsque les parents et les enfants apprennent à être ouverts et honnêtes les uns envers les autres, ils ne sont plus des « étrangers » vivant sous un même toit. Les parents ont le bonheur d'être des parents de vraies personnes, et les enfants ont la chance d'avoir de vraies personnes comme parents.

7

L'application du « message-je ».

Les parents de nos groupes se réjouissent d'apprendre comment modifier, chez un enfant, un comportement qui leur est inacceptable. Certains d'entre eux déclarent : « J'ai hâte d'arriver à la maison et de faire face à un comportement de mon enfant qui m'irrite depuis plusieurs mois. »

Malheureusement, il arrive que des parents nouvellement initiés n'obtiennent pas les résultats qu'ils espéraient ; du moins, pas dès le début.

Il nous faut alors étudier avec eux les erreurs faites fréquemment lorsqu'on essaie d'employer les « messages-je » et leur donner des exemples pour améliorer leurs interventions.

Le « message-tu » déguisé.

M. G..., père de deux adolescents, déclare au groupe que sa première tentative d'emploi du « message-je » s'est avérée un échec total.

« Contrairement à ce que vous nous avez dit, mon fils Paul m'a aussitôt répondu par des « messages-tu » comme il le fait toujours. »

« Est-ce que vous-même vous avez émis des « messages-je ? », demande le moniteur.

« Bien sûr ! du moins, je le pense, c'est ce que j'ai essayé de faire », répond M. G...

Le moniteur propose alors de simuler la situation devant le groupe : il jouera le rôle de Paul et M. G... son propre rôle. Après avoir expliqué la situation au groupe, M. G... commence :

M. G... : Je sais que tu as négligé ta part des tâches journalières.

Paul : Comment ça ?

M. G... : Bon, prenons ta responsabilité de tondre le gazon. Je me sens bouleversé chaque fois que tu t'esquives, pour flâner. Samedi dernier, par exemple, j'étais fâché contre toi parce que tu t'es sauvé sans tondre la pelouse. Je trouvais que c'était irresponsable et j'étais bien déçu.

A ce moment le moniteur s'arrête de jouer et dit à M. G... : « Je vous ai entendu dire plusieurs fois les mots « je ressens » ou « je me sens » mais demandons au groupe s'il a entendu autre chose. »

Un père du groupe intervient immédiatement en ces mots : « En quelques secondes, tu as dit à Paul qu'il était négligent, sournois et irresponsable. »

« Eh bien ! Vraiment ? J'imagine ! Je comprends sa réaction si je lui ai parlé de cette façon », répondit timidement M. G... « Ça ressemble plutôt à des « messages-tu ».

M. G... avait raison. Il avait fait la même erreur que bien des parents font au début : ils émettent des « messages-tu » déguisés en plaçant les mots « je me sens » ou « je ressens » au début d'un message.

Il faut quelquefois recréer la situation et la jouer dramatiquement pour que les parents voient clairement que « Je ressens que tu es irresponsable » est un « message-tu » et qu'il blesse autant que : « Tu es un irresponsable. » Nous conseillons aux parents de ne pas employer les mots « Je ressens » et de dire directement ce qu'ils ressentent, comme « J'étais désappointé », « J'aime voir le gazon coupé le dimanche » ou « J'étais bouleversé parce que je pensais que tu étais d'accord pour tondre le gazon le samedi. »

Ne pas insister sur l'aspect négatif.

Une erreur que les parents nouvellement initiés font, quelquefois, est d'émettre des « messages-je » pour exprimer leurs sentiments négatifs et d'oublier d'émettre des « messages-je » pour manifester leurs sentiments positifs.

Mme P... et sa fille Line sont convenues que Line rentrerait du cinéma, au plus tard, à minuit. Line arriva à la maison avec une heure et demie de retard. Sa mère, très inquiète, avait perdu autant de sommeil.

Lorsque nous avons recréé la situation devant le groupe, Mme P... a commencé en disant :

Mme P...	*(Au moment où Line entre) :* Je suis très fâchée.
Line :	Je sais, je suis en retard.
Mme P... :	Je suis très irritée que tu m'aies fait perdre du sommeil.
Line :	Pourquoi ne dormais-tu pas ? J'aimerais que tu te couches, que tu dormes et que tu cesses de t'inquiéter.
Mme P... :	Je ne pouvais pas. J'étais fâchée et j'avais peur que tu n'aies eu un accident. Je suis très déçue que tu n'aies pas respecté notre entente.

Le moniteur arrête le jeu et dit à Mme P... : « Très bien, vous avez émis plusieurs bons « messages-je », mais seulement les négatifs. Que ressentiez-vous au fond de vous-même lorsque vous avez aperçu Line dans l'encadrement de la porte Quel a été votre premier sentiment ? »

Mme P... répond rapidement : « Je me suis sentie vraiment soulagée de voir que Line revenait saine et sauve. Je voulais la serrer dans mes bras et lui dire à quel point j'étais contente de voir qu'elle était revenue d'une seule pièce. »

« Je vous crois, dit le moniteur. Je vais jouer à nouveau le rôle de Line ; maintenant, exprimez vos vrais sentiments par des « messages-je ». Essayons une autre fois. »

Mme P... : Line ! Ah ! Dieu merci, il ne t'est rien arrivé. Je suis tellement contente de te voir. Quel soulagement ! *(elle serre le moniteur dans ses bras).* J'avais tellement peur que tu n'aies eu un accident.

Line : Eh ! tu as l'air vraiment *contente* de me voir, n'est-ce-pas ?

A ce moment, les membres du groupe se mirent à applaudir spontanément Mme P... Ils exprimèrent à la fois leur surprise et leur satisfaction pour la teneur entièrement différente de la seconde confrontation, qui débuta par l'expression directe des véritables sentiments qu'elle vivait. Il s'ensuivit une discussion passionnante sur la façon dont les parents ratent tellement d'occasions d'être sincères avec leurs enfants et de révéler leurs sentiments positifs d'affection. Pressés de « faire la leçon » à nos enfants, nous laissons passer de magnifiques chances de leur enseigner des points beaucoup plus fondamentaux. Nous oublions, par exemple, de leur montrer que nous les aimons beaucoup, que ce serait pour nous un chagrin terrible s'ils venaient à être blessés ou tués.

Après avoir exprimé sincèrement son premier sentiment, Mme P... aura toujours le temps de dire à Line le désappointement qu'elle a ressenti parce qu'elle n'a pas respecté leur entente. Si le « message-je » positif avait été émis en premier, il en aurait résulté une discussion d'un genre bien différent.

Ne pas attendre de grands résultats d'un message atténué.

Les parents qui suivent notre programme entendent souvent parler de l'atténuation de leurs « messages-je ». Au départ, des parents trouvent difficile d'émettre des « messages-je » qui correspondent à l'intensité de leurs sentiments. Habituellement, lorsqu'un parent atténue son « message », il perd son impact sur l'enfant et ne modifie pas son comportement.

Mme B... nous rapporte un incident où son fils Bernard n'a pas changé un comportement inacceptable, même après qu'elle lui eut émis un « message-je » qu'elle jugeait approprié. En jouant, son fils de six ans avait frappé sa jeune sœur sur la tête avec un bâton. La mère émit un « message-je », mais Bernard n'en tint pas compte et répéta son geste dangereux.

Lorsque nous avons reconstitué cet incident devant le groupe, il apparut aux autres parents que Mme B... avait fait l'erreur d'atténuer ses sentiments.

Mme B... : Bernard, je n'aime pas que tu frappes Sylvie.

Le moniteur lui dit : « Je suis surpris, madame B..., que vous n'ayez pas réagi plus vigoureusement en voyant votre bébé recevoir sur la tête un coup de bâton. »

« Mais j'ai eu très peur d'une fracture du crâne, et j'ai même pensé voir du sang sur sa tête. »

« Alors, lui dit le moniteur, transposons ces sentiments en « message-je » qui correspondent à l'intensité de ce que vous ressentiez à ce moment-là. »

Cette fois, encouragée et incitée à exprimer ses vrais sentiments, Mme B... se reprit : « Bernard, j'ai une peur bleue lorsqu'on frappe le bébé sur la tête ! Je n'aimerais pas le voir blessé. De plus, je déteste voir un grand battre un petit. J'ai tellement *peur* de voir du sang sur sa petite tête. »

Mme B... et les autres parents du groupe furent d'accord que cette fois-ci son message n'avait pas atténué ses sentiments. Le second « message-je » correspondait davantage à ses véritables sentiments et aurait beaucoup plus de chances d'avoir un impact sur Bernard.

L'éruption volcanique.

Lorsqu'ils découvrent le « message-je », certains parents se précipitent à la maison et commencent à confronter leurs enfants ; et ils n'en finissent pas de se soulager et de se libérer de leurs émotions comme si on avait déclenché un volcan. Une mère est même revenue à une rencontre en nous annonçant qu'elle avait passé la semaine entière en colère contre ses deux enfants. Il restait quand même un problème : ses deux enfants étaient complètement apeurés par son nouveau comportement.

En constatant que certains parents pouvaient interpréter notre encouragement à confronter leurs enfants comme une invitation à se soulager de tous leurs sentiments de colère, j'en suis venu à réexaminer le rôle de la colère des parents dans la relation entre parent et enfant. Ce nouvel examen critique de la colère a grandement clarifié ma pensée et m'a permis d'expliquer différemment pourquoi les parents donnent libre cours à leurs sentiments de colère, pourquoi c'est dommageable pour les enfants et comment il est possible d'aider les parents à l'éviter.

A la différence de beaucoup d'autres sentiments, la colère est presque toujours dirigée contre une autre personne. « Je suis fâché » signifie ordinairement « Je suis fâché contre *toi* » ou « Tu m'as mis en colère. » Il s'agit vraiment d'un « message-tu » et non d'un « message-je ». Un parent ne peut pas déguiser ce « message-tu » en le formulant : « Je suis en colère. » « Conséquemment, un tel message apparaîtra aux enfants comme un « message-tu ». Un enfant pense qu'il est blâmé parce qu'il est *la cause* de la colère de ses parents. On comprendra facilement que, suite à un tel message, l'enfant éprouvera un sentiment de dévalorisation, de blâme, de culpabilité, comme cela se produit d'ailleurs pour les autres « messages-tu ».

Je suis maintenant convaincu que le parent produit lui-même la colère, après avoir éprouvé un premier sentiment. En voici le fonctionnement :

> Je conduis mon auto sur la grande route : tout à coup, un autre conducteur me coupe en voulant me doubler et il me frôle dangereusement. Ma première réaction est la peur : son comportement m'a fait peur. En conséquence de la frousse qu'il m'a causée, quelques secondes plus tard, je klaxonne et « j'agis comme une personne en colère » ; je je vais même jusqu'à lui crier : « Imbécile, va donc apprendre à conduire » ; personne ne pourra nier qu'il s'agit là d'un « message-tu ». La raison de mon comportement colérique est de punir l'autre conducteur ou de l'amener à se sentir coupable de m'avoir fait peur, afin qu'il ne recommence plus.

Dans la plupart des cas, la colère des parents et leur comportement coléreux ont aussi pour but de donner une leçon à l'enfant.

> Une mère perd son enfant dans un grand magasin. Le premier sentiment qu'elle éprouve, c'est la peur : elle craint qu'il ne puisse lui arriver quelque embarras. Si on lui demandait de faire part de ses sentiments pendant qu'elle le cherche, la réponse de la mère serait : « Je suis terriblement effayée », ou « Je suis très inquiète et j'ai peur. » Lorsqu'elle le retrouve finalement, elle éprouve un grand soulagement. Elle se dit en

elle-même : « Ah ! mon Dieu, quel soulagement, il n'a pas de mal. » Mais lorsqu'elle parle tout haut, elle n'emploie cependant pas le même langage. Brusquement elle va lui lancer un message de ce genre-ci : « Méchant garnement » ou « Je suis en colère contre toi. Comment peux-tu être assez imbécile pour te séparer de moi ? » ou « Je t'ai dit de rester près de moi. » Dans cette situation, la mère a un comportement coléreux (une réaction secondaire) afin de faire la leçon à l'enfant ou de le punir de lui avoir fait peur.

Comme réaction secondaire, la colère devient presque toujours un « message-tu » qui communique un jugement ou un blâme à l'enfant. Je suis convaincu que le parent assume délibérément et consciemment la colère dans l'idée de blâmer, de punir, ou de faire la leçon à l'enfant en réaction à un autre sentiment (le sentiment premier). Chaque fois qu'on se fâche contre quelqu'un, on monte un bateau, on joue un rôle pour affecter l'autre, pour lui montrer qu'il nous a choqué ; on essaie ainsi de lui faire la leçon et de le convaincre qu'il ferait mieux de ne pas recommencer. Je ne prétends pas que la colère ne soit pas réelle. Elle est bien réelle et elle fait bouillir les gens. Ce que je veux dire, c'est qu'on se met soi-même en colère.

Voici quelques exemples :

Un enfant est très bruyant dans un restaurant. Le sentiment premier des parents c'est l'embarras. Leur deuxième réaction, c'est la colère : « Arrête de te comporter comme si tu étais un bébé de deux ans. »

Un enfant oublie que c'est l'anniversaire de son père et ne lui souhaite pas « Bon anniversaire » ou ne lui donne pas de cadeau. Le premier sentiment du père, c'est une *déception.* Sa seconde réaction, c'est la colère : « Tu es comme tous les enfants d'aujourd'hui, étourdi et sans considération pour les autres.

Un enfant revient de l'école avec un bulletin contenant des mauvaises notes. En premier lieu, la mère est déçue. Sa deuxième réaction c'est la colère : « Je sais que tu as flâné durant tout le mois. J'imagine que tu dois être fier de toi maintenant. »

Comment les parents peuvent-ils apprendre à éviter d'émettre des « messages-tu » colériques à l'égard de leurs enfants ? L'expérience de nos groupes est passablement encourageante à ce sujet. Nous aidons les parents à identifier le sentiment premier lorsque des situations semblables se présentent à la maison. Ils apprennent à exprimer leurs sentiments premiers plutôt que de décharger les réactions de colère qui leur viennent ensuite à l'esprit. Notre programme de formation aide les parents à comprendre davantage ce qui se passe en eux lorsqu'ils ressentent de la colère.

Mme C..., mère très consciencieuse, raconta à son groupe comment elle avait découvert que ses fréquentes colères contre sa fille de douze ans étaient en réalité des réactions secondaires à la déception qu'elle éprouvait de voir que sa fille n'était pas aussi studieuse qu'elle-même l'avait été dans son enfance. Mme C... commença à se rendre compte à quel point le succès scolaire de sa fille prenait de l'importance à ses yeux et découvrit qu'à chaque fois qu'elle était déçue sur ce point elle la bombardait de furieux « messages-tu ».

M. J..., consultant professionnel, nous confia lors d'une rencontre qu'il comprenait pourquoi il se mettait en colère contre sa fille de onze ans lorsqu'ils se trouvaient dans des endroits publics. Au contraire de son père, sa fille était timide et peu sociable. Lorsqu'il lui présentait des amis, elle ne leur tendait pas la main et n'employait pas les formules de politesses courantes, telles que : « Comment allez-vous ? » ou « Enchantée de vous connaître. » Son minuscule, presque imperceptible « Bonjour » embarrassait son père. Il admit qu'il craignait qu'on ne le considère comme un parent dur et strict et qu'on n'explique ainsi que son enfant soit soumise et craintive. Une fois qu'il eut compris cela, il s'aperçut qu'il pouvait surmonter sa colère dans des moments semblables. Il commença à accepter que sa fille n'ait simplement pas la même personnalité que lui. Il arrêta de se fâcher et sa fille devint moins intimidée.

Dans notre programme de formation, les parents apprennent que s'ils lancent fréquemment des « messages-tu » de colère, ils auraient avantage à se regarder dans le miroir et à se demander : « Qu'est-ce qui ne va pas chez moi ? » « Quel est mon sentiment premier ? » Une mère expliqua courageusement dans un groupe qu'elle avait souvent éprouvé de la colère contre ses enfants parce que le fait d'avoir eu des enfants très tôt l'avait empêchée de compléter ses études et de devenir professeur. Elle découvrait que ses sentiments de colère étaient plutôt un ressentissement causé par la déception d'avoir interrompu ses projets de carrière.

Les effets d'un « message-je » efficace.

Les « messages-je » peuvent produire des résultats étonnants. Les parents nous rapportent fréquemment que leurs enfants expriment leur surprise lorsqu'ils apprennent les véritables sentiments de leurs parents. Ils disent à leurs parents :

« Je ne savais pas que je te dérangeais autant. »
« Je ne savais pas que cela te troublait. »
« Pourquoi donc ne m'as-tu pas dit ce que tu ressentais auparavant ? »
« Cela te touche profondément, n'est-ce pas ? »

Les enfants, tout comme les adultes d'ailleurs, bien souvent ne savent pas comment leur comportement affecte les autres. En tentant d'atteindre leurs propres buts, ils sont souvent totalement ignorants des effets que leur comportement peut causer. Quand on le leur dit, ils veulent habituellement démontrer plus de considération. L'enfant négligent se transforme souvent en enfant prévenant, dès qu'il a compris l'impact de son comportement sur les autres.

Mme H... nous a raconté un incident qui s'est produit pendant leurs vacances familiales. Leurs enfants avaient été bruyants et agités à l'arrière de l'auto. Mme H... et son mari avaient enduré ce tapage à contre cœur, mais finalement M. H... ne put plus le supporter. Il freina l'auto brusquement, s'arrêta sur le bord de la route, et annonça : « Je ne peux plus supporter tout ce bruit et ces gambades à l'arrière. Je veux jouir de mes vacances et avoir du bon temps lorsque je conduis ; lorsqu'il y a du bruit à l'arrière, je deviens nerveux et je déteste conduire. Et je tiens fortement à apprécier ces vacances, moi aussi. »

Les enfants furent tout surpris de cette déclaration et ils le dirent. Ils ne s'étaient nullement rendu compte que leur conduite à l'arrière de l'auto pouvait déranger leur père. Apparemment, ils croyaient que leur père pouvait l'accepter. Mme H... rapporte qu'après cet incident les enfants ont manifesté beaucoup plus de considération et qu'ils ont considérablement réduit leurs pirouettes.

M. G..., qui, à titre de directeur d'une école pour adolescents en difficulté, avait à s'occuper des jeunes les plus révoltés et les plus agités, raconta le fait suivant :

> Depuis des semaines j'avais eu beaucoup de mal à tolérer le comportement d'un groupe de garçons qui enfreignaient continuellement certains règlements de l'école. Un matin, je regarde par la fenêtre de mon bureau et je les vois passer nonchalamment sur la pelouse, une bouteille d'eau gazeuse à la main, ce qui est contraire aux règlements de l'école. Cela fit déborder la mesure. Comme je venais de participer à la partie de votre programme qui traite des « messages-je », je suis sorti en courant et j'ai commencé à leur communiquer certains de mes sentiments : « Je suis complètement découragé. J'ai tout essayé pour vous aider à réussir vos études. J'ai mis tout mon cœur et toute mon énergie dans ce travail. Et vous ne cessez d'enfreindre les consignes. Je me suis battu pour obtenir un règlement raisonnable sur la propreté de la salle de repos, mais vous ne vous tenez jamais là. Maintenant, vous transportez des bouteilles d'eau gazeuse et c'est aussi contre les règlements. J'ai tout simplement envie de quitter cet emploi et de retourner à l'école secondaire régulière où je peux me sentir utile à quelque chose. Ici, j'ai l'impression de vivre un échec complet. »

Cet après-midi-là, M. G... eut la surprise de recevoir la visite du groupe. « Eh ! monsieur G..., nous avons pensé à ce qui est arrivé ce matin. Nous ne savions pas que vous pouviez vous fâcher. Vous ne l'avez jamais fait auparavant. Nous ne voulons pas changer de directeur ; un autre ne serait pas aussi bon que vous l'avez été. Alors, nous avons tous décidé de bien nettoyer la salle de repos. Nous allons aussi observer les autres règlements. »

M. G... n'était pas au bout de son étonnement : en effet, une fois le nettoyage général terminé, les jeunes lui demandèrent de venir avec eux participer à la décoration de la salle de repos. M. G... raconta à notre groupe que l'élément le plus significatif de cet incident fut le plaisir qu'ils ont partagé durant la séance de décoration spontanée. « Ce fut une vraie fête », dit-il. L'expérience avait permis aux jeunes de se rapprocher de lui, ainsi que les uns des autres. A leur départ, ils étaient tous amis ; il se dégageait de cette rencontre des sentiments chaleureux et le type de rapprochement qui résulte souvent d'une solution établie par entente mutuelle.

Lorsque j'ai entendu M. G... nous raconter cet événement, j'admets que j'étais tout aussi surpris que les parents du groupe de l'impact dramatique de son « message-je ». Je vis là une nouvelle confirmation de ma croyance que les adultes sous-estiment souvent la bonne volonté des enfants à respecter leurs besoins, une fois qu'on leur a dit sincèrement et directement ce qu'on ressent. Les enfants peuvent être réceptifs et responsables si seulement les adultes prennent le temps de se mettre à leur portée.

Voisi quelques exemples de « messages-je » efficaces, qui ne contiennent ni blâme ni humiliation, et dans lesquels les parents ne donnent pas de « solution ».

Un père veut lire le journal et se reposer à son retour du travail. L'enfant ne cesse de monter sur ses genoux et de froisser son journal. *Le père :* « Je ne peux pas lire le journal quand tu es sur mes genoux. Je n'ai pas le goût de jouer avec toi parce que je suis fatigué et je veux me reposer quelques minutes. »

La mère passe l'aspirateur, l'enfant n'arrête pas de débrancher l'appareil. La mère est pressée. *La mère :* « Je suis très pressée et ça me retarde beaucoup d'avoir à toujours m'arrêter et brancher à nouveau l'aspirateur. Je n'ai pas envie de jouer, car j'ai du travail à faire. »

L'enfant arrive à table, les mains et le visage tout noircis. *Le père :* « Ta mère et moi voulons discuter de quelque chose d'important. Nous ne pouvons pas parler lorsque tu es ici. »

L'enfant insiste pour qu'on l'emmène voir un film, mais il n'a pas nettoyé sa chambre depuis plusieurs jours, un travail qu'il avait accepté de faire. *La mère :* « Je n'ai pas beaucoup le goût de faire quelque chose pour toi lorsque tu n'as pas respecté notre entente au sujet de ta chambre. J'ai l'impression que je me dévoue beaucoup et que j'obtiens peu en retour. »

L'enfant fait jouer la radio tellement fort qu'il dérange la conversation de ses parents dans la pièce voisine. *La mère ou le père :* « Nous ne pouvons pas parler lorsque la radio joue aussi fort. A part ça, ce bruit nous agace au suprême degré. »

L'enfant a promis de repasser les serviettes de table qui serviront lors d'une réception. Au cours de la journée, elle flâne ; une heure avant l'arrivée des invités, elle n'a pas encore commencé le travail. *La mère :* « Je commence à m'inquiéter sérieusement. J'ai travaillé toute la journée pour préparer la réception et je dois encore me préoccuper des serviettes de table. »

L'enfant a oublié de se présenter à la maison à l'heure convenue de sorte que sa mère n'a pas pu l'emmener acheter des souliers. La mère est pressée. *La mère :* « Je n'aime pas planifier ma journée pour avoir le temps d'aller avec toi acheter une nouvelle paire de souliers et ensuite perdre mon temps à t'attendre. »

Émettre des « messages-je » non verbaux à de tout jeunes enfants.

Les parents qui ont des enfants de moins de deux ans nous demandent comment ils peuvent émettre des « messages-je » à l'intention d'enfants qui sont trop jeunes pour comprendre la signification de « messages-je » verbaux.

Notre expérience nous indique que beaucoup de parents sous-estiment la capacité qu'ont les très jeunes enfants de comprendre les « messages-je ». Lorsqu'ils arrivent à l'âge de deux ans, la plupart des enfants ont déjà appris à distinguer chez leurs parents l'acceptation de l'inacceptation, à reconnaître les moments où leur père et leur mère se sentent bien ou moins bien, à identifier parmi les gestes qu'ils posent ceux que leurs parents aiment et ceux qu'ils n'aiment pas. Lorsqu'ils ont atteint leur deuxième anniversaire, la plupart des enfants sont bien au courant de la signification de plusieurs messages de leurs parents, tels que : « Aie, ça fait mal » ou « Je n'aime pas ça » ou « Je ne veux pas jouer ». Ou encore : « Tu ne dois pas jouer avec ça », « C'est chaud », ou « Tu peux te faire mal avec cela ».

Les très jeunes enfants sont aussi tellement sensibles aux messages non verbaux que souvent les parents n'ont pas besoin d'employer de mots pour faire comprendre plusieurs de leurs sentiments à leur enfant.

Paul s'agite pendant que sa mère l'habille. La mère le retient gentiment mais fermement et continue à l'habiller. (Message : « Je ne peux pas t'habiller lorsque tu bouges sans cesse. »)

Marie saute sur le divan et sa mère craint qu'elle ne heurte la lampe placée sur une table voisine. Gentiment, mais fermement, la mère enlève Marie du divan et se met à sauter avec elle sur le plancher. (Message : « Je n'aime pas que tu sautes sur le divan, mais tu peux fort bien sauter sur le plancher. »)

Jean tarde à monter dans l'auto avec sa mère qui est pressée. Gentiment, mais fermement, la mère le dirige vers l'auto. (Message : « Je suis pressée et maintenant, je veux que tu montes dans l'auto. »)

Sylvie tire sur la nouvelle robe que sa mère vient tout juste de revêtir. La mère lui enlève les mains de sa robe. (Message : « Je n'aime pas que tu tires sur ma robe. »)

Lorsque le père porte Robert dans ses bras, celui-ci se met à le frapper dans l'estomac. Immédiatement, le père met Robert par terre. (Message : « Je ne peux pas te porter lorsque tu me frappes. »)

Suzanne se penche et prend de la nourriture dans l'assiette de sa mère. La mère reprend sa nourriture et en sert directement une portion à Suzanne. (Message : « Tu peux avoir ta nourriture mais je n'aime pas que tu en prennes dans mon assiette. »)

De tels messages transmis par des gestes sont assez facilement compris par de très jeunes enfants. Par ces messages, le parent manifeste ses besoins à l'enfant, sans pour autant lui communiquer qu'il est méchant parce qu'il a ses propres besoins. Il est aussi évident qu'en émettant ces messages non verbaux le parent ne punit pas l'enfant.

Trois problèmes relatifs aux « messages-je ».

Invariablement, les parents rencontrent des problèmes dans l'application des « messages-je ». Aucun de ces problèmes n'est insurmontable, mais chacun demande une attention particulière.

Les enfants réagissent fréquemment aux « messages-je » en les ignorant, surtout lorsque les parents les emploient pour la première fois. Personne n'aime apprendre que son comportement interfère avec les besoins d'un autre : il en est de même pour les enfants. Il leur arrive de préférer « ne pas entendre » les sentiments que leur comportement provoque chez leurs parents.

Nous suggérons aux parents d'émettre un autre « message-je » lorsque le premier n'a pas reçu de réponse. Peut-être le second « message-je » sera-t-il plus fort, plus intense, et ressenti plus vivement. Le second message dira à l'enfant : « Vois-tu, ça me touche vraiment. »

Certains enfants s'éloignent après un « message-je », en haussant les épaules comme s'ils disaient : « Et puis après ! » Un second message, celui-là plus fort, pourra être efficace. Ou encore le parent peut éprouver le besoin de dire quelque chose comme ceci :

> « Eh ! Je t'explique ce que je ressens. C'est important pour moi, et je n'aime pas qu'on m'ignore. Je déteste que tu t'éloignes de moi et que tu ne m'écoutes même pas exprimer mes sentiments. Je n'aime pas ça du tout. C'est insupportable car j'ai vraiment un problème. »

Ce genre de message peut quelquefois faire revenir l'enfant ou l'amener à prêter l'oreille. C'est lui dire : « Je suis vraiment sérieux. »

Les enfants vont souvent répondre à un « message-je » en retournant eux aussi un « message-je ». Plutôt que de modifier immédiatement leur comportement, ils veulent que vous écoutiez leurs propres sentiments, comme dans l'incident suivant :

La mère : Quand j'ai bien rangé la salle de séjour, je n'aime pas la retrouver en désordre aussitôt que tu reviens de l'école. C'est décourageant, surtout après avoir travaillé fort pour la nettoyer.

Le fils : Je trouve que tu es trop exigeante en ce qui regarde la propreté de la maison.

Dans une pareille situation, des parents qui n'ont pas suivi notre programme deviennent souvent irrités et défensifs et répliquent : « Non, je ne le suis pas », ou « Ça ne te regarde pas », ou « Je ne t'ai pas demandé ton opinion. » Pour maîtriser efficacement des situations semblables, il faut rappeler aux parents notre premier principe de base : lorsque l'enfant éprouve un sentiment ou un problème, employer l'écoute active. Dans l'incident précédent, le « message-je » de la mère a créé un problème chez l'enfant (comme ces messages le font habituellement). C'est maintenant le moment de montrer de la compréhension et de l'acceptation, puisque votre « message-je » lui a posé un problème.

La mère : Tu trouves difficile de garder la maison propre comme je l'entends, que c'est beaucoup te demander ?

Le fils : Oui.

La mère : C'est peut-être vrai. Je vais y penser. Mais d'ici à ce que je change, c'est vrai que je me sens découragée lorsque je vois mon travail rendu complètement inutile. Présentement, je suis vraiment bouleversée de voir la salle de séjour dans cet état.

Souvent, une fois que l'enfant est certain que ses sentiments ont été compris par ses parents, il modifiera son comportement. Habituellement, tout ce que l'enfant désire est de faire comprendre *ses* sentiments : alors il se sent disposé à adopter une attitude constructive face à *vos* sentiments.

Cette expérience, qui consiste à faire ressortir par l'écoute active les sentiments de leurs enfants, surprend beaucoup les parents : car la compréhension de ces sentiments a souvent pour effet de modifier l'attitude du parent ou de faire disparaître l'inacceptation qu'il ressentait au point de départ. En encourageant l'enfant à exprimer ses sentiments, le parent voit la situation sous un angle complètement différent. Nous avons mentionné plus tôt l'incident de l'enfant qui avait peur de s'endormir. La mère était troublée par ce problème qui revenait chaque jour à l'heure du coucher et le lui fit savoir par un « message-je ». L'enfant lui répondit en lui apprenant qu'il avait peur de s'endormir de crainte de fermer la bouche en dormant et de s'étouffer. Ce message amena chez la mère une compréhension qui changea immédiatement son inacceptation en acceptation.

Une autre situation, qui nous fut rapportée par un parent, illustre comment l'écoute active peut, après coup, modifier les sentiments personnels d'un parent.

Le père : Ça m'agace de voir que la vaisselle du dîner est encore dans l'évier. N'avais-tu pas accepté de la laver tout de suite après le repas ?

Jeanne : Je me sentais très fatiguée après le dîner, parce qu'hier j'ai dû travailler jusqu'à trois heures du matin pour préparer un examen.

Le père : Tu n'avais pas le goût de laver la vaisselle tout de suite après le dîner.

Jeanne : Non, j'ai fait une sieste aussitôt après ; j'ai l'intention de la faire un peu plus tard. D'accord ?

Le père : Bon ! Ça me va.

Voici un autre problème que tous les parents rencontrent dans l'usage des « messages-je » : quelquefois l'enfant refuse de modifier sa façon d'agir, même après qu'il a compris l'impact de ce comportement sur le parent. Parfois, même le plus clair des « messages-je » n'aura pas d'effet : l'enfant ne change pas le comportement qui interfère avec les besoins de ses parents. L'enfant a ses besoins, et pour les satisfaire il agit d'une certaine manière ; son comportement entre alors en conflit avec les besoins du parent, qui, évidemment, souhaiterait le voir agir autrement.

Dans notre programme de formation, nous disons qu'il s'agit d'une situation de *conflit de besoins*. Lorsque cette situation se produit, comme c'est inévitable dans *toute* relation entre personnes, on en arrive au moment important de cette relation.

Dans la partie la plus importante de ce livre, commençant au chapitre 9, nous suggérerons comment se comporter dans ces situations de conflits de besoins.

8

Changer un comportement inacceptable en modifiant l'environnement.

Trop peu de parents tentent de changer le comportement de leurs enfants en changeant le milieu dans lequel ils évoluent.

On emploie plus souvent la modification de l'environnement avec les bébés et les jeunes enfants qu'avec les enfants plus âgés, car à mesure que les enfants grandissent les parents usent davantage des méthodes verbales.

Par les réprimandes ou l'usage de leur pouvoir, ils négligent les modifications de l'environnement : ils emploient plutôt la parole et essaient de convaincre leurs enfants de modifier leur comportement. C'est bien dommage, car les modifications de l'environnement sont souvent très simples et extrêmement efficaces avec les enfants de tous âges.

Les parents commencent à employer plus fréquemment cette méthode lorsqu'ils deviennent conscients du grand nombre de ces possibilités :

1. Rendre l'environnement plus stimulant ;
2. Rendre l'environnement moins stimulant ;

3. Simplifier l'environnement ;
4. Limiter l'espace vital de l'enfant ;
5. Aménager un environnement fonctionnel en tenant compte de l'enfant ;
6. Préparer l'enfant à des changements dans son environnement ;
7. Prévoir et planifier avec des enfants plus âgés.

Rendre l'environnement plus stimulant.

Dans les maternelles, on sait qu'un bon moyen d'arrêter ou de prévenir un comportement inacceptable est de proposer aux enfants un grand nombre d'activités intéressantes ; ce procédé rend leur environnement plus stimulant grâce à des jeux, des livres, du matériel éducatif, de la pâte à modeler, des poupées, des marionnettes, des casse-tête, etc. Les parents efficaces se servent également de ce principe : si les enfants sont absorbés dans une activité intéressante, ils seront moins portés à les incommoder.

Au cours de nos programmes, certains parents nous ont rapporté d'excellents résultats obtenus par l'aménagement d'un espace réservé dans l'atelier ou dans un coin de la cour arrière, où l'enfant était libre de creuser, de sauter, de bricoler, de faire un certain désordre et d'employer ses talents créateurs. Ces parents choisissent un endroit où l'enfant peut faire à peu près tout ce qu'il veut sans endommager quoi que ce soit.

Les randonnées en auto sont des occasions où les enfants « agacent » particulièrement leurs parents. Dans certaines familles, on s'assure que les enfants ont des jouets ou des jeux qui vont les empêcher de s'ennuyer ou de devenir turbulents.

La plupart des mères savent que leurs enfants sont moins à même d'agir de façon inacceptable s'il leur est possible d'amener leurs amis et leurs camarades de jeu à la maison. Il sera plus facile à l'enfant de trouver une activité « acceptable » s'il a des compagnons que s'il est seul.

En fournissant aux jeunes des crayons à colorier, de la pâte à modeler, un théâtre de marionnettes, une maison de poupées, des jeux de construction, des outils, etc., on peut réduire grandement un comportement agressif, agité ou incommodant. Trop souvent les parents oublient que les enfants ont besoin d'activités intéressantes et stimulantes pour s'occuper, tout comme les adultes.

Rendre l'environnement moins stimulant.

Parfois, par exemple avant le coucher, les enfants ont besoin d'un environnement qui présente peu de stimulations. Les parents, surtout le père, excitent leurs enfants avant le coucher ou le repas ; et ils s'attendent ensuite à les voir soudainement devenir calmes et modérés. Ce sont des instants où l'on doit rendre l'environnement de l'enfant moins stimulant, et non pas l'inverse. Plusieurs disputes et débats qui surviennent à ces moments peuvent être évités si les parents font l'effort de réduire les stimulations.

Simplifier l'environnement.

Souvent les enfants ont un comportement « inacceptable » parce que leur environnement est trop difficile et complexe pour eux ; ils harcèlent alors leurs parents par des questions, abandonnent leur activité, deviennent agressifs, lancent des choses par terre, se plaignent, et se sauvent en pleurant.

L'aménagement de la maison a besoin d'être modifié de plusieurs façons, pour permettre à l'enfant de faire facilement des choses par lui-même, de manipuler des objets sans danger et lui éviter la frustration inutile de ne pas pouvoir utiliser son propre environnement. Beaucoup de parents font consciemment un effort pour simplifier l'environnement de l'enfant :

En procurant à l'enfant des vêtements qui lui permettent de s'habiller, seul, facilement ;

En construisant un tabouret sur lequel l'enfant peut monter pour prendre ses vêtements dans la garde-robe ;

En employant des ustensiles proportionnés à l'enfant ;

En plaçant les crochets à sa portée ;

En achetant des tasses et des verres incassables ;

En ajoutant une poignée sur la porte de la moustiquaire, à la portée des enfants ;

En couvrant les murs de la chambre de l'enfant avec de la peinture ou du papier tenture lavable.

Limiter l'espace vital de l'enfant.

Lorsqu'une mère place dans son parc un bébé dont le comportement lui est devenu inacceptable, elle limite son

« espace vital » et de cette façon, elle oriente ses prochaines actions dans une direction acceptable. Clôturer la cour est aussi un moyen efficace d'éviter des actes tels que courir dans la rue, aller jouer dans le jardin du voisin, s'égarer, etc.

Certains parents font porter un harnais à leurs tout jeunes enfants lorsqu'ils les amènent dans les grands magasins ou d'autres endroits achalandés. D'autres désignent une pièce spéciale où les enfants peuvent jouer avec de la terre, peindre, découper du papier ou faire du collage ; ils limitent ainsi les espaces où ont lieu ses activités salissantes. On peut désigner aux enfants des endroits particuliers où ils peuvent être bruyants, se chamailler, jouer dans la terre, etc.

En général, les enfants acceptent facilement de semblables limitations de leur espace vital, pourvu qu'elles leur semblent raisonnables et leur laissent suffisamment de liberté pour satisfaire leurs besoins. Il arrivera quelquefois qu'un enfant s'oppose à une limitation et produise alors un conflit avec ses parents. (Dans le chapitre suivant, nous verrons comment de semblables conflits peuvent être résolus.)

Aménager un environnement fonctionnel en tenant compte de l'enfant.

Bien que la plupart des parents enlèvent de la portée des enfants les médicaments, les couteaux pointus et les produits chimiques dangereux, on aurait avantage à allonger la liste en y ajoutant les mesures suivantes :

Tourner la poignée des chaudrons et casseroles vers l'arrière, pendant la cuisson ;

Employer des verres à couvercle ;

Garder les allumettes hors de portée des enfants ;

Réparer les fils et prises électriques endommagés ;

Garder la porte de la remise fermée à clef ;

Ranger les objets précieux qui pourraient se briser ;

Garder sous clef les outils dangereux ;

Placer un tapis caoutchouté dans le bain ;

S'assurer que les fenêtres de l'étage supérieur sont bien solides ;

Remiser les tapis glissants, etc.

Chaque famille trouverait avantage à reviser l'aménagement de la maison pour s'assurer qu'il tient compte de la présence des enfants. Sans pour autant se compliquer la vie, les parents peuvent facilement trouver de nombreuses façons de s'adapter à la présence des enfants et ainsi éviter des comportements qui leur seraient inacceptables.

Remplacer une activité par une autre.

Si un enfant joue avec un couteau tranchant, on peut lui en offrir un qui ne coupe pas. S'il fouille dans le tiroir à cosmétiques, on peut lui donner des bouteilles vides ou des boîtes avec lesquelles il pourra s'amuser. S'il s'apprête à déchirer les pages d'un journal que vous désirez conserver, pourquoi ne pas lui en donner un qu'il peut déchirer ? S'il veut dessiner avec un crayon sur votre papier tenture, on peut lui offrir un grand papier d'emballage sur lequel il pourra dessiner.

Ne pas offrir d'alternative à un enfant avant de lui enlever quelque chose risque souvent de produire de la frustration et des larmes. Par contre, les enfants acceptent fréquemment un substitut sans causer de problème pourvu que le parent l'offre gentiment et calmement.

Préparer l'enfant à des changements dans son environnement.

Beaucoup de comportements inacceptables peuvent être évités en préparant à l'avance l'enfant à des changements dans son environnement. Si la gardienne habituelle ne peut pas venir vendredi, on peut commencer dès le mercredi à parler à son enfant de la nouvelle gardienne qui viendra. On peut même la rencontrer à l'avance. Si l'on projette des vacances à la plage, il serait bon de préparer son enfant plusieurs semaines à l'avance en vue de certaines expériences qu'il aura à vivre : coucher dans un lit qui ne lui est pas familier, rencontrer de nouveaux amis, ne pas avoir sa bicyclette, affronter les grosses vagues, agir avec prudence dans un bateau, etc.

Les enfants ont une capacité étonnante de s'adapter aisément aux changements, pourvu que les parents en discutent avec eux à l'avance. Cela est vrai même si l'enfant doit souffrir quelques douleurs ou inconvénients, comme c'est le cas lorsqu'il faut aller chez le dentiste. En discuter avec lui franchement, et même lui dire qu'il aura mal, sans doute, pendant quelques secondes, peut faire des merveilles et l'aider à supporter la situation lorsqu'elle se présentera.

Prévoir et planifier avec des enfants plus âgés.

On peut également éviter des conflits en aménageant avec soin l'environnement des adolescents. A cet âge, les jeunes ont besoin d'un espace adéquat pour ranger leurs effets personnels, sauvegarder leur vie privée et se permettre des activités indépendantes. Voici quelques suggestions qui vous permettront « d'agrandir votre zone d'acceptation » envers les enfants plus âgés :

Procurer à l'enfant son propre réveille-matin ;

Vous assurer qu'il a un espace suffisant et de nombreux crochets pour ranger ses vêtements ;

Installer un tableau pour les messages de la famille ;

Donner à l'enfant son propre calendrier où il pourra inscrire ses engagements ;

Lire avec lui les instructions lorsque vous achetez un nouvel appareil ménager ;

Renseigner les enfants à l'avance lorsque vous prévoyez recevoir des invités, ce qui, entre autres, leur permettra de nettoyer leur chambre ;

Fournir à vos enfants une clef de la maison qu'ils pourraient épingler dans leur sac à main ou porter autour du cou ;

Donner une allocation mensuelle, ou hebdomadaire, et établir à l'avance les choses que l'enfant ne devrait pas acheter avec cette somme ;

Expliquer l'usage et les tarifs du téléphone (frais additionnels pour appels interurbains, heures de pointe et période de rabais, etc.) ;

Discuter à l'avance des sujets compliqués et de leurs implications légales tels que : le couvre-feu, l'assurance automobile et la responsabilité en cas d'accidents, l'usage de l'alcool et des drogues, etc. ;

Permettre à un adolescent de faire sa propre lessive et lui rendre la tâche plus facile en installant les accessoires à l'avance et en préparant les produits nécessaires ;

Suggérer à l'enfant d'avoir toujours la monnaie nécessaire au cas où il devrait téléphoner d'urgence ;

Indiquer à l'enfant les aliments au réfrigérateur, réservés aux invités ;

Demander à votre enfant d'écrire la liste de ses amis, leurs adresses et numéros de téléphone, au cas où vous devriez l'atteindre à l'improviste ;

Avertir l'enfant lorsqu'une tâche spéciale doit être faîte pour préparer une réception ;

Suggérer à votre enfant de préparer une liste personnelle et un horaire des choses qu'il doit faire avant de partir en voyage ;

Encourager votre enfant à lire les prévisions de la météo (ou les écouter à la radio ou à la télévision) afin de savoir quoi porter pour aller à l'école ;

Indiquer d'avance à votre enfant les noms de vos invités afin d'éviter un malaise à leur arrivée ;

Avertir vos enfant lorsque vous prévoyez vous absenter pour quelque temps, de sorte qu'ils puissent planifier leurs propres activités ;

Enseigner une façon de noter clairement les messages téléphoniques ;

Toujours frapper avant d'entrer dans la chambre d'un enfant ;

Faire participer les enfants aux discussions qui préparent les activités familiales où ils seront impliqués ;

Avant l'arrivée des invités, établir, par entente mutuelle, des « règlements-maison » qui prévaudront au cours d'une réception.

Tous les parents peuvent penser à plusieurs autres exemples dans chacune de ces catégories. Plus les parents emploient les modifications de l'environnement, plus agréable est la vie avec leurs enfants et moins ils ont besoin de les confronter.

Les parents qui apprennent par notre programme à recourir aux modifications de l'environnement passent tout d'abord par des changements fondamentaux dans leur attitude face aux enfants et à leurs droits dans la maison. Un de ces changements est relié à la question : « A qui appartient la maison ? »

Dans nos groupes, la plupart des parents disent qu'ils croient que la maison leur appartient exclusivement ; à leur avis, les enfants doivent pour cette raison être entraînés et conditionnés à agir de façon rangée et appropriée. Pour eux, un enfant doit être moulé et réprimandé jusqu'à ce qu'il apprenne péniblement ce qu'on attend de lui dans la maison de ses parents. Ces parents envisagent rarement de faire des modifications importantes dans la maison lorsqu'un enfant y arrive. Ils croient pouvoir laisser la maison exactement telle qu'elle était avant l'arrivée de l'enfant et ils s'attendent que ce soit lui, seul, qui s'y adapte.

Nous posons aux parents la question suivante : « Si vous appreniez aujourd'hui qu'à partir de la semaine prochaine vous garderez, chez vous, un de vos parents partiellement paralysé qui doit se servir de béquilles et d'une chaise roulante, quelles modifications feriez-vous à votre maison ? »

Cette question amène inévitablement une longue liste de modifications que les parents seraient disposés à faire :

Remiser les petits tapis ;

Installer une rampe dans l'escalier ;

Déplacer certains meubles pour assurer un passage à la chaise roulante ;

Placer les articles d'usage fréquent dans les armoires faciles d'accès ;

Lui procurer une cloche de façon à appeler en cas de besoin ;

Faire installer un long fil au téléphone et le mettre à sa portée ;

Remiser les tables faciles à renverser qu'il pourrait heurter par accident ;

Construire une plate-forme sur l'escalier arrière pour lui permettre de se déplacer lui-même dans la cour ;

Acheter un tapis de caoutchouc pour le bain, etc.

Lorsque les parents voient tous les efforts qu'ils seraient prêts à faire pour modifier leur maison pour leur parent handicapé, ils deviennent plus réceptifs à l'idée d'opérer des modifications pour l'enfant.

La plupart des parents sont aussi déconcertés de voir le contraste entre leur attitude à l'égard de leur parent désavantagé et celle qu'ils ont à l'égard de leurs enfants lorsqu'on en vient à la question : « A qui appartient la maison ? »

Les parents mentionnent même qu'ils feraient des efforts répétés pour convaincre leur parent handicapé que leur maison est maintenant *la sienne.* Mais il n'en est pas de même avec leurs enfants.

Je suis souvent étonné du nombre de parents qui, par leur attitude et leur comportement, traitent leurs invités avec beaucoup plus de respect que leurs propres enfants. Il me semble déplorable que des parents agissent comme si leurs enfants avaient, seuls, l'obligation de s'adapter à leur environnement.

9

Les inévitables conflits entre parents et enfants : Qui devrait gagner ?

Tous les parents vivent des situations où ni une confrontation ni des changements dans l'environnement ne peuvent changer le comportement de leur enfant ; l'enfant continue à se comporter d'une manière qui dérange les besoins du parent. Ces situations sont inévitables dans la relation entre parent et enfant parce que l'enfant « a besoin » d'agir d'une certaine façon même si on l'a rendu conscient que son comportement nuit à certains besoins de ses parents.

Jean-Louis continue à jouer à la balle dans le terrain voisin même si sa mère lui a dit plusieurs fois que la famille devait quitter la maison dans une demi-heure.

Mme J... avait dit à Marie qu'elle avait peu de temps pour se rendre au magasin à rayons ; cependant, Marie continue de s'arrêter et de regarder les vitrines en chemin.

Suzanne refuse d'accéder aux désirs de ses parents et d'annuler sa sortie à la plage avec un groupe d'amis pour la fin de semaine. Elle veut à tout prix y aller, même si elle sait très bien que la chose est inacceptable pour ses parents.

La nature du conflit.

Non seulement ces conflits entre les besoins des parents et les besoins de l'enfant sont *inévitables dans toutes les familles* mais il est certain qu'ils *se produiront fréquemment*. On en rencontrera de toutes sortes, allant de différences d'opinion anodines jusqu'à des disputes sérieuses. Ce sont des problèmes qui appartiennent à la *relation*, non pas uniquement à l'enfant ni seulement au parent. Tous les deux, enfant et parent, sont impliqués dans le problème : les besoins des deux sont en cause. Alors, LE PROBLEME APPARTIENT A LA RELATION. C'est le genre de problème qui survient lorsque les autres méthodes n'ont pas modifié un comportement qui était inacceptable pour le parent.

Un conflit est un moment de vérité dans une relation, une vérification de son état de santé ; une crise peut l'affaiblir ou la renforcer, c'est un événement critique qui peut causer une rancune durable, une hostilité difficile à surmonter, ou des blessures psychologiques. Les conflits peuvent amener les gens à se séparer ou à se rapprocher dans une union plus intime. Les conflits contiennent le germe de la destruction et le germe d'une plus grande unité ; ils peuvent amener la guerre ou une plus grande compréhension mutuelle.

La façon dont on règle les conflits reste le facteur le plus important dans une relation entre parent et enfant. Malheureusement, la plupart des parents pensent les résoudre en employant seulement deux approches de base, qui sont l'une et l'autre inefficaces et dommageables pour l'enfant aussi bien que pour la relation.

Peu de parents acceptent le fait que les conflits font partie de la vie et ne sont pas nécessairement mauvais. Presque tous les parents voient les conflits comme des choses qu'il faut éviter à tout prix, que ce soit entre eux et leurs enfants ou entre les enfants. Nous entendons souvent des époux se vanter qu'ils n'ont jamais eu de dispute sérieuse comme si cela signifiait que leur relation a été réussie.

Les parents disent souvent à leurs enfants : « Je vous avertis, ce soir, il n'y aura pas de dispute à table, nous ne voulons pas gâter l'heure du souper » ou encore ils vont dire : « Cessez de vous quereller tout de suite. » On peut entendre les parents d'adolescents se plaindre du fait que, leurs enfants étant plus âgés, les disputes et les conflits sont plus nombreux dans la famille : « Auparavant, nous partagions habituellement les mêmes opinions », ou bien « Ma fille était toujours coopératrice et docile, mais maintenant, nous ne voyons plus les choses comme elle et elle ne les voit plus de notre façon. »

La plupart des parents détestent avoir des conflits ; ils sont troublés losqu'il en survient et sont bien embêtés quant à la façon de les résoudre positivement. En réalité, une relation serait assez exceptionnelle si durant une certaine période de temps les besoins d'une personne n'entraient en conflit avec ceux de l'autre. Lorsque deux personnes (ou deux groupes) entrent en contact, il doit inévitablement se produire des conflits, tout simplement parce que les personnes sont dissemblables, pensent différemment, ont des besoins contraires et veulent des choses, qui parfois sont incompatibles.

Donc, les conflits ne sont pas nécessairement mauvais ; ils existent et font partie de la réalité de toute relation. En fait, une relation où il n'apparaît pas de conflit peut même être moins saine qu'une autre où les conflits sont fréquents. Un bon exemple, c'est celui du couple dont l'épouse soumise se plie toujours aux désirs d'un mari dominateur, ou encore, une relation où l'enfant a tellement peur du parent qu'il n'ose le contredire en aucune façon.

Tout le monde a connu des familles, particulièrement des familles nombreuses, qui donnent toujours l'impression de vivre des conflits et qui, par contre, sont merveilleusement heureuses. A l'opposé, je lis souvent, dans les journaux, des reportages sur des adolescents qui ont commis des crimes et dont les parents expriment l'étonnement le plus complet. Ils n'auraient jamais cru leur enfant capable de commettre un tel acte, n'ayant jamais eu de problème avec lui ; il avait toujours été tellement docile. Les conflits, s'ils sont exprimés et acceptés comme un phénomène naturel, sont beaucoup plus sains pour les enfants que la plupart des parents ne le pensent. Dans ces familles, l'enfant a, au moins, la chance de vivre des conflits, d'apprendre comment les régler et se trouve ainsi mieux préparé pour y faire face dans sa vie future. Les conflits familiaux peuvent en effet être bénéfiques pour l'enfant comme préparation pour ceux qu'il rencontrera inévitablement en dehors de la maison, pourvu que les conflits vécus chez lui aient été résolus de façon constructive.

Le facteur le plus important de toute relation, c'est la façon dont on règle les conflits, et non le nombre de conflits qui se produisent. Je suis maintenant convaincu que c'est là le facteur *le plus important* pour déterminer si une relation est saine ou malsaine, mutuellement satisfaisante ou insatisfaisante, amicale ou hostile, profonde ou superficielle, chaleureuse ou indifférente.

La lutte du pouvoir entre parent et enfant : qui perd et qui gagne ?

Nous rencontrons très rarement dans nos groupes un parent qui ne voit pas la résolution des conflits comme le rapport d'un gagnant et d'un perdant. Cette orientation « perdant ou gagnant » est à la racine même du dilemme des parents d'aujourd'hui ; être sévère (le parent gagne) ou être indulgent (l'enfant gagne).

La plupart des parents voient le problème de la discipline dans l'éducation des enfants comme un dilemme entre être sévère ou indulgent, dur ou doux, autoritaire ou permissif. Comme ils se limitent à cette approche, ils considèrent leurs relations avec leurs enfants comme une lutte du pouvoir, une épreuve entre deux volontés, un combat pour voir qui va gagner, en un mot *une guerre*. Les parents d'aujourd'hui et leurs enfants sont pratiquement en guerre : chacun pense que quelqu'un doit perdre. Ils parlent même de leurs luttes en employant les mêmes termes que deux nations qui se feraient la guerre. Un père nous en a donné une illustration très nette dans un de nos groupes lorsqu'il a déclaré avec force :

> « Il faut que vous leur laissiez savoir très tôt qui commande dans la maison. Autrement, ils vont abuser de vous et prendre le dessus. C'est le problème qu'a ma femme : elle finit toujours par laisser les enfants gagner toutes les batailles ; elle cède à chaque fois et les enfants le savent. »

La mère d'un adolescent nous dit la même chose dans ses propres mots :

> « J'essaie de laisser mon fils faire ce qu'il veut, mais habituellement, j'en souffre. Il me marche dessus. Vous lui en donnez un mètre et il prend un kilomètre. »

Une autre mère se dit convaincue qu'elle ne doit pas perdre « la bataille de la longueur de la jupe ».

« Peu m'importe ce qu'elle en pense ! Et ce que les autres parents font ne me dérange aucunement ! Ma fille ne portera jamais une de ces jupes trop courtes. Voilà une chose sur laquelle je ne céderai pas, et je vais gagner cette bataille. »

Les enfants voient également leurs relations avec leurs parents comme une lutte, comportant un gagnant et un perdant. Catherine, une jeune fille intelligente âgée de quinze ans, du silence de laquelle les parents s'inquiètent, m'a confié, lors d'une de nos entrevues :

« Qu'est-ce que ça me donnerait d'argumenter ? Ils gagnent toujours. Je le sais d'avance avant même de commencer une dispute. Ils vont toujours parvenir à leurs fins. Après tout, ce sont eux les parents. Ils savent qu'ils ont toujours raison. J'ai décidé de ne plus avoir de discussions. Je m'éloigne d'eux et je ne leur parle pas. Naturellement, ça les fâche quand j'agis comme cela, mais ça ne me dérange pas. »

Marc, un étudiant d'environ seize ans, a lui aussi appris à faire face à l'attitude « perdant ou gagnant » de ses parents : mais il agit d'une manière différente :

« Lorsque je veux vraiment faire quelque chose, je ne le demande jamais à ma mère, car immédiatement sa réaction sera de dire non. J'attends que mon père arrive à la maison. Je peux habituellement le convaincre de prendre mon parti. Il est beaucoup plus indulgent, et en général, je peux obtenir de lui ce que je désire. »

Lorsqu'il se produit un conflit entre les parents et les enfants, la plupart des parents essaient de les résoudre en leur faveur ; de cette façon, *les parents gagnent et les enfants perdent.* D'autres parents, moins nombreux que les « gagnants », cèdent régulièrement à leurs enfants par crainte de soulever des conflits ou de frustrer leurs enfants de certains besoins. Dans ces familles, *les enfants gagnent et les parents perdent.* Les parents d'aujourd'hui se trouvent coincés dans ce dilemme parce qu'ils ne voient que ces deux approches « gagnant ou perdant ».

Les deux approches « gagnant ou perdant ».

Dans notre programme de formation, nous nous référons à ces deux approches « perdant ou gagnant » pour résoudre les conflits, comme Première Méthode et Deuxième Méthode.

Chacune comporte un gagnant et un perdant. L'un a raison et l'autre a tort. Voici comment la Première Méthode fonctionne dans un conflit entre parent et enfant :

> Un parent et un enfant se trouvent dans une situation de conflit de besoins. Le parent décide de la solution. Après avoir choisi la solution, le parent l'annonce à l'enfant et espère qu'il va l'accepter. Si l'enfant n'aime pas la solution, le parent peut d'abord user de persuasion pour essayer d'influencer l'enfant à l'accepter. S'il échoue, le parent essaie habituellement de se faire obéir en employant la force et l'autorité.

Le conflit suivant entre un père et sa fille de douze ans est résolu selon la Première Méthode :

Nicole : Bonjour, je m'en vais à l'école.

Parent : Chérie, il pleut et tu n'as pas ton imperméable.

Nicole : Je n'en ai pas besoin.

Parent : Tu n'en as pas besoin ! Tu vas te tremper et abîmer ton linge ou avoir un rhume.

Nicole : Il ne pleut pas tellement.

Parent : Mais, voyons.

Nicole : Mais, je ne veux pas porter d'imperméable, je déteste porter un imperméable.

Parent : Mais, chérie, tu sais que tu seras plus à l'aise et que tu ne te feras pas tremper. S'il te plaît, va le chercher !

Nicole : Je déteste cet imperméable. Je ne veux pas le porter !

Parent : Va tout de suite dans ta chambre et va me chercher cet imperméable ! Je ne te laisserai pas aller à l'école sans ton imperméable par une journée pareille.

Nicole : Mais je ne l'aime pas...

Parent : Il n'y a pas de « mais ». Si tu ne le portes pas, ta mère et moi allons devoir te punir.

Nicole : *(fâchée)* : Ça va, tu gagnes ! Je vais porter ce « vieil » imperméable.

Le père a eu raison. Sa solution, que Nicole porte son imperméable, a prévalu même si Nicole ne le voulait pas. *Le père a gagné et Nicole a perdu.* Nicole n'était pas contente de la solution mais elle a cédé face à la menace de son père d'employer la force (la punition).

Voici comment la Deuxième Méthode fonctionne dans un conflit entre parent et enfant :

> Un parent et un enfant se trouvent dans une situation de conflit de besoins. Le parent peut avoir ou ne pas avoir à l'esprit une solution préconçue. S'il en a une il peut essayer de persuader l'enfant de l'accepter. Il devient alors évident que l'enfant a sa propre solution et qu'il tente de persuader le parent de l'accepter. Si le parent résiste, l'enfant peut essayer d'employer sa force pour faire fléchir le parent. A la fin le parent cède.

Dans le conflit de l'imperméable, la Deuxième méthode aurait donné ceci.

Nicole : Bonjour, je m'en vais à l'école.

Parent : Chérie, il pleut et tu n'as pas ton imperméable.

Nicole : Je n'en ai pas besoin.

Parent : Tu n'en as pas besoin ! Tu vas te tremper et abîmer ton linge ou avoir un rhume.

Nicole : Il ne pleut pas tellement.

Parent : Mais, voyons.

Nicole : Mais, je ne veux pas porter d'imperméable, je déteste porter un imperméable.

Parent : Je veux que tu le portes.

Nicole : Je déteste cet imperméable, je ne veux pas le porter. Si tu me le fais porter, je vais me fâcher contre toi.

Parent : Bon ! Je laisse tomber ! Va à l'école sans ton imperméable. Je ne veux plus discuter avec toi : ça va, tu gagnes.

Nicole a pu agir à sa guise : elle a gagné et son père a perdu. Le père n'est certainement pas content de la solution ; par contre, il a cédé face à la menace de Nicole d'employer son pouvoir (dans ce cas, se fâcher contre lui).

La Première Méthode et la Deuxième Méthode ont des points communs, bien que leurs résultats soient complètement différents. Dans les deux cas, chaque personne veut agir à sa façon et essaie de persuader l'autre de l'accepter. Dans les deux méthodes, l'attitude de chaque personne pourrait s'exprimer ainsi : « Je veux agir à ma guise et je vais me battre pour l'obtenir. » Dans la Première Méthode, le parent n'a ni considération ni respect pour les besoins de l'enfant. Dans la Deuxième Méthode, l'enfant n'a ni considération ni respect pour les besoins du parent. Dans les deux cas, une personne reste avec un sentiment de défaite et contrariée. Les deux méthodes impliquent une lutte du pouvoir et les adversaires n'hésitent pas à employer la force s'ils sentent qu'elle peut leur être nécessaire pour gagner.

Pourquoi la Première Méthode est inefficace.

Les parents qui emploient la Première Méthode pour résoudre leurs conflits ont à payer un prix élevé pour leur « victoire ». Les conséquences de la Première Méthode sont faciles à prédire : très faible motivation de l'enfant à appliquer la solution, ressentiment à l'égard de ses parents, difficultés des parents à faire appliquer la solution, aucune occasion pour l'enfant de développer une auto-discipline.

Lorsque dans un conflit le parent impose sa solution, l'enfant sera très peu motivé à appliquer la décision car il n'y aura pas participé, il n'aura pas été impliqué dans ce choix. La motivation de l'enfant lui sera donc extérieure. Elle ne vient pas de lui-même mais lui est imposée par quelqu'un d'autre. Il pourra s'y conformer, mais ce sera par peur d'une punition ou de la désapprobation de ses parents. L'enfant ne *veut* pas appliquer sa décision, il y est *obligé*. C'est pourquoi les enfants cherchent souvent des façons de ne pas se conformer aux solutions de la Première Méthode. S'ils ne peuvent pas s'en sortir, ils vont habituellement « faire semblant » et l'appliquer au minimum, en faisant le moins possible, sans plus.

Lorsque les parents les *forcent* à accomplir certaines actions par des décisions prises selon la Première Méthode, les enfants ressentent généralement de la rancune à leur égard. Cela leur apparaît injuste ; leur colère et leur ressentiment sont naturellement dirigés vers les parents qu'ils tiennent alors pour responsables. Les parents qui emploient la Première Méthode peuvent obtenir docilité et obéissance, mais l'hostilité de leurs enfants reste le prix qu'ils doivent payer.

Observez des enfants dont les parents viennent de résoudre un conflit par la Première Méthode ; presque invariablement, l'expression de leur visage laisse voir du ressentiment et de la colère, ils vont marmonner des paroles hostiles, ou ils vont bousculer une chaise, claquer une porte, ou encore, certains peuvent même assaillir physiquement leurs parents. La Première Méthode sème le germe d'une détérioration continue de la relation entre le parent et l'enfant. La rancune et la haine remplacent l'amour et l'affection.

Les parents ont aussi un autre prix à payer pour l'emploi de la Première Méthode : ils doivent généralement consacrer beaucoup de temps à faire respecter la décision, vérifier si l'enfant l'a exécutée, la lui répéter et le harceler.

Les parents qui s'inscrivent à notre programme de formation justifient souvent leur usage de la Première Méthode en disant que c'est une façon rapide de résoudre les conflits. En général, cet avantage reste beaucoup plus apparent que réel, à cause du temps que le parent doit consacrer ensuite pour s'assurer que sa décision sera respectée. Les parents qui disent qu'ils doivent toujours harceler leurs enfants sont invariablement ceux qui emploient la Première Méthode. Je ne pourrais pas compter le nombre de conversations que j'ai eues à ce sujet avec des parents. Elles ressemblaient presque toutes à celle-ci qui s'est déroulée dans mon bureau de consultation :

Parent : Nos enfants ne coopèrent pas à la maison. C'est presque impossible de se faire aider. Chaque samedi, il faut se battre pour les décider à faire leur part de travail. Nous devons littéralement les talonner pour nous assurer que le travail est fait.

Consultant : Comment décidez-vous du travail à faire ?

Parent : Bien, c'est nous qui décidons, naturellement. Nous savons ce qu'il y a à faire. Nous faisons une liste le samedi matin et les enfants en la lisant savent ce qu'il y a à faire.

Consultant : Est-ce que les enfants veulent faire ce travail ?

Parent : Evidemment non !

Consultant : Ils sentent qu'ils *doivent* le faire ?

Parent : C'est bien ça.

Consultant : Est-ce que vous avez déjà essayé de les faire participer au choix des travaux qui devaient être faits ? Ont-ils un mot à dire dans le choix des tâches à faire ?

Parent : Non.

Consultant : Ont-ils déjà eu l'occasion de décider qui devait faire telle ou telle tâche ?

Parent : Non, habituellement nous répartissons les différentes tâches aussi également que possible.

Consultant : Alors, c'est vous qui décidez quels sont les travaux à faire et qui doit les faire.

Parent : C'est bien ça.

Peu de parents voient un lien entre le manque de motivation de leurs enfants à aider et le fait que la répartition des tâches soit généralement décidée selon la Première Méthode. Un enfant qui ne veut pas coopérer est tout simplement un enfant à qui les parents ont nié la possibilité de coopérer, en prenant les décisions selon la Première Méthode. On ne donne jamais naissance à la coopération en *obligeant* un enfant à faire quelque chose. D'ailleurs une autre conséquence de la Première Méthode, c'est qu'on prive l'enfant de la possibilité de développer sa capacité d'auto-discipline, c'est-à-dire d'agir de façon autonome, intérieure, personnelle et responsable. Un des mythes le plus universellement acceptés dans l'éducation des enfants consiste à croire qu'en étant forcés par leurs parents à faire quelque chose, les enfants deviendront plus tard autodisciplinés et responsables. Même s'il est vrai que *certains* enfants s'adaptent à des parents fortement autoritaires par une attitude obéissante, conformiste et soumise, ils deviennent généralement des personnes qui dépendent d'une autorité *extérieure* pour la conduite de leur comportement. Comme adolescents ou adultes, ils démontrent une absence de contrôle intérieur ; ils passent leur vie à sauter d'un symbole d'autorité à un autre, cherchant des réponses sur leur vie ou des façons de prendre la maîtrise de leur comportement. Ces gens manquent d'autodiscipline, de maîtrise interne et de responsabilités parce qu'ils n'ont jamais eu la chance de développer ces capacités. S'ils est un point que les parents doivent retenir de ce livre, c'est celui-ci : chaque fois qu'on oblige un enfant à faire quelque chose en employant la force ou l'autorité, on prive cet enfant d'une chance de développer son auto-discipline et son sens de la responsabilité.

Charles, un adolescent de dix-sept ans dont les parents très sévères faisaient un emploi constant de leur autorité pour l'obliger à faire ses travaux scolaires, me fit cette confidence : « Chaque fois que mes parents sont absents, je me trouve incapable de fermer le téléviseur et de me décider à faire mes devoirs. Je suis tellement habitué à recevoir l'ordre de les faire, que je ne peux pas trouver *en moi* la force de me mettre au travail lorsqu'ils ne sont pas à la maison. »

Il me revient à l'esprit le message pathétique que m'ont confié certains jeunes délinquants : « Je voudrais bien m'arrêter mais je ne m'en sens pas capable. Aidez-moi à le faire par moi-même. »

La plupart des parents de nos groupes n'ont jamais eu l'occasion d'examiner de façon critique les résultats de leur « sévérité ». Ils pensent avoir fait ce que les parents sont supposés faire, c'est-à-dire employer leur autorité. Cependant, après leur avoir fait voir les effets de la Première Méthode, il est très rare qu'un parent n'accepte pas ces constatations. Après tout, les parents ont déjà été enfants et ils ont eu à développer ces mêmes habitudes pour s'adapter à la forme d'autorité de leurs parents.

Pourquoi la Deuxième Méthode est inefficace.

Lorsque les enfants grandissent dans une famille où ce sont habituellement *eux* qui gagnent et leurs parents qui perdent, quel effet cette méthode a-t-elle sur eux ? Quelles sont, sur les enfants, les conséquences de toujours agir à leur guise ? Il est évident que ces enfants seront différents de ceux des familles où les conflits sont résolus selon la Première Méthode. Les enfants à qui l'on permet d'en faire à leur tête ne seront évidemment pas rebelles, ni hostiles, agressifs, dépendants, ni soumis, conformistes, dociles, repliés, etc. Ils n'auront pas eu besoin de développer des moyens leur permettant de faire face au pouvoir de leurs parents. La Deuxième Méthode encourage l'enfant à employer *son* pouvoir pour s'opposer à ses parents et gagner à leurs dépens.

Ces enfants apprennent comment employer les sautes d'humeur pour contrôler leurs parents, comment agir pour amener leurs parents à se sentir coupables, comment dire des choses méchantes et dévalorisantes à leurs parents. Ces enfants sont souvent violents, incontrôlés, intraitables, impulsifs. Ils ont appris que leurs besoins étaient plus importants que ceux de n'importe qui d'autre. Ils manquent aussi de contrôle intérieur sur leur comportement et deviennent très individualistes, égoïstes et exigeants.

Très souvent, ces enfants ne montrent aucun respect pour la propriété des autres ou pour leurs sentiments. Tout ce qui compte pour eux dans la vie, c'est de prendre, de profiter, d'accaparer et de prendre encore. Ils doivent toujours passer en premier. Ces enfants sont peu coopérateurs et aident rarement dans la maison.

Ces enfants rencontrent souvent de sérieuses difficultés de relation avec leurs camarades. Les autres enfants n'aiment pas les « enfants gâtés ».

Ces enfants éprouvent fréquemment des difficultés d'adaptation à l'école, une institution où prédomine la philosophie de la Première Méthode. Les enfants habitués à la Deuxième Méthode subissent un dur choc lorsqu'ils entrent dans le monde scolaire et découvrent que la plupart des professeurs et des directeurs ont appris à résoudre les conflits par la Première Méthode en s'appuyant sur l'autorité et le pouvoir.

Sans doute, la conséquence la plus grave de la Deuxième Méthode est-elle qu'elle développe souvent chez les enfants un sentiment d'insécurité quant à l'affection de leurs parents. On comprendra facilement cette réaction si l'on essaie d'imaginer à quel point il peut être difficile pour des parents de ressentir de l'affection et de l'acceptation pour des enfants qui l'emportent continuellement à leurs dépens. Dans les familles où la Première Méthode prédomine, c'est l'enfant qui éprouve une rancune envers les parents ; dans celle où prévaut la Deuxième Méthode, c'est le contraire. L'enfant éduqué selon la Deuxième Méthode constate que ses parents sont souvent rancuniers, irrités et fâchés contre lui. Lorsque plus tard il reçoit des messages semblables de ses camarades et probablement des autres adultes aussi, il ne faut pas s'étonner qu'il commence à *sentir qu'on ne l'aime pas,* parce qu'en fait, souvent les autres ne l'aiment pas.

Bien que certaines études aient démontré que les enfants des familles où on pratique la Deuxième Méthode ont des chances d'être plus créateurs que ceux des familles pratiquant la Première Méthode, les parents doivent payer un prix élevé pour la créativité de leurs enfants, car souvent ils ne peuvent pas les supporter.

Les parents qui emploient la Deuxième Méthode éprouvent beaucoup de souffrance. C'est dans de telles familles que j'ai souvent entendu les parents dire :

« Il agit à sa guise la plupart du temps, et on ne peut tout simplement pas le contrôler. »

« Je serai contente quand tous les enfants seront à l'école et que je pourrai enfin avoir la paix. »

« Etre un parent est un lourd fardeau ; je passe tout mon temps à travailler pour eux. »

« Je dois l'avouer : il arrive que je ne puisse plus les supporter. Alors, il faut que je sorte. »

« Il semble rarement se rendre compte que j'ai une vie à vivre aussi. »

« J'ai honte de les emmener quelque part ou même de recevoir des amis à la maison et de montrer des enfants semblables. »

C'est rarement une joie d'être parent dans une famille où la Deuxième Méthode est appliquée. En effet, il est triste et déplorable d'élever des enfants qu'on ne peut aimer et dont on n'apprécie pas la compagnie.

Quelques problèmes additionnels concernant ces deux méthodes.

Très peu de parents emploient exclusivement la Première Méthode ou la Deuxième Méthode. Dans nombre de familles, l'un des parents s'appuie fortement sur la Première Méthode tandis que l'autre a un penchant pour la Deuxième Méthode. Il a été démontré que des enfants élevés dans ce type de famille ont beaucoup plus de chances de développer de graves problèmes affectifs. Il est peut-être plus dommageable pour l'enfant de ne pas savoir à quoi s'en tenir que de vivre une situation extrême dans l'une ou l'autre des deux approches.

Certains parents commencent à employer la Deuxième Méthode, mais à mesure que leur enfant grandit et devient une personne plus indépendante et plus capable de s'autodéterminer ils passent graduellement à la Première Méthode. De toute évidence, il peut être malsain pour l'enfant de s'habituer à avoir raison la plupart du temps pour ensuite vivre le contraire. D'autres parents emploient d'abord la Première Méthode et passent graduellement à la Deuxième Méthode : c'est particulièrement fréquent chez les parents dont l'enfant a commencé tôt à résister et à se rebeller contre leur autorité ; petit à petit, les parents cèdent et laissent faire l'enfant.

Il y a aussi des parents qui emploient la Première Méthode avec leur premier enfant et changent pour la Deuxième Méthode avec le second enfant, espérant qu'elle donnera de meilleurs résultats. Dans ces familles, on entendra souvent le premier enfant exprimer un profond ressentiment à l'égard du second, à qui on permet de faire des choses qui ont été interdites au premier. Il arrive parfois que l'aîné des enfants croit de toute évidence que ses parents préfèrent le second.

Une des tendances les plus répandues, particulièrement chez les parents qui ont été fortement influencés par les partisans de la permissivité et les adversaires des punitions, consiste à laisser l'enfant faire à sa tête pour une bonne période de temps, jusqu'au jour où son comportement est devenu intolérable ; à ce moment, les parents passent subitement à la Première Méthode. Ils se sentent bientôt coupables et reviennent graduellement à la Deuxième Méthode, et le cycle recommence à nouveau. Un parent l'a déjà exprimé clairement en ces mots :

> « Je suis permissif avec mes enfants jusqu'à ce que je ne puisse plus les endurer ; alors, je deviens autoritaire jusqu'à ce que je ne puisse plus m'endurer moi-même. »

Plusieurs parents sont enfermés dans l'une ou l'autre de ces méthodes. Par conviction ou par tradition, un parent peut être un adepte convaincu de la Première Méthode. Il découvre à l'expérience que cette méthode ne fonctionne pas très bien et peut même se sentir coupable de l'employer ; il ne s'aime pas lui-même lorsqu'il est strict, dominateur et sévère. Par contre, la seule alternative lui semble être la Deuxième Méthode, laisser gagner l'enfant. Intituitivement, ce parent sait qu'elle ne donnera pas de meilleur résultat et même que ce sera pire. Alors, il s'entête à appliquer la Première Méthode, même placé devant l'évidence que ses enfants souffrent de cette approche ou que ses relations avec eux se détériorent.

La plupart des partisans de la Deuxième Méthode ne sont pas prêts à changer pour une approche autoritaire parce que, selon leur philosophie, ils sont opposés à l'emploi de l'autorité avec les enfants ou parce que leur propre personnalité ne leur permet pas de faire preuve de force suffisante ou de faire face aux conflits. J'ai connu des mères et aussi quelques pères qui trouvaient la Deuxième Méthode plus confortable parce qu'ils avaient peur d'avoir des conflits avec leurs enfants (et habituellement avec toute autre personne).

Plutôt que de prendre le risque d'exercer leur pouvoir sur leurs enfants, ces parents prennent l'attitude de « la paix à n'importe quel prix », et ils sont alors prêts à éviter, à céder et à abandonner.

Presque tous les parents qui participent à nos groupes semblent limités à la Première Méthode ou à la Deuxième Méthode, ou encore ils oscillent de l'une à l'autre. Ils sont coincés dans ce dilemme *parce qu'ils ne connaissent pas d'alternative à ces méthodes « gagnant ou perdant », toutes deux inefficaces.* Nous constatons que la plupart des parents savent non seulement quelle méthode ils emploient le plus fréquemment, mais ils se rendent également compte que ces deux méthodes sont inefficaces. On dirait qu'ils savent qu'ils se retrouvent dans une impasse, quelle que soit la méthode qu'ils emploient, mais qu'ils ne savent pas à quoi d'autre se raccrocher. La plupart d'entre eux trouvent réconfortant de se libérer du piège qu'ils ont eux-mêmes tendu.

10

Le pouvoir des parents : Nécessité ou justification ?

Selon l'une des croyances les plus universellement ancrées au sujet de l'éducation des enfants, il est souhaitable et même nécessaire que les parents emploient leur autorité pour contrôler, diriger et dresser les enfants. Si l'on en juge par les centaines de milliers qui sont passés par nos groupes, peu de parents remettent cette idée en question. La plupart des parents justifient très rapidement leur usage du pouvoir. Ils disent que les enfants ont besoin de cette autorité et qu'ils la veulent. « L'adulte a raison » est une croyance qui a des racines très profondes.

En bref, les parents, d'après cette croyance, doivent ou devraient employer leur autorité dans leurs relations avec les enfants. Selon mon opinion, la poursuite obstinée de cette idée a depuis des siècles empêché tout changement significatif ou toute amélioration importante dans la façon dont les enfants sont éduqués par leurs parents. Un des motifs pour lesquels l'idée persiste, c'est que les parents ne comprennent pas la véritable nature de l'autorité et de ses effets sur les enfants. Tous les parents parlent facilement de l'autorité mais peu d'entre eux peuvent définir ou même identifier la source de leur autorité.

Qu'est-ce que l'autorité ?

La relation entre parent et enfant revêt la caractéristique suivante : les parents ont une plus grande « taille psychologique » que l'enfant. Si nous avions à représenter un parent et un enfant en traçant un cercle pour chacun, il serait inexact de tracer des cercles comme ceux-ci :

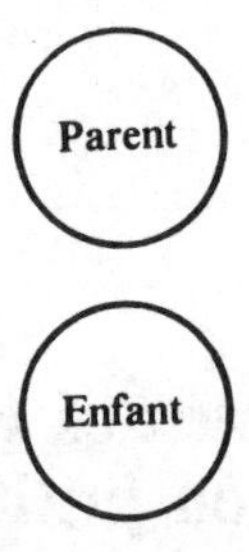

Tel que le voit l'enfant, le parent n'a jamais la même « taille », quel que soit l'âge de l'enfant. Je ne me réfère pas à la dimension physique (bien qu'une différence persiste sur le plan physique jusqu'à ce que l'enfant ait atteint l'adolescence), mais plutôt à la « taille psychologique ». Une représentation plus adéquate de la relation entre parent et enfant ressemblerait à l'illustration suivante :

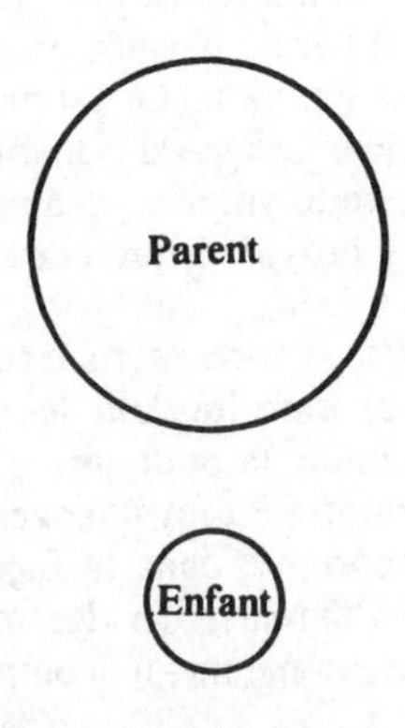

Tel que vu par l'enfant, le parent a presque toujours une « taille psychologique » plus grande que la sienne ; ce trait aide à expliquer des expressions telles que : « le grand patron », « la patronne », « Je n'ai jamais eu une chance de mettre mes parents à ma portée ». Voici une citation tirée d'un texte rédigé à l'Université par un jeune homme dont je fus le consultant :

> « Lorsque j'étais un très jeune enfant, je considérais mes parents un peu comme un adulte peut considérer Dieu. »

Tous les enfants voient d'abord leurs parents comme des dieux.

Cette différence de « taille psychologique » existe non seulement parce que les enfants voient que leurs parents sont plus gros et plus grands, mais aussi parce qu'ils ont plus de connaissance et de compétence. Aux yeux du jeune enfant, il semble que ses parents savent tout ou peuvent tout faire. Il s'émerveille de la profondeur de leur compréhension, de la justesse de leurs prédictions et de la sagesse de leurs jugements.

Certaines de ces perceptions peuvent être vraies à certains moments ; d'autres, cependant, ne le sont pas. Les enfants attribuent beaucoup de qualités, de capacités à leurs parents. Mais, malheureusement, peu de parents sont aussi savants que leurs enfants le croient. L'expérience acquise par l'enfant pourra même le décevoir. En effet, devenu adolescent, puis adulte, il sera alors à même de modifier ses impressions et de juger ses parents selon ses propres critères. Il aura appris que la sagesse n'est pas toujours proportionnelle à l'âge. Beaucoup de parents trouvent difficile de l'admettre, mais ceux qui sont le plus honnêtes avec eux-mêmes reconnaissent que l'évaluation que les enfants font de leurs parents reste nettement exagérée.

Même si, dès le point de départ, les cartes sont truquées en faveur de la plus grande « taille psychologique » des parents, des pères et des mères croient à cette différence. Ils cachent délibérément à leurs enfants leurs limites et leurs erreurs de jugement ; ou ils cultivent certains mythes, tels que : « Nous savons ce qui est bon pour toi » ou bien « Lorsque vous serez plus vieux, vous vous rendrez compte que nous avions raison. »

J'ai toujours été étonné d'observer qu'en parlant de leurs père et mère les adultes voient facilement, avec le recul, les erreurs et les limites de leurs parents ; par contre, ils vont résister fermement à la suggestion qu'ils sont eux-mêmes sujets au même genre d'erreurs de jugement.

Même s'ils n'ont rien fait pour le mériter, les parents jouissent d'une plus grande « taille psychologique », et cet avantage reste une source importante du pouvoir des parents sur les enfants. Puisque le parent est perçu comme une grande « autorité », ses tentatives pour influencer l'enfant prennent un poids énorme. Le poste des parents apparaît comme celui d'une « autorité désignée », que les parents la méritent ou non. En dehors de toute question de mérite, « la taille psychologique » donne au parent *une influence et un pouvoir sur l'enfant.*

Le parent jouit d'une autre forme de pouvoir entièrement différente : en effet, il possède des choses dont ses enfants ont besoin. Les parents ont un pouvoir sur leurs enfants parce que ceux-ci dépendent d'eux pour la satisfaction de leurs besoins primaires. Lorsque les enfants viennent au monde, ils dépendent pratiquement complètement des autres pour leur nourriture et leur bien-être physique. Ils ne possèdent pas *les moyens* de satisfaire leurs besoins. Ce sont les parents qui possèdent et contrôlent ces moyens.

A mesure que l'enfant grandit, le pouvoir des parents diminue naturellement, pourvu qu'on lui permette de devenir de plus en plus indépendant. Ses parents conserveront un certain pouvoir sur lui, jusqu'au moment où l'enfant parviendra à l'âge adulte et où il deviendra capable de satisfaire ses besoins primaires.

Comme il est à même de combler les besoins fondamentaux de l'enfant, le parent a le pouvoir de le « récompenser ». Les psychologues emploient le terme « récompense » pour désigner tous les moyens dont le parent dispose pour satisfaire les besoins de l'enfant (pour le récompenser). Si un enfant a faim et que le parent lui donne à manger, nous disons qu'il récompense l'enfant.

Les parents ont aussi la faculté d'infliger certaines douleurs et de produire des malaises à l'enfant : ils peuvent retenir ce dont il a besoin (par exemple, en privant un enfant de dessert) ou faire un geste qui produit une douleur ou un malaise (taper la main de l'enfant lorsqu'il prend le verre de lait de son frère). Les psychologues emploient le terme « punition » pour désigner l'opposé de la récompense.

Tout parent sait qu'il peut contrôler un jeune enfant par l'usage de la force. Par une manipulation judicieuse de récompenses et de punitions, le parent peut inciter l'enfant à se comporter de certaine façon et le dissuader de se comporter autrement. Tout le monde sait, par sa propre expérience, que les humains (et les animaux) ont tendance à répéter les comportements qui méritent une récompense (satisfaire un besoin), et à éviter ou rejeter les comportements qui n'amènent pas de récompense ou qui encourent une punition. Alors un parent peut « renforcer » certains comportements en récompensant l'enfant et faire « disparaître » certains autres, en le punissant. Supposons que vous vouliez que votre enfant joue avec ses blocs et que vous ne vouliez pas qu'il joue avec vos potiches de céramique qui sont sur la table du salon. Pour enforcer le comportement qui consiste à jouer avec les blocs, vous pouvez jouer avec lui, sourire, vous montrer gentil ou dire : « Tu es un bon garçon. » Pour faire disparaître son habitude de jouer avec les potiches, vous pouvez lui frapper la main, lui taper le derrière, froncer les sourcils, avoir l'air fâché ou dire : « Méchant garnement. » L'enfant apprendra rapidement que jouer avec les blocs plaît à l'autorité du parent alors que jouer avec les potiches produit l'effet contraire. C'est ainsi que les parents procèdent souvent pour modifier le comportement des enfants. Ils appellent habituellement cela « élever l'enfant » ou le « dresser ». En réalité, le parent se sert de son pouvoir pour amener l'enfant à faire ce qu'il veut ou pour empêcher l'enfant de faire ce qu'il ne veut pas. La même méthode est employée par les dresseurs de chiens pour leur apprendre l'obéissance et par les gens de cirque pour enseigner aux ours à conduire une bicyclette. Si un dresseur veut faire coucher un chien, il place une corde autour du cou de l'animal et commence à marcher, tenant l'autre bout de la corde dans sa main, puis il s'arrête et dit : « Couche-toi. » Si le chien ne se couche pas, le dresseur tire sur la corde, lui causant ainsi une douleur au cou (punition). S'il se couche, l'entraîneur le flatte (récompense). Le chien apprend très vite à se coucher au commandement.

C'est un fait reconnu, le pouvoir produit des résultats. On peut de cette façon entraîner les enfants à jouer avec des blocs plutôt qu'avec des potiches de prix, les chiens à se coucher sur commande, et les ours à circuler à bicyclette et même sur un unicycle, ce qui est étonnant !

Lorsque les enfants sont encore très jeunes, et qu'on les a récompensés et punis assez fréquemment, on peut les contrôler simplement en leur promettant une récompense s'ils se comportent d'une certaine façon, ou en les menaçant d'une punion s'ils agissent d'une manière incommodante. Les avantages possibles sont évidents : le parent n'a pas besoin d'attendre que le comportement désiré se produise pour le récompenser (le renforcer), ni d'attendre que le comportement non désiré se produise pour punir (l'éliminer). Il est parvenu à pouvoir influencer l'enfant en lui disant simplement : « Si tu fais telle chose, tu seras récompensé ; si tu fais telle autre chose, tu seras puni. »

Les limites du pouvoir des parents.

Si le lecteur pense que le pouvoir des parents de récompenser et de punir (ou de *promettre* une récompense et de *menacer* d'une punition) semble un moyen efficace de contrôler les enfants, il a raison dans un sens, et il se trompe dans l'autre. L'emploi de l'autorité, du pouvoir des parents, peut sembler efficace dans certaines conditions, mais il s'avère tout à fait inopérant dans d'autres. (Plus loin, je vais passer en revue les dangers réels de l'usage du pouvoir des parents.) La plupart des effets secondaires de cette pratique restent déplorables. Les enfants deviennent souvent intimidés, craintifs et nerveux par suite de ce « dressage à l'obéissance » ; ils éprouvent parfois des sentiments d'hostilité et de vengeance à l'égard de leurs « dresseurs » ; et ils sont souvent « brisés » physiquement ou émotivement sous le stress d'avoir à subir une contrainte qui leur est difficile ou désagréable. L'emploi de la force peut produire des effets néfastes et aussi comporter des risques pour le dresseur d'animaux ou d'enfants.

Les parents en viennent inévitablement à manquer de pouvoir.

L'emploi du pouvoir pour contrôler les enfants ne réussit que sous certaines conditions spéciales. Le parent doit être certain de *posséder le pouvoir* : ses récompenses doivent être suffisamment attrayantes pour que l'enfant les désire et ses punitions suffisamment menaçantes pour qu'il cherche à les éviter. L'enfant *doit* être dépendant du parent ; plus l'enfant dépendra des récompenses que le parent possède, plus le parent aura de pouvoir.

C'est vrai dans toute relation humaine. Si j'ai un grand besoin de quelque chose, disons d'argent pour acheter de la nourriture à mes enfants, et si je dépends d'une seule personne, probablement de mon employeur, il est évident qu'il aura un grand pouvoir sur moi. Si je suis dépendant de cet unique employeur, je serai porté à faire presque tout ce qu'il voudra pour m'assurer d'obtenir ce dont j'ai grand besoin.

A mesure que l'enfant devient moins démuni, moins dépendant de ses parents pour satisfaire ses besoins, les parents perdent graduellement leur pouvoir. C'est pourquoi les parents découvrent à leur étonnement que le système de récompenses et de punitions qui fonctionnait lorsque l'enfant était jeune devient de moins en moins efficace à mesure qu'il grandit.

« Nous avons perdu notre influence sur notre fils », se plaignent les parents. « Auparavant, il respectait notre autorité, mais maintenant nous ne pouvons plus le contrôler. » Un autre dit : « Notre fille est devenue tellement indépendante de nous que nous n'avons plus aucun moyen de la faire obéir. » Le père d'un garçon de dix-sept ans raconta à son groupe à quel point il se sentait dépourvu :

> « Nous n'avons plus rien pour appuyer notre autorité, excepté l'auto familiale. Mais cela ne fonctionne plus très bien, parce qu'il a pris la clef de la voiture et s'en est fait faire un double. Lorsque nous sommes à la maison, il s'éclipse avec l'auto chaque fois qu'il en a le goût. Maintenant qu'il ne nous reste plus rien dont il a vraiment besoin, je ne peux plus le punir. »

Ces parents expriment des sentiments vécus par la plupart lorsque leurs enfants commencent à sortir de leur dépendance. Cela se produit inévitablement lorsque l'enfant atteint l'âge de l'adolescence. Il peut alors se procurer plusieurs « récompenses » par ses propres activités (école, sports, amis, réussite). Il commence à découvrir des façons d'éviter les punitions de ses parents. Dans les familles où les parents se sont basés principalement sur leur pouvoir pour contrôler et diriger leurs enfants au cours de leur jeune âge, les parents se préparent inévitablement un dur choc lorsque leur pouvoir perdra son importance et qu'ils n'auront plus ou presque plus d'influence.

La « terrible adolescence ».

Je suis maintenant convaincu que la majorité des théories sur les « difficultés de l'adolescence » mettent incorrectement l'accent sur des facteurs tels que les changements physiques chez l'adolescent, l'apparition de sa sexualité, ses nouvelles exigences sociales, son déchirement entre l'enfance et l'âge adulte, et ainsi de suite. A mon avis, cette période est difficile pour les parents et les enfants principalement parce que l'adolescent devient tellement indépendant de ses parents qu'ils ne peuvent plus le contrôler facilement par leurs récompenses et leurs punitions. Comme la plupart des parents font un usage abondant du système des récompenses et des punitons, les adolescents réagissent par un comportement marqué d'indépendance, de rébellion et même d'hostilité.

Les parents croient que la révolte et l'hostilité des adolescents sont des caractéristiques inévitables de ce stade de leur développement. Je pense que cette interprétation n'est pas valable ; cette réaction se produit beaucoup plus parce que *l'adolescent devient plus capable de résister et de se rebeller.* Ses parents ne peuvent plus le contrôler par les récompenses car il n'en a plus un aussi grand besoin ; et l'adolescent devient immunisé contre les menaces de punitions parce qu'il reste peu de chose que les parents peuvent faire pour lui infliger une douleur ou un malaise. L'adolescent typique se comporte de cette façon parce qu'il a acquis suffisamment de forces et de ressources pour satisfaire ses propres besoins et parce qu'il jouit d'un pouvoir personnel suffisant pour ne pas craindre celui de ses parents.

En conséquence, un adolescent ne se rebelle pas contre ses *parents.* Il se rebelle contre leur *pouvoir.* Si, dès la tendre enfance, les parents comptaient moins sur le pouvoir et s'appuyaient sur les méthodes qui n'y font pas appel pour influencer leurs enfants, les jeunes auraient beaucoup moins d'éléments contre lesquels se révolter lorsqu'ils deviennent adolescents. L'emploi du pouvoir pour modifier le comportement des enfants a donc une sérieuse limite : les parents en arrivent inévitablement à manquer de pouvoir, et beaucoup plus tôt qu'ils ne le pensent.

L'usage du pouvoir exige des conditions strictes.

L'emploi des récompenses et des punitions pour influencer un enfant a une autre limite sérieuse : il exige des conditions bien contrôlées au cours du « dressage ». Les psychologues qui étudient le processus d'apprentissage en dressant des animaux en laboratoire rencontrent de grandes difficultés avec leurs « sujets » s'ils n'observent pas des conditions strictes. Plusieurs de ces exigences restent extrêmement difficiles à respecter dans l'entraînement des enfants par des récompenses et des punitions. La plupart des parents violent quotidiennement une ou plusieurs des « règles » nécessaires à un « dressage » efficace.

1. Le « sujet » doit montrer une forte motivation ; il doit éprouver un grand besoin de « travailler pour une récompense ». Les rats doivent être très affamés pour apprendre comment passer à travers un labyrinthe et atteindre la nourriture à son extrémité. Les parents essaient souvent d'influencer un enfant en offrant une récompense dont l'enfant n'a pas tellement besoin (promettre à un enfant que vous allez lui chanter une chanson s'il se dépêche de se coucher pour découvrir qu'il n'en fait pas grand cas).
2. Si la punition est trop sévère, le sujet évitera complètement la situation. Lorsqu'on inflige un choc trop violent à un rat pour lui montrer de ne pas aller dans un cul-de-sac à l'intérieur d'un labyrinthe, il va « cesser d'apprendre » ; en effet, il arrêtera ses essais. Si vous punissez sévèrement un enfant pour une erreur, il pourra « apprendre » à cesser de bien faire.
3. La récompense doit être donnée au sujet assez tôt pour affecter son comportement. Quand on dresse des rats à pousser le bon levier pour obtenir de la nourriture, ils ne le découvrent pas si vous leur faites trop attendre cette nourriture. Dites à l'enfant qu'il pourra aller à la plage dans trois semaines s'il accomplit tout de suite des tâches que vous venez de lui donner et vous découvrirez qu'une récompense aussi lointaine manque de force pour le motiver à s'exécuter immédiatement.
4. On doit toujours faire preuve d'une grande constance quand on donne une récompense en vue d'un comportement désiré ou une punition en vue d'un comportement à éviter. Si vous permettez à votre chien de s'approcher de la table pour obtenir de la nourriture lorsque vous mangez en famille et que vous le punissez s'il en demande lorsque vous avez des visiteurs, le chien deviendra confus et frustré (à moins qu'il n'apprenne la différence entre avoir des visiteurs et n'en pas avoir, comme notre chien l'a fait). Les parents manquent souvent de constance dans l'emploi des récompenses et des punitions. Par exemple, on permet de temps en temps à un enfant de prendre une collation entre les repas mais on lui refuse ce goûter quand sa mère prépare un repas spécial et ne veut pas qu'il gâte « son » repas (celui de sa mère !).

5. Le système de récompenses et de punitions est rarement efficace pour enseigner des comportements complexes ; il devient alors nécessaire d'employer des méthodes de « renforcement : qui sont très compliquées et qui demandent beaucoup de temps. Il est vrai que des psychologues ont réussi à montrer à des poulets à jouer au ping-pong et à des pigeons à guider des missiles (croyez-le ou non), mais il reste quand même que de semblables réussites demandent un dressage long et pénible qui doit être conduit dans des conditions rigoureusement contrôlées.

Ceux qui ont déjà eu des animaux savent à quel point il est difficile de dresser un chien à jouer exclusivement dans sa cour, à aller chercher son manteau chaque fois qu'il se rend compte qu'il pleut ou à partager généreusement sa nourriture avec d'autres chiens. Néanmoins, ces mêmes personnes, sans même remettre en question la validité du système des récompenses et des punitions, vont l'employer pour enseigner des comportements à leurs enfants.

Les récompenses et les punitions peuvent être efficaces pour conduire un enfant à ne pas toucher des choses sur la table à café ou à dire « s'il vous plaît » lorsqu'il demande un plat à table. Mais les parents ne trouveront pas ces moyens efficaces pour lui apprendre à s'appliquer à ses travaux scolaires, à être honnête, à adopter une attitude aimable avec les autres enfants, ou à coopérer au sein de la famille. On ne peut pas vraiment enseigner des comportements complexes aux enfants ; ils les apprennent par leur expérience personnelle, vécue dans des situations diverses et sous l'influence d'une gamme de facteurs variés.

J'ai ici indiqué seulement quelques-uns des inconvénients de l'emploi des récompenses et des punitions dans la formation des enfants. Les psychologues qui se spécialisent dans l'apprentissage, l'entraînement et le dressage pourraient en ajouter beaucoup d'autres. Apprendre à des animaux ou à des enfants à accomplir des gestes complexes au moyen de récompenses et de punitions n'est pas une chose facile : il s'agit d'une spécialité en soi qui exige non seulement des connaissances étendues mais encore une période de temps et une somme de patience incalculables. Mais, plus important pour nous encore, *les experts en dressage d'animaux de cirque ou en psychologie expérimentale ne sont pas des modèles très appropriés pour les parents qui veulent former leur enfant à se comporter comme ils le souhaiteraient.*

Les effets du pouvoir des parents sur les enfants.

Malgré les graves inconvénients du pouvoir, cette méthode reste néanmoins celle que choisissent les parents, quels que soient leur éducation, leur classe sociale et leur niveau économique. Les moniteurs de notre programme de formation découvrent invariablement que les parents de leurs groupes sont étonnamment conscients des effets désastreux de l'usage du pouvoir. Nous demandons directement aux parents de puiser dans leur expérience et de nous dire quelles étaient leurs réactions lorsque les parents employaient ce pouvoir sur eux.

Et voici le paradoxe étrange que nous observons à chaque fois : les parents se souviennent de ce qu'ils ressentaient dans leur enfance face à l'usage du pouvoir, mais ils l'oublient lorsqu'ils emploient ce pouvoir sur leurs propres enfants. Nous demandons aux parents de chacun de nos groupes de faire la liste des attitudes et des moyens qu'ils ont adoptés en tant qu'enfants pour réagir contre ce pouvoir de leurs parents. Chaque groupe dresse une liste de mécanismes d'adaptation qui n'est pas tellement différente de celle-ci :

1. Résistance, défi, révolte, négativisme ;
2. Rancune, ressentiment, colère, hostilité ;
3. Agressivité, vengeance, contre-attaque ;
4. Mensonge, dissimulation des sentiments ;
5. Blâme, délation, tricherie ;
6. Domination, brutalité ;
7. Besoin de gagner, horreur de perdre ;
8. Formation d'alliances, organisation contre les parents ;
9. Soumission, complaisance, servilité ;
10. Courtisanerie, courbettes, flatterie ;
11. Conformisme, manque de créativité, peur d'essayer de nouvelles choses, besoin d'encouragement répété, nécessité d'un succès préalablement assuré.
12. Repliement sur soi, évasion, rêverie, régression.

Résistance, défi, révolte, négativisme.

Une mère se souvient de cet incident typique avec son père :

Parent : Si tu n'arrêtes pas de parler, tu vas avoir ma main sur la figure.

Enfant : Vas-y, frappe moi !

Parent : *(il frappe l'enfant)*

Enfant : Frappe-moi encore et plus fort si tu veux, je n'arrêterai pas.

Certains enfants se révoltent contre l'autorité qu'emploient leurs parents en faisant exactement le contraire de ce qu'ils exigent. Une mère nous raconta :

« Nous avons employé notre autorité pour forcer notre fille à faire trois choses : avoir de la propreté et de l'ordre, aller à l'église et s'abstenir de consommer des boissons alcooliques. Nous avons toujours été sévères sur ces points. Nous savons maintenant qu'elle est la pire ménagère que nous connaissons, qu'elle ne met jamais les pieds à l'église et qu'elle consomme de l'alcool presque tous les soirs. »

Un adolescent me révéla, au cours d'une des séances de thérapie que je tenais avec lui :

« Je n'essaie même pas de réussir à l'école, parce que mes parents m'ont tellement poussé à être un bon étudiant ! Si j'obtenais de bonnes notes, cela leur ferait plaisir ; ce serait comme s'ils avaient raison ou s'ils gagnaient. Je ne veux pas leur accorder ces satisfactions. Alors, je n'étudie pas. »

Parlant de sa réaction aux critiques continues de ses parents sur ses cheveux longs, un adolescent m'a dit :

« Je pense que je les couperais s'ils ne me harcelaient pas autant. Mais aussi longtemps qu'ils vont essayer de me les faire couper, il est certain que je vais les garder longs. »

De telles réactions à l'autorité des adultes sont presque universelles. Les enfants se sont rebellés contre l'autorité et l'ont défiée depuis des générations. L'histoire montre peu de différences entre les jeunes d'aujourd'hui et ceux des temps passés. Les enfants, comme les adultes, combattent furieusement lorsque leur liberté se trouve menacée, et les enfants ont subi des menaces à leur liberté à toutes les époques de l'histoire. Un des moyens dont disposent les enfants pour faire face aux menaces a leur liberté et à leur indépendance, c'est de se battre contre ceux qui veulent les leur enlever.

Ressentiment, rancune, colère, hostilité.

Les enfants éprouvent de la rancune envers ceux qui exercent un pouvoir sur eux. Ils trouvent ce procédé déloyal et souvent injuste. Ils n'acceptent pas que les parents ou les professeurs tirent avantage de leur grandeur et de leur force et qu'ils les emploient pour contrôler ou limiter leur liberté.

« Lorsqu'un adulte fait usage de son pouvoir, l'enfant ressent fréquemment une colère qu'il pourrait exprimer ainsi : « Attaque-toi donc à quelqu'un de ta grandeur ! »

Cette réaction semble universelle chez les êtres humains de *tous les âges* : toute personne dont on dépend, à un degré plus ou moins grand, pour la satisfaction de ses besoins nous irrite. La plupart des gens ne réagissent pas favorablement face à ceux qui détiennent le pouvoir de dispenser ou de refuser des récompenses. Ils ne pourront supporter de voir quelqu'un d'autre contrôler les moyens de satisfaire leurs propres besoins. Ils aimeraient exercer eux-mêmes ce contrôle. Ainsi, la plupart des gens recherchent cette indépendance parce que dépendre d'un autre comporte des risques.

Comme premier risque, la personne de qui on dépend peut changer et devenir déloyale, injuste, inconstante, déraisonnable et développer des préjugés.

Comme autre risque, cette personne peut en échange de ses récompenses exiger qu'on se conforme à ses propres valeurs.

C'est pourquoi les employés des patrons très paternalistes éprouvent souvent du ressentiment et de l'hostilité pour « la main qui les nourrit », puisque ces administrateurs sont généreux dans l'attribution de « bénéfices marginaux » et de « bonis » à la condition que les employés acceptent de bonne grâce une gestion de type autoritaire. Les historiens des relations industrielles signalent que les grèves les plus violentes ont eu lieu dans les compagnies dont l'administration avait fait montre d'un « paternalisme bienveillant ». C'est aussi pour cette même raison que la politique d'aide des nations « riches » envers les pays « sous-développés » suscite parfois chez le pays dépendant une hostilité à l'égard du plus riche, ce qui consterne le « donateur ».

Agressivité, vengeance, contre-attaque.

La domination des parents frustre presque toujours les besoins de l'enfant ; et comme la frustration mène souvent à l'agressivité, les parents qui détiennent l'autorité peuvent s'attendre à voir leurs enfants montrer de l'agressivité. Pour remettre à leurs parents la monnaie de leur pièce, les enfants peuvent recourir à d'innombrables manifestations agressives, telles que chercher à les rabaisser, leur répliquer méchamment, bouder, refuser de parler, critiquer sévèrement, les blesser dans leur amour-propre, se venger, etc. Cette façon de tenir tête semble avoir pour motif : « Tu me fais mal, je vais te faire mal ; peut-être alors me feras-tu moins mal, à l'avenir. » Dans les cas extrêmes, fréquemment rapportés dans les journaux, cette agressivité amènera les enfants à tuer leurs parents. Il ne fait aucun doute que beaucoup d'actes agressifs comme le vandalisme dirigés contre les autorités scolaires, contre la police ou contre les chefs politiques sont motivés par un désir de vengeance.

Mensonge, dissimulation des sentiments.

Certains enfants apprennent très tôt qu'en mentant ils peuvent éviter beaucoup de punitions. Mentir peut même, à l'occasion, procurer des récompenses. Invariablement, les enfants en viennent à connaître les valeurs de leurs parents, à savoir avec justesse ce que leurs parents vont approuver ou désapprouver. Sans exception, tous les enfants que j'ai rencontrés en thérapie et dont les parents faisaient un emploi abondant de récompenses et de punitions m'ont révélé à quel point ils mentaient à leurs parents. Une adolescente m'a confié :

> « Mes parents m'ont défendu d'aller au ciné-parc. Alors je leur dis que je vais visiter une amie : et puis nous allons au ciné-parc. »

Une autre m'a dit :

> « Ma mère ne veut pas me laisser porter de fard ; alors j'attends d'être à quelques rues de la maison et j'en mets. Lorsque je reviens à la maison, je l'enlève avant d'entrer. »

Un garçon de seize ans m'a aussi révélé :

> « Mes parents ne veulent pas que je sorte avec cette fille, alors je demande à un de mes amis de venir me prendre et je

leur dis que nous allons étudier, ou n'importe quoi. Ensuite, je vais rejoindre mon amie. »

Bien qu'un grand nombre d'enfants mentent à leurs parents parce que ceux-ci emploient le système de récompenses et de punitions, je crois fermement que le mensonge ne vient pas d'une tendance naturelle chez les jeunes. C'est un réflexe, un mécanisme d'adaptation utilisé pour faire face aux tentatives des parents de les contrôler par l'octroi des récompenses et des punitions. Il est peu probable que les enfants mentent dans les familles où ils se sentent acceptés et où on respecte leur liberté.

Généralement, les parents qui se plaignent que leurs enfants ne leur parlent pas de leurs problèmes ou leur cachent ce qui se passe dans leur vie sont ceux qui imposent des punitions. Les enfants apprennent à jouer le jeu, et une des façons de le faire, c'est de se tenir tranquilles.

Blâme des autres, délation, tricherie.

Dans les familles où il y a plusieurs enfants, ceux-ci entrent évidemment en compétition pour obtenir les récompenses des parents et éviter leurs punitions. Ils apprennent bien vite à employer un autre mécanisme d'adaptation : placer son frère ou sa sœur en situation désavantageuse, discréditer les autres enfants, trahir un autre enfant, lui faire porter le blâme, etc. Le motif semble clair : « En faisant paraître l'autre méchant, je paraîtrai sans doute meilleur. » Quel échec pour les parents ! Ils veulent que leurs enfants adoptent un comportement coopératif, mais en employant des récompenses et des punitions ils suscitent un comportement compétitif, de la rivalité, des querelles, des dénonciations entre frères et sœurs :

« Il a eu plus de crème glacée que moi. »
« Pourquoi faut-il que je nettoie la cour, Paul ne le fait pas, lui. »
« Il m'a frappé le premier : c'est lui qui a commencé. »
« Vous n'avez jamais puni Jean quand il avait mon âge et qu'il faisait la même chose. »
« Quand c'est Sylvie, vous laissez toujours tout passer. »

La plupart des blâmes réciproques et des querelles basées sur la compétition que se livrent les enfants peuvent être attribués à l'emploi des récompenses et des punitions par les parents. Comme personne n'a ni le temps, ni le tempérament, ni la sagesse de distribuer les récompenses ou les punitions de façon juste et égale en tout temps, les parents créent inévitablement de la compétition. Il est tout à fait naturel que chaque enfant veuille obtenir le maximum de récompenses et voir ses frères et sœurs recevoir la plus grande part des punitions.

Domination, brutalité.

Pourquoi un enfant essaie-t-il de dominer ou de brutaliser des enfants plus jeunes que lui ? C'est d'abord parce que ses parents emploient leur pouvoir pour le dominer. Par conséquent, chaque fois qu'il est en position de force par rapport à un autre enfant, il essaie à son tour de dominer et de diriger. On peut observer ce phénomène lorsque les enfants jouent à la poupée. Ils traitent généralement leurs poupées (leurs « enfants ») comme leurs parents les traitent. Les psychologues le savent depuis longtemps et ils peuvent découvrir comment un parent traite son enfant en observant celui-ci jouer avec ses poupées. Si un enfant est dominateur et punitif à l'égard de ses poupées lorsqu'il joue le rôle de la mère, on est pratiquement certain qu'il a été traité de la même façon par sa propre mère.

En employant leur propre autorité pour diriger et contrôler leurs enfants, les parents prennent, à leur insu, le risque d'élever des enfants qui seront autoritaires avec leurs camarades.

Besoin de gagner, horreur de perdre.

Lorsque les enfants grandissent dans un climat où les récompenses et les punitions prennent une grande importance, ils peuvent développer un vif besoin de « bien » paraître ou de gagner, et une grande crainte de « mal » paraître ou de perdre. C'est particulièrement vrai dans les familles où les récompenses sont employées en grande quantité, et où l'on fait usage d'évaluation positive, d'argent, de bonis et autres moyens.

Malheureusement, ces pratiques sont fort répandues chez les parents. Bien que je rencontre quelques parents qui, par conviction personnelle, rejettent les punitions comme méthode de contrôle, je rencontre rarement des parents qui remettent en question la valeur du système des récompenses. Le parent moderne a été inondé d'articles et de livres conseillant d'employer fréquemment les compliments et les récompenses. La plupart des parents ont suivi ce conseil sans poser de question.

Comme résultat de cette pratique, on observe qu'un fort pourcentage des enfants sont tous les jours manipulés par leurs parents au moyen d'approbation, de privilèges spéciaux, de récompenses, de bonbons, de crème glacée, et d'autres procédés du genre. Il ne faut pas s'étonner que cette génération d'enfants habitués à toujours recevoir des « bons points » éprouve toujours le besoin de gagner, de bien paraître, d'arriver premier et, par-dessus tout, d'éviter de perdre.

Permettez-moi de souligner un autre aspect négatif de cette éducation des enfants basée sur les récompenses. Vous savez ce qui arrive généralement à un enfant limité dans ses capacités intellectuelles ou son habilité physique : il lui est difficile d'obtenir des « bons points ».

Je pense à l'enfant dont les frères, les sœurs et les camarades ont, dès la naissance, été mieux doués ; il devient inévitablement un « perdant » dans la plupart de ses efforts à la maison, au terrain de jeux ou à l'école. Plusieurs familles ont un ou plusieurs de ces enfants, prédestinés à éprouver toute leur vie la douleur des échecs fréquents et la frustration de voir les autres obtenir les récompenses. Ces enfants montrent peu d'estime d'eux-mêmes et ont une attitude de désespoir et de défaitisme. En résumé : un climat familial fortement orienté vers les récompenses risque d'être plus dommageable pour les enfants qui ne peuvent pas les gagner que pour ceux qui y parviennent facilement.

Formation d'alliances, organisation contre les parents.

Lorsqu'ils grandissent, les enfants dont les parents exercent un contrôle et une contrainte par l'autorité et le pouvoir découvrent une autre façon, bien connue d'ailleurs, de faire face à ce pouvoir. Ils forment des alliances avec d'autres enfants, qu'ils soient de la famille ou non. Les enfants apprennent que « l'union fait la force », qu'ils peuvent « s'organiser » tout comme les travailleurs qui se sont syndiqués pour faire face au pouvoir de leurs patrons et de leurs administrateurs.

Les enfants forment souvent des alliances pour présenter un front commun à leurs parents ; en voici quelques exemples :

S'entendre pour raconter la même vision d'un fait.

Dire à leurs parents que tous les autres enfants ont obtenu la permission de faire telle ou telle chose, alors pourquoi pas eux ?

Influencer d'autres enfants à participer avec eux à certaines activités douteuses.

Les adolescents d'aujourd'hui sentent ce pouvoir qui vient de l'union et agissent en groupe contre l'autorité des parents ou celle des adultes. Le mouvement hippie, les grèves dans les écoles, les occupations, les manifestations étudiantes, les exigences des étudiants pour une plus grande participation dans les universités et les écoles, les manifestations pour la paix ou pour d'autres causes en donnent la preuve.

Les parents et les autres adultes continuent d'employer la méthode de l'autorité pour contrôler et diriger le comportement des enfants ; il n'est pas étonnant alors qu'ils se plaignent des alliances que forment les adolescents pour confronter leur pouvoir. La société se polarise ainsi en deux groupes antagonistes : les jeunes gens organisés contre les adultes et l'ordre établi, ou encore les « défavorisés » contre les « riches ». Plutôt que de s'identifier avec la famille, les enfants s'identifient de plus en plus avec leurs camarades pour combattre le pouvoir combiné de tous les adultes.

Soumission, complaisance, servilité.

Certains enfants choisissent de se soumettre à l'autorité de leurs parents pour des raisons qui restent habituellement assez mal comprises. Ils s'adaptent par la soumission, la complaisance et la servilité. Cette réponse à l'autorité des parents se produit bien souvent lorsque ceux-ci ont employé leurs pouvoirs d'une façon très rigoureuse. Les enfants apprennent à se soumettre par peur d'être punis, surtout si les punitions sont très sévères. Les enfants peuvent réagir au pouvoir des parents de la même façon que les chiens que l'on dompte et qui deviennent craintifs à la suite de punitions sévères. Lorsque les enfants sont très jeunes, une punition trop forte risque de susciter la soumission : une réaction comme la révolte ou la résistance pourrait alors présenter un trop grand danger. Ils se trouvent pratiquement obligés de réagir au pouvoir des parents en prenant une attitude d'obéissance et de complaisance. Lorsque les enfants approchent de l'adolescence, leur réaction peut changer subitement, car ils ont acquis plus de force et de courage et peuvent alors se permettre des tentatives de résistance et de révolte.

Certains enfants continuent d'être soumis et complaisants

au cours de leur adolescence et même lorsqu'ils sont devenus adultes. Ce sont ces enfants qui sont les plus traumatisés par l'emploi que les parents font de leur pouvoir, car ils conservent toute leur vie une crainte profonde des personnes en position d'autorité, peu importe où ils les rencontrent. Ils demeurent enfants toute leur vie, même à l'âge adulte : ils se soumettent passivement à l'autorité, renient leurs propres besoins, ont peur d'être eux-mêmes, craignent les conflits et restent trop complaisants pour défendre leurs propres convictions. Ces adultes viennent souvent remplir les bureaux des psychologues et des psychiatres.

Courtisanerie, courbettes, flatterie.

Une façon de faire face à une personne qui possède le pouvoir de récompenser et de punir consiste à se faire apprécier d'elle par des efforts spéciaux. Certains enfants adoptent cette attitude avec leurs parents et les autres adultes. Cette attitude peut se résumer ainsi : « Si je suis gentil avec vous, je gagnerai vos faveurs, et peut-être qu'alors vous me donnerez une récompense et ne me punirez pas. » Les enfants apprennent très tôt que les adultes ne distribuent pas les récompenses et les punitions de façon équitable. Les adultes peuvent être conquis ; ils peuvent avoir leurs « préférés ». Certains enfants apprennent à tirer avantage de cette tendance et adoptent une attitude pleine de courtisanerie pour devenir le « chouchou du professeur ». D'ailleurs, ces enfants « écopent » souvent des sobriquets qu'on connaît très bien !

Bien que certains enfants puissent devenir très habiles à séduire les adultes, les autres enfants éprouvent malheureusement une forte rancune à leur égard ; les « courtisans » sont très souvent rejetés et ridiculisés par leurs camarades qui devinent leurs motifs et envient leur traitement privilégié.

Conformisme, manque de créativité, peur d'essayer de nouvelles choses, besoin d'encouragements répétés, nécessité d'un succès préalablement assuré.

L'autorité des parents donne souvent naissance au conformisme plutôt qu'à la créativité chez les enfants, tout comme un climat de travail autoritaire dans une entreprise empêche l'innovation. La créativité requiert la liberté d'expérimenter, d'essayer de nouvelles choses et de nouveaux arrangements. Les enfants élevés dans un climat fortement conditionné par les récompenses et les punitions ont peu de chances de ressentir une telle liberté, contrairement aux jeunes élevés dans un climat plus tolérant. Le pouvoir suscite la peur et la peur étouffe la créativité et donne naissance au conformisme. La motivation est simple : « Pour obtenir des récompenses, je ne prendrai pas de risques, je vais me conformer et adopter une « bonne conduite ». Je n'oserai rien faire hors de l'ordinaire : ce serait m'exposer à être puni. »

Repliement sur soi, évasion, rêverie, régression.

Lorsque les enfants trouvent trop difficile de faire face à l'autorité des parents, ils peuvent essayer de s'échapper et de fuir. Le pouvoir des parents peut causer ce repliement si la punition est trop dure pour l'enfant, si les parents sont inconstants dans la distribution des récompenses, si les récompenses sont trop difficiles à obtenir ou s'il est trop pénible d'apprendre les comportements nécessaires à éviter une punion. Chacune de ces conditions peut décourager l'enfant et faire qu'il renonce à apprendre « les règles du jeu ». Il cesse simplement d'essayer de faire face à la réalité qui est devenue trop douloureuse à supporter ou trop complexe à déchiffrer. Cet enfant ne peut pas découvrir d'adaptation convenable aux forces de son environnement. Il ne peut pas gagner. Alors son organisme lui dit d'une façon ou d'une autre qu'il vaut mieux fuir.

Les formes de fuite et d'évasion peuvent varier et s'étendent de la fuite totale à des fuites occasionnelles de la réalité ; on pourra par exemple observer :

La rêverie et la fabulation ;
L'inactivité, la passivité, l'apathie ;
La régression à un comportement infantile ;
L'abus de la télévision ;
L'abus de la lecture de romans ;
Les jeux solitaires (souvent avec des partenaires imaginaires) ;
La maladie ;
Les fugues ;
L'usage des drogues ;
L'abus ou l'obsession de la nourriture ;
La dépression.

Quelques problèmes plus profonds au sujet de l'autorité des parents.

Même après avoir discuté avec nous des procédés qu'ils employaient lorsqu'ils étaient enfants, et même après avoir étudié notre liste des modes d'adaptation au pouvoir et identifié les attitudes employées par leurs propres enfants, il reste dans nos groupes des parents convaincus que l'usage de l'autorité et du pouvoir est justifié dans l'éducation des enfants. A cause de cette position, dans la plupart de nos groupes, nous poussons plus loin la discussion sur l'autorité des parents pour y découvrir certaines attitudes particulières et certains sentiments inexplorés.

Les enfants ne recherchent-ils pas l'autorité ?

Une croyance partagée à la fois par les profanes et les professionnels (et que les parents font toujours ressortir dans nos groupes) veut que les enfants recherchent l'autorité ; selon cette opinion, les jeunes aimeraient que leurs parents restreignent leurs comportements en leur imposant des limites. L'argument va comme suit : lorsque les parents se servent de leur autorité, les enfants se sentent plus en sécurité ; si on ne leur impose pas de limites, ils seront non seulement fougueux et indisciplinés mais ils éprouveront des sentiments d'insécurité. Cette croyance a aussi une suite : si les parents n'emploient pas leur autorité pour établir des limites, les enfants pourront croire qu'on ne leur accorde pas d'attention et ils se sentiront mal aimés.

Même si je soupçonne que cette croyance est adoptée par plusieurs parce qu'elle leur donne une nette justification pour l'emploi du pouvoir, je ne veux pas la qualifier de simple rationalisation. Un fond de vérité réside dans cette croyance, on doit donc l'examiner avec attention.

Le bon sens et l'expérience nous font voir en effet que les enfants cherchent des limites dans leurs relations avec leurs parents. Ils ont besoin de savoir clairement jusqu'où ils peuvent aller avant que leurs comportements ne deviennent inacceptables. C'est alors seulement qu'ils peuvent choisir de ne pas adopter ces comportements. Cela s'applique à toutes les relations humaines.

Par exemple, je me sens beaucoup plus en sécurité si je sais quels comportements mon épouse trouve inacceptables de ma part. Il m'en vient un à l'esprit : aller jouer au golf en fin d'après-midi ou m'attarder à mon bureau les jours où nous attendons des invités. Sachant à l'avance que mon absence sera inacceptable parce que mon épouse a besoin de mon aide, je peux choisir de ne pas aller au club de golf ou de revenir promptement de mon bureau et éviter ainsi son mécontentement ou sa colère, et probablement un conflit.

On peut comprendre qu'un enfant désire connaître les « limites de l'acceptation de ses parents » ; il est cependant tout à fait différent de dire qu'il veut que ses parents lui imposent des restrictions sur son comportement. Revenons-en à l'exemple de ma femme et moi. Il est utile pour moi de connaître à l'avance ses sentiments face à mes sorties au club de golf ou à mon travail prolongé au bureau, un jour où nous attendons des amis. Mais je n'apprécierais pas et j'en éprouverais même du ressentiment si elle essayait de m'imposer une restriction à mon comportement par des déclarations comme celle-ci : « Je ne peux pas te permettre d'aller jouer au golf ou de t'attarder à ton bureau les jours où nous recevons des invités. C'est un règlement. Tu ne dois pas agir de la sorte. »

Je n'apprécierais pas du tout cet emploi du pouvoir. Il est d'ailleurs ridicule d'imaginer que ma femme essaierait de me contrôler et de me diriger de cette façon. Les enfants ne réagissent pas différemment lorsque les parents *établissent des règlements* unilatéralement. Ils se rebiffent fortement et éprouvent de la rancune lorsqu'un parent établit une limite à leur comportement. Je n'ai jamais rencontré un enfant qui voulait que ses parents lui *imposent une limite* par des expressions telles que :

« Tu dois rentrer avant minuit, c'est ma décision. »
« Je ne peux pas te permettre de prendre l'auto. »
« Tu ne peux pas jouer avec ton camion dans la salle de séjour. »
« Nous devons exiger que tu ne fumes pas de marijuana. »
« Nous devons t'empêcher de sortir avec ces deux garçons. »

Le lecteur reconnaîtra que tous ces messages « émettent des solutions » (ce sont également tous des « messages-tu »).

Je propose de remplacer le principe : « les enfants veulent que leurs parents emploient leur autorité et établissent des restrictions » par le suivant qui me semble beaucoup plus sain :

« Les enfants ont besoin de connaître les sentiments qu'éprouvent leurs parents face à leur comportement et ils recherchent cette information afin de pouvoir modifier leur façon d'agir lorsqu'elle devient inacceptable pour leurs parents. Quoi qu'il en soit, les enfants ne veulent pas que leurs parents essaient de restreindre ou de modifier leur comportement en employant leur autorité ou en menaçant de le faire. En somme, les enfants veulent limiter eux-mêmes leur attitude s'il leur apparaît que leur comportement doit être freiné ou modifié. Les enfants, tout comme les adultes, préfèrent garder une certaine autonomie. »

Un dernier aspect : les enfants préféreraient, en réalité, que leurs parents puissent accepter tous leurs comportements : ils n'auraient alors pas besoin de les limiter ou de les modifier. Moi-même, je préférerais que mon épouse puisse accepter inconditionnellement la totalité de mes comportements. C'est ce que je préférerais, mais je sais fort bien que c'est non seulement irréaliste, mais impossible.

Il devient donc tout à fait compréhensible que les parents ne puissent accepter tous les comportements de leurs enfants, et les jeunes apprennent assez bien à ne pas s'attendre à pareille perfection. Ce que les enfants sont en droit d'attendre, c'est que leurs parents leur disent leur réaction à chaque fois qu'ils éprouvent un *sentiment d'inacceptation* devant tel ou tel comportement ; par exemple : « Je n'aime pas être harcelé ou bousculé pendant que je parle à un ami. » Ce besoin reste très différent du désir de voir leurs parents employer la méthode d'autorité pour établir des limites à leur comportement.

L'autorité n'est-elle pas une manière efficace, si les parents sont constants ?

Certains parents justifient ainsi leur emploi du pouvoir : ils croient que cette méthode est efficace et qu'elle ne cause aucun dommage pour autant que les parents sont constants dans l'usage qu'ils en font. Dans nos groupes, ces parents sont surpris d'apprendre que nous ne nions nullement leur argument, en ce qui concerne le besoin de constance. Nos moniteurs leur assurent que la constance s'avère essentielle *s'ils choisissent d'employer le pouvoir et l'autorité.* De plus, les enfants préfèrent que leurs parents soient constants, *si ces derniers choisissent* d'employer le pouvoir et l'autorité.

Les « si » sont très importants. Cela ne signifie pas que l'usage du pouvoir et de l'autorité ne soit pas dommageable ; l'emploi du pouvoir et de l'autorité sera tout simplement encore plus dommageable si les parents sont inconstants. D'après nos observations, cela ne veut pas dire que les enfants veulent que leurs parents emploient l'autorité, mais plutôt que, s'ils l'emploient, ils préfèrent qu'ils le fassent avec constance. Si les parents décident d'employer l'autorité, la constance dans son application va donner beaucoup plus de chances aux enfants de savoir quels comportements seront toujours punis et lesquels seront toujours récompensés.

Les résultats d'expériences ont démontré les effets néfastes d'un emploi inconstant des récompenses et des punitions afin de modifier le comportement des animaux. Une expérience classique du psychologue Norman Maier est un bon exemple : Maier récompensait les rats qui sautaient d'une plate-forme sur une porte à bascule où il avait dessiné un carré. La porte s'ouvrait sur de la nourriture et le rat se trouvait ainsi récompensé. Ensuite, Maier punissait les rats lorsqu'ils sautaient d'une plate-forme sur une porte où il avait peint un signe différent, un triangle. Cette porte ne s'ouvrait pas ; le rat s'y frappait le nez et tombait dans un filet situé à une bonne distance. Ce procédé « enseignait » au rat à distinguer entre un carré et un triangle, ce qui est une expérience de conditionnement.

Par la suite Maier décida d'être « inconstant » dans l'emploi des récompenses et des punitions. Il changea délibérément les conditions en alternant les dessins au hasard : quelquefois le carré se trouvait sur la porte qui menait à la nourriture, à d'autres moments il était placé sur la porte qui ne s'ouvrait pas et qui faisait tomber le rat. Comme plusieurs parents, le psychologue était inconstant dans l'emploi des récompenses et des punitions.

Quels en furent les résultats sur les rats ? Ils devinrent « névrosés » ; certains ont montré des troubles cutanés, certains ont sombré dans un état semblable à la paralysie, d'autres se sont mis à courir autour de la cage, affolés et sans but, d'autres encore évitaient de se mêler aux autres rats, certains même refusaient de manger. Maier avait réussi à créer une « névrose expérimentale » chez ces rats.

Les effets de l'inconstance dans l'emploi des récompenses et des punitions peuvent être également dommageables pour les enfants. L'inconstance ne leur donne pas la chance d'apprendre le « bon » comportement, celui qui est récompensé, ni d'éviter le comportement « indésirable », celui qui est puni. Ne pouvant pas gagner, on court le risque qu'ils deviennent frustrés, bouleversés, coléreux et même « névrosés ».

Mais les parents n'ont-ils pas la responsabilité d'influencer les enfants ?

L'attitude que les parents expriment le plus souvent dans nos groupes sur la question du pouvoir et de l'autorité est sans doute la suivante : l'emploi du pouvoir est justifié parce que les parents ont la « responsabilité » d'influencer leurs enfants à agir de la façon considérée désirable par les parents ou la « société » (quel que soit le sens de ce mot). Une éternelle question revient : peut-on justifier l'emploi du pouvoir dans les relations humaines s'il est exercé de façon désintéressée et avec sagesse, « pour le bien-être de l'autre personne ou dans son intérêt », ou encore « pour le bien de la société » ?

Un problème demeure cependant : *qui doit décider* ce qui convient à l'intérêt de la société ? Qui est le plus apte à prendre cette décision : l'enfant ou le parent ? Ce sont là des questions épineuses et il est dangereux de laisser le parent déterminer seul en quoi consiste « l'intérêt de la société ».

Il peut ne pas être assez sage pour le déterminer seul. Toutes les personnes sont faillibles, et cela inclut les parents et les autres gens qui possèdent le pouvoir. L'histoire de la civilisation nous raconte la vie de nombreux personnages qui ont proclamé faire usage de leur pouvoir pour le bien-être d'une personne alors qu'ils agissaient à son détriment. « Je fais cela pour ton bien » n'est pas une justification très convaincante de l'emploi du pouvoir.

« Le pouvoir corrompt et le pouvoir absolu corrompt absolument », a écrit Lord Acton. Shelley a écrit pour sa part : « Le pouvoir est comme la peste, il pourrit tout ce qu'il touche. » Edmund Burke soutient que « plus le pouvoir est grand, plus les abus sont dangereux ».

Les dangers du pouvoir, perçus tout aussi bien par les hommes d'Etat que par les poètes, demeurent toujours présents. De nos jours, on remet sérieusement en question l'usage du pouvoir dans les relations entre les nations. Un gouvernement mondial doublé d'un tribunal mondial pourrait, un de ces jours, nous amener à dépasser la nécessité d'une coexistence pacifique, à l'âge atomique. Les plus hauts tribunaux de plusieurs pays ne considèrent plus justifié l'emploi du pouvoir par les Blancs vis-à-vis des Noirs ou par toute majorité contre tout groupe minoritaire. Dans l'industrie et l'administration, la gestion par méthode d'autorité est déjà considérée par beaucoup comme une philosophie dépassée. La différence de pouvoir qui a existé durant des années entre mari et femme a été réduite graduellement mais sûrement. Finalement, le pouvoir absolu et l'autorité de l'Eglise ont été récemment attaqués tant de l'intérieur que de l'extérieur.

Un des derniers bastions de l'emploi du pouvoir dans les relations humaines se retrouve dans les familles, c'est-à-dire entre parents et enfants. Un autre champ de résistance de même nature persiste dans les écoles : dans les relations entre professeur et élève, l'autorité demeure la principale méthode employée pour contrôler et diriger le comportement des étudiants.

Comment expliquer que les enfants soient les derniers à être protégés contre les conséquences fâcheuses que peuvent avoir le pouvoir et l'autorité ? Est-ce parce qu'ils sont plus petits ou parce que les adultes peuvent plus facilement rationaliser l'emploi du pouvoir par des notions comme « L'adulte a raison » ou « C'est pour leur bien » ?

Voici mon opinion personnelle à ce sujet : au fur et à mesure qu'on commencera à comprendre la nature du pouvoir et de l'autorité d'une façon plus approfondie et à reconnaître que son emploi n'est pas moralement justifié, plus de parents appliqueront cette compréhension aux relations entre adulte et enfant. Ils commenceront alors à sentir que cet emploi est tout aussi immoral dans ces relations, et ils devront rechercher et créer de nouvelles méthodes où l'on ne fait pas usage du pouvoir, des méthodes que tous les adultes pourront employer avec les enfants et les adolescents.

Laissons de côté pour l'instant les questions d'éthique et de morale liées à l'emploi du pouvoir sur les autres. Les parents demandent souvent : « N'ai-je pas la responsabilité d'employer mon pouvoir pour influencer mon enfant ? » Ils révèlent par là une méprise commune sur l'efficacité du pouvoir comme moyen d'influencer leurs enfants. Le pouvoir des parents « n'influence pas » les enfants ; il les force à se comporter de la façon désirée. Le pouvoir « n'influence pas » dans le sens de persuader, convaincre, éduquer ou motiver un enfant à se comporter d'une certaine façon. Ce que fait plutôt le pouvoir, c'est *de forcer ou d'empêcher* un comportement. Même forcé ou empêché par quelqu'un qui a un pouvoir supérieur, un enfant n'est pas vraiment persuadé. On constate habituellement qu'il retourne à son ancien comportement dès que l'autorité et le pouvoir disparaissent. *Car ses propres besoins et désirs restent inchangés.* Il sera aussi poussé à récriminer contre ses parents à cause de la frustration de ses besoins tout aussi bien qu'à cause de l'humiliation qu'il aura subie. En conclusion, le pouvoir fortifie ses propres victimes, crée sa propre opposition, sème sa propre destruction.

Les parents qui emploient le pouvoir diminuent en réalité leur influence sur leurs enfants, car le pouvoir déclenche souvent des comportements de révolte : plusieurs enfants font face au pouvoir en agissant exactement à l'opposé de ce que les parents désirent. J'ai entendu bien des parents dire : « Nous aurions plus d'influence sur notre enfant si nous employions notre autorité à exiger de lui le contraire de ce que nous voulons qu'il fasse ! Alors, il finirait peut-être par agir comme nous le désirons. »

Il est paradoxal mais vrai que les parents perdent de l'influence en employant le pouvoir et qu'ils auront plus d'emprise sur leurs enfants en renonçant à leur pouvoir ou en refusant de l'employer.

Il est évident que les parents auront plus d'influence sur leurs enfants s'ils emploient des méthodes qui ne provoquent *pas* de résistance ni de révolte. Les méthodes qui ne reposent pas sur le pouvoir ont beaucoup plus de chances d'amener les enfants à prendre au sérieux les idées et les sentiments de leurs parents et en conséquence de les inciter à modifier leur comportement dans le sens que leurs parents souhaitent. Evidemment, ils ne modifieront pas toujours leur comportement, mais ils le feront quelquefois. Par contre, les enfants rebelles accepteront rarement de changer leurs habitudes par considération pour les besoins de leurs parents.

Pourquoi a-t-on persisté à employer le pouvoir dans l'éducation des enfants ?

Cette question, qui est souvent soulevée par les parents de nos groupes, m'a beaucoup intrigué et m'a fait réfléchir. Il est difficile de comprendre comment on peut justifier de quelque façon l'emploi du pouvoir dans l'éducation des enfants, ou dans toute autre relation humaine, quand on connaît la nature du pouvoir et de ses effets sur les autres. Après avoir travaillé avec des milliers de parents, je suis maintenant convaincu que, à quelques exceptions près, tous détestent faire usage du pouvoir avec leurs enfants. Ils se sentent mal à l'aise et souvent coupables d'agir ainsi. Il est fréquent que des parents s'excusent auprès de leurs enfants après avoir employé leur pouvoir ; ou encore ils essaient d'amoindrir leur culpabilité par les rationalisations habituelles : « Nous l'avons fait parce que nous pensions à ton bien », « Un jour, tu nous en remercieras », « Lorsque à ton tour tu auras des enfants, tu comprendras pourquoi nous t'avons empêché de faire ces choses ».

En plus de leur sentiment de culpabilité, beaucoup de parents ressentent l'inefficacité de l'emploi du pouvoir, spécialement ceux dont les enfants sont assez âgés pour commencer à se rebeller, à mentir, à se défiler ou à résister passivement.

J'en suis venu à la conclusion suivante : les parents ont continué d'employer le pouvoir au cours des années parce que dans leur propre vie ils n'ont pratiquement connu aucune des méthodes qui ne s'appuyaient pas sur le pouvoir. La plupart des gens ont été contrôlés par le pouvoir depuis leur tendre enfance : pouvoir exercé par les parents, les professeurs, les directeurs d'école, les entraîneurs, les oncles, les tantes, les grands-parents, les chefs scouts, les moniteurs de camps de vacances, les officiers militaires, les patrons, etc. Par conséquent, les parents persistent à employer le pouvoir parce qu'ils ne connaissent pas et n'ont pas expérimenté d'autres méthodes pour résoudre les conflits dans les relations humaines.

11

La méthode « sans perdant » pour résoudre les conflits.

Pour les parents emprisonnés dans l'une des méthodes « gagnant ou perdant », c'est toute une révélation d'apprendre qu'ils ont la possibilité de choisir une autre façon de résoudre les conflits. Presque sans aucune exception, les parents sont soulagés de savoir qu'il existe une troisième méthode. Cette méthode, bien que facile à comprendre, nécessite habituellement de la part des parents une formation et une pratique assidue avant qu'ils ne deviennent compétents à l'appliquer.

Cette alternative, c'est la méthode « sans perdant » pour résoudre les conflits, celle où personne ne perd. Dans notre programme de formation, nous l'appelons la Troisième Méthode. Même si pour presque tous les parents la Troisième Méthode semble une idée nouvelle pour la solution des conflits entre parents et enfants, ils reconnaissent immédiatement cette méthode pour l'avoir vue employée dans d'autres relations. Les maris et les femmes emploient souvent la Troisième Méthode pour régler leurs différends par des ententes mutuelles. En affaires, les associés s'en servent continuellement pour établir des ententes sur les objets de leurs fréquents conflits. Les syndicats et les administrateurs d'entreprise l'emploient pour négocier des contrats qui engagent les deux parties. D'innombrables conflits légaux sont résolus par des ententes directes négociées selon la Troisième Méthode, à la satisfaction des deux parties.

On emploie souvent la Troisième Méthode pour résoudre des conflits entre des *individus qui possèdent des pouvoirs égaux ou relativement égaux.* Lorsqu'il n'existe pas de différence de pouvoir entre deux personnes, ou que cette différence est très mince, on voit des raisons valables et évidentes pour que ni l'une ni l'autre ne tente d'employer la force pour résoudre le conflit. Il est impensable d'employer une méthode qui repose sur le pouvoir lorsqu'il n'existe pas de suprématie à ce niveau.

Je peux facilement imaginer les réactions de ma femme si j'essayais d'employer la Première Méthode pour résoudre un conflit que nous avons quelquefois, celui du nombre de personnes que nous devrions inviter lorsque nous décidons de recevoir. Je préfère généralement un plus grand nombre de personnes qu'elle ne croit pouvoir accommoder. Supposons que je lui dise : « J'ai décidé que nous allons inviter dix couples, pas moins. » Après s'être remise de sa surprise initiale, elle réplique probablement comme ceci :

« Que veut dire ce « *J'ai* décidé » ?
« Eh bien ! *moi,* je viens de décider qu'on n'invitera personne. »
« Eh bien ! Bravo. J'espère que tu vas bien t'amuser à préparer le dîner et à laver la vaisselle. »

J'ai assez de bon sens pour me rendre compte à quel point il serait ridicule pour moi de tenter d'employer la Première Méthode dans une situation semblable. Mon épouse a suffisamment de pouvoir sur moi *pour résister* si j'essaie de gagner à ses dépens.

Nous pouvons sans doute émettre le principe suivant : les gens qui ont un pouvoir égal ou relativement égal (une relation égalitaire) tentent rarement d'employer la Première Méthode. S'ils essaient à l'occasion, l'autre personne ne permettra aucunement que le conflit soit résolu de cette façon. Mais lorsqu'une personne pense qu'elle a (ou est certaine d'avoir) plus de pouvoir que l'autre, elle peut tenter d'employer la Première

Méthode. Alors, si l'autre pense avoir moins de pouvoir que la première, elle n'a d'autre choix que de se soumettre, à moins qu'elle ne choisisse de résister ou de combattre en employant tout le pouvoir qu'elle croit posséder.

Il est évident que la Troisième Méthode n'emploie pas le pouvoir ; c'est plus précisément une méthode sans perdant ; les conflits sont résolus sans que personne perde. Les deux gagnent puisque *la solution doit être acceptable pour les deux.* C'est une résolution de conflit par une entente mutuelle sur la solution à adopter. Dans ce chapitre, je vais décrire comment elle fonctionne. Dans les deux chapitres suivants, on discutera des difficultés que rencontrent les parents dans l'acceptation et l'application de cette méthode dans leur famille. Tout d'abord, voici une brève description de la Troisième Méthode :

> Un parent et un enfant se trouvent en situation de conflit de besoins. Le parent demande à l'enfant de participer avec lui à la recherche d'une solution acceptable pour tous les deux. L'un et l'autre peuvent offrir des solutions possibles. Ils évaluent ensuite ces suggestions de manière critique et puis en viennent à prendre comme décision une solution acceptable pour tous les deux. Il n'est point besoin de convaincre l'autre de la bonne solution une fois qu'elle a été choisie, puisque tous les deux l'ont déjà acceptée. Il n'est point besoin de faire appel au pouvoir pour forcer l'acceptation, puisque personne n'oppose de résitance à la décision.

Pour revenir à un problème familier, voici comment la question de l'imperméable a été résolue par la Troisième Méthode, comme nous l'a rapporté le parent impliqué :

Nicole : Bonjour, je m'en vais à l'éçole.

Parent : Chérie, il pleut et tu n'as pas ton imperméable.

Nicole : Je n'en ai pas besoin.

Parent : Il pleut très fort, et je crains que tu n'abîmes tes vêtements ou que tu ne prennes un rhume, ce qui serait dommage.

Nicole : Bien, je ne veux pas porter mon imperméable.

Parent : Tu as l'air bien déterminée à ne pas porter ton imperméable.

Nicole : Oui, bien sûr, je le déteste.

Parent : Tu n'aimes vraiment pas ton imperméable.

Nicole : Non, c'est un vieux modèle, et beige en plus !

Parent : Il y a quelque chose que tu détestes au sujet de ce modèle d'imperméable.

Nicole : Il n'y a personne à l'école qui porte un imperméable du genre : on dirait un vieux manteau de militaire.

Parent : Tu ne veux pas être la seule à porter quelque chose de si différent.

Nicole : Je n'en ai pas envie. Tout le monde porte des imperméables de couleur vive, jaune, bleu ou vert, et ainsi de suite.

Parent : Je vois, nous avons vraiment un conflit ici. Tu ne veux pas porter ton imperméable, parce qu'il est beige et d'un modèle ancien, mais je ne veux pas avoir la corvée d'un nettoyage, et je n'aimerais pas non plus que tu aies un rhume. Nous devrions chercher une solution acceptable pour tous les deux. Comment pourrions-nous résoudre ce problème pour que nous soyons tous les deux satisfaits ?

Nicole : *(silence)* : Je pense à un des manteaux de maman que je pourrais emprunter pour la journée.

Parent : J'imagine qu'il est de couleur. Et qu'il te plairait davantage.

Nicole : Oui. Il est bleu. Je serais bien là-dedans.

Parent : Penses-tu qu'elle te laisserait le porter aujourd'hui ?

Nicole : Je vais le lui demander (Elle revient quelques minutes plus tard avec le manteau de sa mère, les manches sont trop longues, mais elle les replie). Maman est d'accord.

Parent : Ça fait ton affaire ?

Nicole : Oui, je l'aime.

Parent : Je suis convaincu qu'il va te garder au sec. Comme ça tu es contente de notre solution ? Je le suis moi aussi.

Nicole : Eh bien ! bonjour.

Parent : Bonjour, passe une bonne journée à l'école.

Que s'est-il produit ici ? De toute évidence Nicole et son père sont venus à bout de leur conflit à leur satisfaction mutuelle. Ce conflit a également été résolu rapidement. Le père n'a pas eu à perdre de temps à essayer de « vendre » sa solution comme il faut le faire dans la Première Méthode. Aucun pouvoir n'a été imposé, ni de la part du père ni de la part de Nicole. Finalement ils se sont séparés éprouvant de l'affection l'un pour l'autre. Le père a pu dire : « Passe une bonne journée à l'école » et vraiment le penser, Nicole, pour sa part, a pu se rendre à l'école sans crainte d'être embarrassée par son ancien imperméable beige.

Voici maintenant une autre sorte de conflit, familier à la plupart des parents, résolu par une famille grâce à la Troisième Méthode ; la plupart des parents sont déjà trop familiers avec les stériles batailles « gagnant ou perdant » au sujet de la propreté de la chambre de leurs enfants. Selon une mère qui a participé à notre programme de formation, voici comment les choses se sont passées chez elle :

La mère : Sylvie, j'en ai assez de te réprimander au sujet de ta chambre, et je suis certaine que tu es toi-même fatiguée de toujours m'entendre revenir sur cette question. De temps en temps tu la nettoies, mais la plupart du temps elle est en désordre et ça me fâche. Essayons une nouvelle méthode que j'ai apprise dans mon groupe de parents. Essayons de voir si nous réussirons à trouver une solution que nous pouvons accepter toutes les deux, qui nous donnera satisfaction à l'une et à l'autre. Je ne veux pas t'obliger à nettoyer ta chambre si cela te rend malheureuse, mais je ne veux pas non plus être mal à l'aise ni fâchée contre toi. Comment pourrions-nous résoudre ce problème une fois pour toutes ? Es-tu prête à essayer ?

Sylvie : Je veux bien essayer, mais je sais qu'à la fin je vais devoir la nettoyer.

La mère : Non. Ce que je suggère c'est que nous trouvions une solution qui nous soit acceptable à toutes les deux, pas seulement à moi.

Sylvie : Tiens, j'ai une idée. Tu n'aimes pas faire la cuisine, mais tu aimes nettoyer, et moi je déteste nettoyer et j'aime faire la cuisine. En plus de cela, je veux pratiquer et m'améliorer sur ce point. Que dirais-tu si je préparais deux repas par semaine, pour toi, papa et moi, et si tu nettoyais ma chambre une fois ou deux par semaine ?

La mère : Tu crois que ça pourrait marcher ? Vraiment ?

Sylvie : Oui, je serais vraiment contente.

La mère : Ça va, on peut essayer. Est-ce que tu offres également de laver la vaisselle ?

Sylvie : Bien sûr.

La mère : Ça va. Peut-être que maintenant ta chambre sera propre à mon goût. Après tout, c'est moi qui vais la nettoyer.

Ces deux exemples de résolution de conflits par la Troisième Méthode soulignent un aspect important qui n'est pas toujours compris au premier abord par les parents. En employant la Troisième Méthode, plusieurs familles vont trouver des solutions variées et différentes pour le même problème. C'est une façon d'établir ensemble *une* solution acceptable *à la fois* par le parent et par l'enfant ; il ne s'agit pas d'une méthode pour déterminer une réponse « préfabriquée » qui soit « la bonne » pour toutes les familles. Pour résoudre le problème de l'imperméable, en employant la Troisième Méthode, une autre famille aurait pu s'entendre avec Nicole pour qu'elle prenne un parapluie. Dans une autre famille, la solution aurait pu être que le père conduise Nicole en voiture. Dans une quatrième famille, ils auraient pu tous deux accepter l'idée que Nicole porte son vieil imperméable beige cette journée-là et qu'on lui en procure un autre plus tard.

Un grand nombre de livres sur l'éducation des parents ont été « orientés vers des solutions » ; on y conseille aux parents de régler tel problème d'éducation par telle ou telle solution-type du genre « recette approuvée » par les experts. On a offert aux parents « la bonne » solution pour une infinité de cas, le problème de l'heure du coucher, celui de l'enfant qui ne s'empresse pas de manger, le problème de la télévision, celui de la chambre en désordre, le problème des tâches ménagères, et ainsi de suite ; la liste n'en finit plus.

Ma thèse est que les parents ont seulement besoin d'apprendre *une méthode pour résoudre les conflits,* une méthode qui peut s'employer avec les enfants de tous les âges. Dans cette approche, il n'y a pas de « meilleure » solution applicable à toutes ou à la plupart des familles. La meilleure solution pour telle famille, c'est-à-dire celle qui est acceptable par tel parent et tel enfant en particulier, peut ne pas être bonne pour une autre famille.

Voici comment une famille a résolu un conflit causé par la façon dont le fils se servait de sa nouvelle « mobylette ». Le père nous a rapporté ceci :

« Nous avons permis à Robert, qui a quinze ans et demi, d'acheter une « mobylette ». Un de nos voisins s'est plaint parce que Robert conduit sa « mobylette » dans la rue, ce qui est contre la loi (1). Un autre voisin s'est plaint parce que Robert s'était promené dans sa cour et avait endommagé son gazon. Il avait aussi détruit une partie des plates-bandes. Nous avons tenté de régler le problème et nous en sommes arrivés à plusieurs solutions :

1. N'employer la « mobylette » que pour le camping ;
2. N'employer la « mobylette » que sur notre propriété ;
3. Ne pas passer sur les plates-bandes ;
4. Maman emmènera Robert au parc avec sa « mobylette » pour quelques heures chaque semaine ;
5. Robert peut se promener avec sa « mobylette » dans les champs, s'il s'y rend en marchant ;
6. Robert peut construire une rampe de saut, sur un terrain vague avoisinant ;
7. Ne pas circuler sur les pelouses des voisins ;
8. Pas d'acrobatie sur notre gazon ;
9. Vendre la « mobylette ».

Nous avons éliminé les solutions 1, 2, 4 et 9, et nous nous sommes entendus sur toutes les autres. Après deux semaines, tout va bien. Tout le monde est content.

La Troisième Méthode est donc une méthode qui permet à chaque parent et à chaque enfant de résoudre chacun de leurs conflits particuliers en y trouvant leurs propres solutions acceptables par les deux parties.

Non seulement cette méthode semble être une approche plus réaliste pour l'éducation des enfants, mais elle simplifie grandement la tâche de former les parents à une plus grande efficacité dans l'éducation des enfants. Si nous avons découvert une méthode unique qui permet à la plupart des parents d'apprendre à résoudre les conflits, nous pouvons alors être beaucoup plus optimistes au sujet du développement de l'efficacité des futurs parents. Apprendre à être parent efficace peut devenir une tâche moins complexe que les parents et les professionnels n'ont été amenés à le croire.

---

(1) Aux Etats-Unis. (note de l'éditeur)

Pourquoi la Troisième Méthode est efficace.

L'enfant est motivé à appliquer la solution

La Troisième Méthode pour la résolution des conflits donne à l'enfant un plus grand degré de motivation dans l'application des décisions parce qu'elle emploie le principe de la participation.

Une personne est plus motivée à appliquer une décision à laquelle elle a participé qu'une décision qui lui est imposée par une autre personne.

La validité de ce principe a été prouvée à maintes et maintes reprises par des expériences menées en industrie. Lorsque les employés prennent part aux décisions, ils les appliquent avec une plus grande motivation que si elles leur sont imposées unilatéralement par leurs supérieurs. Les administrateurs qui font participer leurs employés dans les décisions qui les concernent obtiennent une plus grande productivité, ils maintiennent chez les ouvriers une satisfaction dans leur travail, un meilleur moral et un taux de remplacement peu élevé.

La Troisième Méthode ne garantit pas que les enfants vont toujours appliquer avec enthousiasme les solutions qui ont été trouvées aux conflits ; elle en accroît cependant de beaucoup la probabilité. Les enfants éprouvent le sentiment qu'une décision prise selon la Troisième Méthode *leur* appartient également. Ils ont trouvé une solution. Ils ont pris un engagement pour la mener à bien et se sentent responsables de l'appliquer. Ils réagissent également de façon favorable parce que leurs parents n'ont pas cherché à gagner à leurs dépens.

Les solutions qui résultent de la Troisième Méthode sont fréquemment les idées de l'enfant lui-même. Naturellement, son désir de les voir en application augmente. Un parent de nos groupes de formation nous a présenté cet exemple de résolution d'un conflit par la Troisième Méthode :

> Tous les soirs, Jeanne, âgée de quatre ans, voulait que son père joue avec elle immédiatement après son retour du travail. Son père toutefois se sentait généralement fatigué de son trajet sur des routes encombrées et avait besoin de se détendre. Habituellement, il aurait plutôt aimé lire le journal et boire un verre en arrivant à la maison. Souvent, Jeanne montait sur ses genoux, froissait le journal et le questionnait sans cesse. Le père avait essayé la Première Méthode, ensui-

te la Deuxième Méthode, sans résultat. Lorsqu'il employait la Première Méthode et qu'il refusait de jouer, il décevait l'enfant et lorsqu'il employait la Deuxième Méthode et qu'il cédait, il n'était pas content de lui-même. Il présenta le conflit à Jeanne et lui suggéra d'essayer de trouver une solution qui leur conviendrait à tous les deux. En quelques minutes, ils en arrivèrent à ceci : le père promit de jouer avec Jeanne à la condition qu'elle le laisse d'abord lire le journal et prendre un verre. Ils observèrent cette entente, et plus tard elle dit à sa mère : « Il ne faut pas déranger papa lorsqu'il se repose. » Plusieurs jours plus tard, lorsqu'une de ses amies s'approcha de son père pour lui parler ou jouer, il entendit Jeanne lui dire avec empressement qu'il « ne fallait pas déranger papa durant sa période de repos ».

Cet incident illustre à quel point est forte la motivation d'un enfant qui applique une décision à laquelle il a participé. Une décision prise selon la Troisième Méthode donne à l'enfant le sentiment de s'engager à quelque chose ; il met une partie de lui-même dans le processus de résolution du problème. Les parents pour leur part démontrent par leur attitude qu'ils ont confiance que l'enfant respectera l'entente. Lorsque les enfants sentent qu'on leur fait confiance, ils sont beaucoup plus portés à agir de façon responsable.

De meilleures chances de trouver une solution de très bonne qualité.

En plus de produire des solutions qui ont beaucoup plus de chances d'être acceptées et mises en pratique, la Troisième Méthode est plus apte à découvrir des solutions de haute qualité que les Première et Deuxième Méthodes. En coopérant, le parent et l'enfant trouvent des solutions originales que ni l'un ni l'autre n'aurait trouvées. Ces solutions seront plus créatrices, plus efficaces à résoudre le conflit, et répondront mieux à leurs besoins respectifs.

Rappelons-nous la solution que Sylvie et sa mère ont trouvée au sujet de la propreté de la chambre : Sylvie a offert de se charger de préparer le repas si sa mère voulait échanger cette tâche. Cet exemple nous démontre à quel point une solution peut être originale. La mère et la fille ont toutes les deux reconnu que le résultat final les avait grandement surprises.

Une autre excellente solution nous vient d'une famille qui a employé la Troisième Méthode pour résoudre un conflit entre les parents et leurs deux jeunes filles concernant le bruit de la télévision que ces dernières avaient l'habitude de regarder à l'heure du repas. Une des filles suggéra qu'en ne conservant que l'image elles trouveraient autant de plaisir à regarder leur émission. Tous acceptèrent ce procédé, imprévisible s'il en est, et qui pourrait être inacceptable dans une autre famille.

La Troisième Méthode développe les capacités de penser de l'enfant.

La Troisième Méthode encourage l'enfant à penser : cette approche fait directement appel à son imagination et à son jugement. Le parent déclare à l'enfant : « Nous avons un conflit, faisons un effort de pensée et essayons de trouver une bonne solution. » La Troisième Méthode requiert un exercice de raisonnement à la fois de la part du parent et de celle de l'enfant. Les deux font pratiquement face à une énigme et dans ce sens ils doivent employer leurs mêmes capacités d'invention et de déduction. Je ne serais pas surpris que dans le futur des recherches démontrent que les enfants des familles qui emploient la Troisième Méthode développent des capacités mentales supérieures à celles des enfants élevés selon les Première et Deuxième Méthodes.

Moins d'hostilité, plus d'affection.

Les parents qui emploient régulièrement la Troisième Méthode constatent généralement une réduction considérable de l'hostilité chez leurs enfants. Ce n'est pas surprenant : lorsque deux personnes *« s'entendent »* sur une solution, le ressentiment et l'hostilité se font rares. Dans les faits, lorsqu'un parent et un enfant font face à un conflit, ils « négocient » et en arrivent à une solution satisfaisante ; ils éprouvent souvent des sentiments de tendresse et d'affection. Lorsqu'ils sont résolus de façon acceptable pour tous, les conflits rapprochent les parents et les enfants ; ils sentent non seulement que le conflit a été réglé, mais chacun apprécie chaleureusement la bonne volonté de l'autre à considérer ses besoins et à respecter ses droits. De cette manière, la Troisième Méthode consolide et approfondit les relations.

Beaucoup de parents ont rapporté que dans les minutes qui suivent la résolution d'un conflit tout le monde ressent une joie spéciale. On va souvent rire, exprimer des sentiments d'affection à l'égard des autres membres de la famille, et souvent s'embrasser. Une joie et une affection semblables apparaissent dans cet extrait d'un enregistrement d'une entrevue avec une mère, ses deux filles et son garçon, tous trois adolescents. La famille venait tout juste de passer une semaine à régler plusieurs conflits par la Troisième Méthode :

Anne : Nous nous entendons beaucoup mieux maintenant ; nous nous aimons tous les uns les autres.

Consultant : Vous sentez vraiment une différence dans votre attitude en général, dans les sentiments d'affection que vous éprouvez les uns envers les autres.

Catherine : Oui, je les aime vraiment maintenant. Je respecte maman et maintenant j'aime Luc, alors ; je me sens beaucoup mieux.

Consultant : En quelque sorte, vous êtes maintenant vraiment contents d'appartenir à cette famille.

Luc : Oui ! Et je pense que nous sommes formidables.

Un an après avoir participé à notre programme de formation, une mère m'a écrit ce qui suit :

« Les changements dans nos relations familiales ont été subtils mais réels. Ce sont en particulier nos enfants les plus âgés qui apprécient ces changements. A un certain moment, notre famille vivait dans un climat affectif assez « malsain » : ressentiments, sentiments d'hostilité s'étaient accumulés au point où un rien déclenchait une explosion. Depuis que nous avons suivi votre programme de formation, nous avons appliqué ces nouveaux procédés et nous sommes parvenus à dissiper ce « brouillard » affectif. Maintenant l'atmosphère s'est éclaircie et elle peut demeurer saine. Nous n'éprouvons pas de tension à la maison sauf évidemment les petites frictions inévitables dans la vie de tous les jours. Nous réglons les problèmes au fur et à mesure qu'ils se présentent et nous sommes tous attentifs à nos sentiments ainsi qu'à ceux des autres. Mon fils de dix-huit ans dit qu'il peut sentir la tension dans les familles de ses amis et il dit apprécier l'absence de tension dans la nôtre. Votre programme nous a permis de combler le « fossé des générations ». Depuis que nous pouvons communiquer librement, nos enfants sont ouverts à notre système de valeurs et à nos vues sur la vie. Et leurs opinions nous apparaissent également enrichissantes. »

La Troisième Méthode demande moins de rappels.

La Troisième Méthode demande très peu de rappels car une fois que les parents et les enfants se sont entendus sur une solution acceptable, ils l'appliquent généralement. Les enfants apprécient beaucoup que les parents ne les aient pas forcés à accepter une solution où ils seraient perdants.

Avec la Première Méthode, les rappels et les mises en garde sont généralement nécessaires puisque la solution des parents est souvent inacceptable pour l'enfant. Moins une solution est acceptable pour l'enfant qui doit l'appliquer, plus le parent doit insister, rappeler, gronder, cajoler, vérifier, et ainsi de suite. Dans un de nos groupes, un père qui avait senti réduire son besoin d'insister l'exprimait par cet exemple :

> « Chez nous, le samedi a toujours été un dur moment à passer. Chaque samedi, il fallait se battre avec les enfants pour réussir à leur faire faire leur part du ménage. Toutes les fois, c'était la même chose, une grande bataille, des colères et de la rancune. Après avoir employé la Troisième Méthode pour répartir les tâches, les enfants se sont mis à faire leur part de travail sans même que nous ayons à nous en occuper. Ils n'avaient plus besoin de rappels ni de réprimandes. »

La Troisième Méthode élimine le besoin de pouvoir.

Ne faisant pas de perdant, la Troisième Méthode rend inutile l'emploi du pouvoir par le parent ou l'enfant. Alors que les Première et Deuxième Méthodes donnent lieu à des luttes de pouvoir, la Troisième Méthode produit une attitude bien différente. Les parents et les enfants ne se combattent pas les uns les autres, mais plutôt *travaillent ensemble* à une tâche commune ; ainsi, les enfants n'éprouvent pas le besoin d'employer leurs méthodes habituelles pour faire échec au pouvoir des parents.

Par la Troisième Méthode, les parents respectent les besoins des enfants. Le parent respecte aussi ses besoins personnels. Cette attitude indique à l'enfant : « Je respecte tes besoins et ton droit de les satisfaire, mais j'ai aussi mes besoins et le droit de les satisfaire. Essayons de trouver une solution qui puisse convenir à chacun. De cette manière, tes besoins seront satisfaits, et les miens le seront aussi. Personne ne perdra et nous y gagnerons tous les deux. »

Une jeune fille de seize ans dit à ses parents, en rentrant un soir à la maison :

> « Vous savez, j'éprouve un drôle de sentiment lorsque j'entends mes amis converser entre eux et se plaindre que leurs parents sont injustes. Ils répètent sans cesse qu'ils sont fâchés contre eux et qu'ils les détestent. Je reste là tranquille, sans trop parler parce que je ne partage aucun de leurs sentiments. Je me sens complètement en dehors de ça. Quelqu'un m'a demandé pourquoi je ne manifestais pas d'hostilité à l'égard de mes parents ; il voulait savoir s'il y avait quelque chose de différent dans ma famille. Je ne savais pas trop quoi répondre, mais après y avoir pensé, j'ai dit que chez moi nous avions la certitude que nos parents ne nous forceraient pas à faire quoi que ce soit. Nous n'avons pas peur d'être obligés de faire des choses ou d'être punis. Nous avons toujours l'impression qu'on tiendra compte de nous et que nous aurons l'occasion de participer aux décisions. »

Dans nos groupes, les parents perçoivent rapidement l'importance de vivre dans une famille où l'on n'a pas recours au pouvoir. Ils y voient des conséquences valables et intéressantes : en effet, ils ont ainsi la chance d'élever des enfants qui auront moins besoin de mécanismes d'adaptation qui les rendraient défensifs et leur causeraient du tort.

Ces enfants auront beaucoup moins besoin de développer des habitudes de résistance et de rébellion (puisqu'ils n'auront rien contre quoi résister ou se rebeller), beaucoup moins besoin de développer des habitudes de soumission et de démission passive (puisqu'il n'y aura pas d'autorité à laquelle se soumettre), beaucoup moins besoin d'évasion et de fuite (puisqu'il n'y aura rien qui leur donnera le goût de s'évader ou de fuir), beaucoup moins besoin de se venger des parents ou de les rabaisser (puisque les parents n'essaieront pas de gagner en employant leurs avantages psychologiques).

La Troisième Méthode traite les problèmes à fond.

Lorsque les parents emploient la Première Méthode, ils ratent souvent l'occasion de découvrir ce qui dérangeait vraiment leur enfant. Les parents qui en viennent rapidement à *leurs solutions* et qui ensuite ont recours à leur pouvoir pour les faire appliquer empêchent leur enfant d'exprimer des sentiments plus profonds et qui pourraient beaucoup mieux expliquer son comportement actuel. Comme conséquence, la Première Méthode empêche les parents de saisir les véritables problèmes et de contribuer de façon significative au développement et à la croissance de leur enfant.

D'un autre côté, la Troisième Méthode déclenche des réactions en chaîne. L'enfant peut alors saisir les véritables détails du problème qui l'amènent à agir de telle façon particulière. Une fois que l'on a touché le vrai problème, il n'est pas rare de voir apparaître une solution spontanée. La Troisième Méthode propose en fait un *processus de résolution des problèmes* : elle permet généralement au parent et à l'enfant de définir le véritable problème ; on augmente ainsi les chances de parvenir à une solution qui va résoudre le vrai problème, et non seulement le « problème prétexte », qui bien souvent ne sert que d'entrée en matière. Le « problème de l'imperméable » nous en donne un bon exemple : on a découvert qu'il était causé par la crainte de l'enfant d'être embarrassée de porter un imperméable beige « type militaire ». Voici d'autres exemples :

Serge, âgé de cinq ans, ne voulait plus aller à la maternelle après y être allé plusieurs mois sans se plaindre. Sa mère l'y emmena contre son gré deux ou trois journées, après quoi elle essaya de régler le problème. Elle nous raconta qu'en dix minutes elle découvrit la cause réelle : Serge avait peur que sa mère ne vienne pas le chercher et le temps entre le début du rangement de la classe et l'arrivée de sa mère lui paraissait interminable. Il se demandait également si sa mère n'essayait pas de se débarrasser de lui en l'envoyant à l'école.

La mère exprima à Serge ses sentiments à ce sujet : elle n'essayait pas de se débarrasser de lui et elle aimait beaucoup l'avoir à la maison avec elle, mais elle accordait aussi beaucoup d'importance à l'école. Appliquant le processus de la Troisième Méthode, ils découvrirent plusieurs solutions et choisirent celle-ci : sa mère irait le chercher avant l'heure du nettoyage de la classe. La mère nous a rapporté que par la suite Serge partait pour l'école content et qu'il rappela l'entente à plusieurs reprises ; il indiquait ainsi à quel point elle lui paraissait importante.

Un problème identique dans une autre famille fut résolu tout à fait autrement, car la Troisième Méthode avait permis de déceler qu'il s'agissait d'un problème différent. Dans cette famille, Marie, cinq ans, refusait de se lever et de s'habiller pour aller à la maternelle, causant chaque matin des soucis à toute la famille.

Nous reproduisons ici la transcription textuelle d'un enregistrement, un peu long mais combien touchant, de la conversation où Marie et sa mère en arrivent à une solution originale. Ce dialogue démontre non seulement comment le procédé aide le parent à découvrir un problème sous-jacent mais aussi comment l'écoute active est essentielle à la résolution des conflits par la Troisième Méthode et comment cette méthode amène une profonde acceptation de la solution. Finalement, cela nous prouve, de façon touchante, à quel point les enfants sont ensuite aussi intéressés que les parents à appliquer une solution acceptable.

La mère vient de résoudre un problème concernant ses quatre enfants. Elle s'adresse maintenant à Marie au sujet d'un petit conflit qu'elle n'a qu'avec elle :

La mère : Marie, il y a un problème que je veux soulever, c'est que tu prends beaucoup de temps à t'habiller le matin. Tu mets ainsi tout le monde en retard et même quelquefois tu empêches Claude de prendre son autobus. Je dois souvent monter dans ta chambre et t'aider à t'habiller, alors il ne me reste plus assez de temps pour préparer le déjeuner de tous. Je dois courir et dire à Claude de se dépêcher pour attraper son autobus. Pour moi, c'est un très gros ennui.

Marie : *(fortement)* : Mais je *n'aime* pas m'habiller le matin !

La mère : Tu n'aimes pas t'habiller pour aller à l'école.

Marie : Je n'ai pas le goût d'aller à l'école. Ce que j'aime, c'est rester à la maison et regarder des livres, lorsque je suis bien réveillée et toute habillée.

La mère : Tu aimerais mieux rester à la maison et jouer avec maman.

Marie : Oui.

La mère : Tu aimerais mieux rester à la maison et jouer avec maman.

Marie : Oui... jouer et regarder des livres.

La mère : Tu n'as pas souvent la chance de faire ça...

Marie : Non, je ne peux même pas jouer comme nous le faisons le jour de notre anniversaire. Nous ne le faisons pas non plus à l'école. Les jeux que nous avons à l'école sont différents.

La mère : Tu aimes les jeux de l'école.

Marie : Non, pas beaucoup parce que nous jouons les mêmes jeux tout le temps.

La mère : Tu les aimes une fois, mais tu ne les aimes pas tout le temps.

Marie : Oui, c'est pour ça que j'aime jouer des jeux à la maison.

La mère : Parce qu'ils sont différents des jeux que vous jouez à l'école, et que tu n'aimes pas faire la même chose tous les jours.

Marie : Oui, je n'aime pas faire la même chose tous les jours.

La mère : C'est intéressant pour toi d'avoir quelque chose de différent à faire.

Marie : Oui, comme faire du bricolage à la maison.

La mère : Vous ne faites pas de bricolage à l'école !

Marie : Non, nous ne faisons que du coloriage, de la peinture et du découpage.

La mère : On dirait que la chose que tu aimes le moins à l'école, c'est de répéter souvent les mêmes choses. Est-ce vrai ?

Marie : Non, pas tous les jours ; nous n'avons pas toujours les mêmes jeux.

La mère : Ah ! Vous n'avez pas les mêmes jeux tous les jours.

Marie : *(frustrée)* : Je fais les mêmes jeux tous les jours, mais quelquefois, nous apprenons de nouveaux jeux, *mais je n'aime pas ça.* J'aime rester à la maison.

La mère : Tu n'aimes pas apprendre de nouveaux jeux.

Marie : (*très irritée)* : Oui, j'aime ça...

La mère : Mais tu aimerais mieux rester à la maison.

Marie : *(soulagée)* : Oui, j'aime beaucoup rester à la maison et jouer et regarder des livres et rester à la maison et dormir, lorsque toi, tu es à la maison.

La mère : Seulement lorsque je suis à la maison.

Marie : Lorsque tu restes à la maison toute la journée, je veux rester à la maison. Lorsque tu n'es pas là, j'irai à l'école.

La mère : On dirait que tu penses que maman ne reste pas à la maison assez souvent.

Marie : C'est ça. Tu vas toujours à l'école pour enseigner le matin ou le soir.

La mère : Et tu aimerais mieux que je ne parte pas aussi souvent.

Marie : Oui.

La mère : Tu ne me vois pas assez souvent.

Marie : Chaque soir, c'est Suzanne, la gardienne, que je vois : et tu n'es pas là.

La mère : Et tu aimerais mieux me voir, moi.

Marie : *(déterminée)* : Oui.

La mère : Et tu penses que peut-être les matins où je suis à la maison...

Marie : Je resterai à la maison.

La mère : Tu voudrais rester à la maison pour voir maman.

Marie : Oui.

La mère : Voyons ça. Il y a mes cours que je dois donner. Je me demande si nous pouvons régler ce problème. As-tu des suggestions ?

Marie : *(hésitante)* : Non.

La mère : Je pensais que peut-être nous pourrions passer du temps ensemble l'après-midi lorsque Richard fait sa sieste.

Marie : *(joyeuse)* : C'est ça que j'aimerais !

La mère : Tu aimeras cela.

Marie : Oui.

La mère : Tu aimerais avoir du temps toute seule avec moi.

Marie : Oui, sans Paul, sans Claude, sans Richard. Seulement toi et moi à jouer et à lire des histoires. Mais je n'aimerais pas que tu lises des histoires parce que tu t'endors lorsque tu lis, tu fais toujours ça...

La mère : Oui, c'est vrai. Alors, peut-être tu aimerais jouer avec moi au lieu de faire une sieste, ça aussi c'est un problème; tu n'en as pas fait dernièrement et tu crois que peut-être tu n'en as plus besoin.

Marie : Je n'aime pas les siestes. En plus, ce n'est pas de cela que nous parlons.

La mère : C'est vrai, nous ne parlons pas de la sieste, mais je pensais que nous pourrions peut-être employer la période que tu prenais pour ta sieste pour être toutes les deux ensemble.

Marie : Toutes les deux...

La mère : Oui, peut-être qu'alors tu ne voudrais plus autant rester à la maison, le matin. Penses-tu que ça réglerait ce problème ?

Marie : Je n'ai pas très bien compris.

La mère : J'ai dit que, peut-être, si nous avions quelques heures l'après-midi et si nous pouvions être ensemble toutes seules et faire ce que tu voudrais, et si maman ne faisait rien d'autre que de jouer avec toi, peut-être que tu voudrais aller à l'école le matin, si tu savais que nous serions ensemble l'après-midi.

Marie : C'est ce que je veux faire. Je vais aller à l'école le matin et lorsque ce sera le temps de la sieste, nous faisons une sieste à l'école, tu ne travailleras même pas. Tu resteras à la maison et tu feras ce que je veux.

La mère : Je m'occuperai seulement de toi et je ne ferai pas de ménage à ce moment-là.

Marie : *(fermement)* : Non, pas de ménage.

La mère : D'accord, on devrait essayer. On commence tout de suite ? Dès demain.

Marie : Ça va, mais il va falloir faire une affiche, parce que *tu ne t'en souviendras pas*.

La mère : Alors, si je ne m'en souviens pas, il faudra résoudre notre problème à nouveau.

Marie : C'est ça. Mais maman, tu devrais faire une affiche et la placer au-dessus de la porte de ta chambre pour que tu t'en souviennes et en placer une dans la cuisine pour que tu t'en souviennes. Lorsque je rentrerai de l'école, tu t'en souviendras parce que tu auras regardé l'affiche, et lorsque tu iras te coucher, tu t'en souviendras parce qu'il y en aura une en face de toi.

La mère : Et de cette façon, je n'oublierai pas et je n'irai pas faire une sieste ou je ne commencerai pas à faire du ménage.

Marie : C'est ça.

La mère : Ça va, c'est une bonne idée, je vais faire une affiche.

Marie : Et fais-la ce soir pendant que je dormirai.

La mère : D'accord.

Marie : Et après tu pourras aller à ta réunion.

La mère : Eh bien ! je crois que nous avons résolu notre problème.

Marie : *(joyeuse)* : Oui.

Cette mère a employé la Troisième Méthode avec grande efficacité et a ainsi résolu ce problème familial assez répandu et assez agaçant ; elle nous a rapporté qu'après cette conversation Marie a cessé de lambiner et de se plaindre le matin. Plusieurs semaines plus tard Marie a annoncé qu'elle aimerait plutôt aller jouer dehors que de passer autant de temps avec sa mère. On peut en tirer la leçon suivante : une fois qu'on a découvert les vrais besoins de l'enfant par un processus de résolution du problème, et qu'on a trouvé une solution *appropriée* à ses besoins, le problème disparaît aussitôt que les besoins temporaires de l'enfant sont satisfaits.

Traiter les enfants comme des adultes.

L'approche sans perdant de la Troisième Méthode montre aux enfants que leurs parents considèrent leurs besoins comme importants et qu'en retour il est possible de faire confiance aux enfants pour respecter les besoins de leurs parents. Par cette attitude, on traite les enfants de la même manière qu'on traite des amis ou un conjoint. La méthode plaît beaucoup aux enfants parce qu'ils aiment sentir qu'on leur fait confiance et qu'on les traite en égaux. (La Première Méthode traite les enfants comme s'ils étaient irresponsables, immatures et écervelés.)

Le cas suivant nous a été soumis par un parent qui avait participé à notre programme de formation :

Le père : Il nous faut trouver une solution au sujet du coucher. Chaque soir, ta mère ou moi, et parfois tous les deux, nous devons insister, répéter et quelquefois te forcer pour que tu ailles te coucher à 8 heures. Je n'aime pas beaucoup faire ça, et je me demande ce que tu ressens à ce sujet.

Lise : Je n'aime pas que vous me disputiez et je n'aime pas aller me coucher aussi tôt. Je suis une grande fille maintenant et je devrais pouvoir me coucher plus tard que Jean-Pierre (son frère de deux ans plus jeune).

La mère : Tu crois que nous te traitons comme Jean-Pierre et que ce n'est pas juste.

Lise : Oui, j'ai deux ans de plus que lui.

Le père : Et tu crois que nous devrions te traiter comme si tu étais plus âgée.

Lise : Oui.

La mère : Tu as un bon argument. Mais, si nous te laissons te coucher tard et qu'ensuite tu traînes avant d'aller au lit, j'ai bien peur qu'il soit vraiment très tard avant que tu t'endormes.

Lise : Mais je ne traînerai pas, si je peux rester debout un peu plus longtemps.

Le père : Je me demande si tu pourrais nous démontrer pendant quelques jours que tu peux bien faire les choses. Nous pourrions alors changer ton heure de coucher.

Lise : Ce n'est pas juste, ça non plus.

Le père : Ça ne serait pas juste de te faire « gagner » une heure plus tardive.

Lise : Je pense que je devrais pouvoir rester debout plus longtemps parce que je suis plus grande *(silence)*. Je pourrais peut-être aller me coucher à 8 heures et lire jusqu'à 8 heures et demie ?

La mère : Tu irais te coucher à l'heure habituelle, mais tu laisserais la lumière allumée encore un moment et alors tu pourrais lire ?

Lise : Oui, j'aime ça, lire au lit.

Le père : Ça m'apparaît intéressant, mais qui va s'occuper de l'heure ?

Lise : Je vais m'en occuper, j'éteindrai la lumière à 8 heures et demie précises.

La mère : Je pense aussi que c'est une bonne idée, Lise. Je pense qu'on devrait l'essayer pour quelque temps.

Selon le père, les résultats furent les suivants :

« Après cela, nous avons eu très peu de problèmes à l'heure du coucher. Les quelques fois où la lumière de Lise n'était pas encore éteinte à 8 heures et demie, l'un de nous deux allait lui dire : « Il est 8 heures et demie maintenant, Lise, et selon notre entente, ta lumière devrait être éteinte. » Elle a toujours réagi positivement à ces petits rappels. Cette solution a permis à Lise d'être une « grande fille » et de lire comme papa et maman. »

La Troisième Méthode comme « thérapie » pour l'enfant.

Fréquemment, la Troisième Méthode apporte dans le comportement de l'enfant des changements qui ressemblent à ceux qui se produisent lorsque les enfants suivent une thérapie chez un professionnel. Il y a un aspect thérapeutique dans cette méthode. Un père participant à nos groupes nous a soumis deux exemples où l'emploi de la Troisième Méthode avait produit des changements immédiats de nature « thérapeutique » chez son fils de cinq ans :

> « Pierre avait montré un grand intérêt pour l'argent et souvent il prenait de la monnaie sur la table de nuit. Nous avons tenu une séance selon la Troisième Méthode pour résoudre ce conflit et nous en sommes arrivés à lui donner un sou chaque jour comme allocation. Comme résultat, il a tout de suite cessé de prendre de l'argent sur ma table de nuit et il a pris l'habitude de garder son argent pour acheter les choses qu'il désire. »
>
> « Nous étions très inquiets de l'intérêt que notre même fils éprouvait pour les émissions de science fiction à la télévision, ce qui semblait lui causer des cauchemars. Il y avait, à la même heure, une émission éducative plus calme. Il aimait aussi cette émission, mais ne la regardait que rarement. Au cours de notre conversation, nous avons adopté comme solution de regarder chaque émission à tour de rôle. Comme résultat ses cauchemars diminuèrent, et il en vint à regarder l'émission éducative plus souvent que celle de science fiction. »

D'autres parents nous ont rapporté des changements remarquables après qu'ils eurent employé la Troisième Méthode durant une certaine période de temps : leurs enfants améliorent leurs résultats scolaires, entretiennent de meilleures relations avec leurs camarades, sont plus ouverts et expriment plus facilement leurs sentiments, ont moins de sautes d'humeur, manifestent moins d'hostilité à l'égard de l'école, agissent avec plus de responsabilité concernant les travaux scolaires, font preuve d'une plus grande indépendance et d'une plus grande confiance en eux, sont d'une humeur plus joyeuse, ont un meilleur appétit : et ils montrent bien d'autres améliorations que les parents accueillent avec joie.

12

Les craintes et les préoccupations des parents au sujet de la méthode « sans perdant ».

Presque tous les parents de nos groupes comprennent facilement la méthode sans perdant pour résoudre les conflits et ils y voient immédiatement une source très prometteuse. Malgré cela, lorsque vient le temps de passer des discussions théoriques que nous tenons en classe sur cette nouvelle méthode *à sa mise en pratique* à la maison, bien des parents éprouvent des craintes légitimes et expriment des préoccupations compréhensibles à ce sujet.

« C'est très beau en théorie, nous disent plusieurs parents, mais est-ce que ça fonctionne vraiment dans la pratique ? » C'est une réaction très humaine d'éprouver des craintes face à une chose nouvelle et de vouloir en être bien convaincu avant d'abandonner ce à quoi on est habitué. De plus, les parents sont évidemment hésitants à « faire des expériences » avec leurs enfants qui leur sont si chers.

Pour éclairer le lecteur, voici quelques-unes des préoccupations et des craintes des parents et les réponses que nous apportons ; nous espérons que ces commentaires inciteront les parents à procéder à un essai véritable de la méthode sans pendant.

Simplement l'ancien conseil de famille sous un nouveau nom.

Certains parents montrent au début de la résistance à l'égard de la Troisième Méthode parce qu'elle leur fait penser à celle du « conseil de famille » que leurs parents avaient essayée avec eux.

Lorsque nous demandons à ces parents de nous décrire comment ces conseils de famille fonctionnaient, presque tous nous en donnent une description qui ressemble à ceci :

> « Chaque dimanche, papa et maman nous faisaient asseoir autour de la table de la salle à manger pour un conseil de famille et pour discuter des problèmes. La plupart du temps, c'est eux qui présentaient les problèmes, mais de temps en temps, nous, les enfants, nous en soulevions quelques-uns. Papa et maman parlaient presque tout le temps et papa présidait la réunion. Très souvent, ils nous faisaient la leçon, quand ce n'était pas un sermon. Habituellement nous avions l'occasion d'exprimer nos opinions, mais c'est presque toujours eux qui décidaient de la solution. Au début, nous trouvions cela amusant, mais à la longue, ça devenait ennuyeux. Nous ne l'avons pas fait très longtemps, si je me souviens bien. Les choses dont nous parlions étaient les tâches domestiques, l'heure du coucher, et la considération que nous devions avoir pour notre mère durant la journée. »

Bien que cette description ne corresponde pas à tous les conseils de famille, ces rencontres étaient fortement centrées sur les parents : le père agissait vraiment comme président, les solutions venaient toujours des parents, les enfants étaient « corrigés », ou « sermonnés », les problèmes étaient plutôt abstraits et ne prêtaient pas trop à la controverse, et l'atmosphère était généralement détendue et amicale.

La troisième Méthode n'est pas une « réunion », mais une *méthode* pour résoudre les conflits ne concernant pas nécessairement la famille au complet ; la plupart se rapportent au parent et à l'enfant. Les autres membres de la famille n'ont pas besoin d'être présents et ne devraient pas l'être. La Troisième Méthode n'est pas une excuse dont peuvent se servir les parents pour sermonner ou « éduquer », ce qui implique habituellement que le « professeur » ou le « prêcheur » a déjà la réponse.

Dans la Troisième Méthode, le parent et l'enfant cherchent une solution qui convienne à tous deux : il n'y a généralement pas de réponses préconçues lorsqu'on cherche une solution sans perdant. Il n'y a pas non plus de « président » ou de « chef » ; le parent et l'enfant agissent comme participants égaux engagés à chercher une solution à un problème commun.

En général, on applique la Troisième Méthode de façon spontanée, brève, directe, immédiate et concrète. Les participants s'attaquent aux problèmes dès qu'ils se présentent, plutôt que d'attendre et de les apporter comme question abstraite à un conseil de famille.

Finalement, pendant qu'on cherche une solution selon cette méthode, l'atmosphère n'est pas toujours détendue et amicale. Les conflits entre parent et enfant deviennent souvent émotifs et on y éprouve parfois des sentiments assez vifs.

Le père a besoin de l'auto pour se rendre à une réunion, mais Paul comptait s'en servir pour aller à un rendez-vous important.

Sylvie veut absolument porter le nouveau chandail de sa mère pour faire une sortie.

Pierrot veut aller se baigner alors qu'il a un rhume.

Serge a besoin de pratiquer sa guitare électrique à très haut volume.

De semblables conflits peuvent soulever de vifs sentiments. Lorsque les parents commencent à comprendre la différence entre le conseil de famille ancien style et la résolution des conflits sans perdant, il devient évident pour eux que nous ne faisions pas que rappeler une ancienne tradition sous un nouveau nom.

La Troisième Méthode vue comme une faiblesse des parents.

Certains parents, en particulier les pères, trouvent que la Troisième Méthode consiste à « laisser gagner » les enfants, « se montrer faible » ou « renoncer à ses convictions ». Après avoir écouté l'enregistrement de la conversation entre Marie et sa mère au sujet de leur conflit concernant le départ pour l'école, l'un d'eux protesta vigoureusement : « Cette mère a tout simplement cédé à sa fille ! Elle doit maintenant passer une heure chaque après-midi avec cette enfant gâtée. L'enfant a gagné, n'est-ce pas ? » Bien sûr que l'enfant « a gagné », mais la mère a gagné elle aussi. Elle n'aura plus besoin de régler ce problème émotif cinq matins par semaine.

Nos moniteurs comprennent cette réaction, car ils l'entendent pratiquement dans tous les groupes de parents. On est tellement habitué à penser qu'il y a toujours un gagnant et un perdant dans un conflit ! On croit généralement que si une personne obtient satisfaction, l'autre doit avoir cédé quelque chose. Il doit y avoir un perdant.

Les parents éprouvent de la difficulté à imaginer la possibilité que dans un conflit *les deux parties* puissent obtenir gain de cause. Il ne faut pas confondre la Troisième Méthode, et la Deuxième Méthode qui donne raison à l'enfant aux dépens du parent. Le raisonnement suivant paraît tellement naturel aux parents : « Si j'abandonne la Première Méthode, il ne me reste que la Deuxième Méthode. » « Si ce n'est pas moi qui ai raison, c'est mon enfant qui va prendre le dessus. » Nous reconnaissons ici l'approche « gagnant ou perdant » face aux conflits.

Les parents ont besoin d'aide pour en arriver à comprendre la différence entre la Deuxième et la Troisième Méthode. Il faut leur répéter à plusieurs reprises que dans la Troisième Méthode *eux aussi* doivent trouver satisfaction à leurs besoins, *eux aussi* doivent accepter la solution finale. S'ils *ressentent* qu'ils ont cédé à l'enfant, c'est qu'ils n'ont pas employé la Troisième Méthode mais la Deuxième Méthode. Par exemple, dans le conflit entre Marie et sa mère (Marie ne voulait pas aller à la maternelle), il faut que cette mère accepte véritablement au fond d'elle-même de consacrer une heure d'attention exclusive à sa fille comme elle le fait dans ce cas-là. Si elle ne l'accepte pas vraiment, alors elle cède à Marie. (Deuxième Méthode).

Au point de départ, certains parents ne voient pas que la mère de Marie a gagné, elle aussi : en effet, elle n'a plus à passer une mauvaise période chaque matin, et elle ne se sent plus coupable d'avoir à pousser Marie hors de la maison pour l'emmener à l'école ; elle éprouve de plus la satisfaction de découvrir chez sa fille un besoin insatisfait et de trouver une façon de le combler.

Quelques parents ne réussissent pas à percevoir la Troisième Méthode autrement que comme un « compromis », et pour eux ce mot signifie *concéder*, accepter moins que ce qu'ils voulaient et être *faibles*. Lorsque je les entends exprimer ce sentiment, il me revient à l'esprit cette phrase tirée du discours inaugural du regretté John F. Kennedy : « N'ayez pas peur de négocier, mais ne négociez jamais de peur. » Employer la Troisième Méthode signifie négocier, et elle implique aussi le courage de négocier en prolongeant la conversation jusqu'à ce que l'on découvre une solution qui satisfasse à la fois les besoins du parent et ceux de l'enfant.

Pour nous, la Troisième Méthode ne signifie pas « faire des concessions » dans le sens d'accepter moins que ce dont vous avez besoin ; tout au contraire, notre expérience nous a montré que cette méthode apporte plus au parent et à l'enfant que ce que chacun avait souhaité. Cette approche produit souvent des solutions que les psychologues appellent « élégantes », c'est-à-dire des solutions qui sont non seulement bonnes, mais souvent les meilleures pour les deux personnes impliquées. Alors la Troisième Méthode ne signifie pas que les parents cèdent ou renoncent à leur rôle, bien au contraire. Etudions le conflit suivant qui implique toute une famille et remarquons à quel point la solution apporte satisfaction aux parents aussi bien qu'aux enfants. Le fait nous est rapporté par la mère :

« Nous en arrivions à la préparation des fêtes de Pâques. Comme chaque année, je ressentais une certaine obligation de préparer un repas de famille avec des plats spéciaux et d'en faire une rencontre solennelle. Mes trois fils et mon époux exprimèrent des désirs différents, ce qui nous amena à chercher une solution. Mon mari voulait entreprendre des travaux de peinture dans la maison et n'était pas disposé à consacrer du temps à un repas élaboré ni à s'occuper d'invités. Mon fils qui va à l'université désirait amener un ami qui n'avait jamais eu l'occasion de vivre une vraie rencontre de famille pour cette fête. Mon autre fils, adolescent qui va à l'école, voulait que nous allions passer les quatre jours à notre chalet. Le plus jeune des garçons se plaignait pour sa part d'avoir à s'endimancher pour ce repas dont il n'appréciait pas le formalisme. Quant à moi, je valorisais le sentiment d'unité familiale qui se dégage d'un tel événement ; j'éprouvais en plus le besoin de me sentir une bonne mère en préparant un bon repas. Le plan qui résulta de cette « négociation » fut le suivant : j'ai préparé un repas que nous avons emporté au chalet après que mon mari eut repeint la maison. Mon fils qui étudie à l'université a invité son ami et les garçons ont aidé leur père pour que nous puissions nous rendre plus tôt au chalet. Pour une fois, le résultat ne provoqua ni claquements de porte ni colère. Même l'invité de mon fils a aidé à faire la peinture. Tout le monde s'est bien amusé ; ce furent nos meilleures fêtes de Pâques. C'est la première fois que nos garçons collaboraient avec leur père pour un travail concernant la maison sans en faire un grand problème. Mon mari était ravi, les garçons emballés, et moi très contente de ma contribution à cette fête de Pâques. En plus de ça, je n'avais pas eu tout le travail habituellement nécessaire pour préparer un grand repas de cérémonie. Tout se déroula beaucoup mieux que nous aurions pu le rêver. Jamais plus je ne dicterai de décisions à ma famille ! »

Dans ma propre famille, un conflit très sérieux se produisit au sujet des vacances de Pâques, et la Troisième Méthode nous permit de trouver une solution inattendue et acceptable pour tous. En adoptant cette solution, mon épouse et moi-même ne nous sommes nullement sentis « faibles » ; nous nous sentions chanceux d'avoir réussi à éviter le cauchemar de la plage de Newport !

Notre fille de quinze ans tenait à accepter une invitation à passer ses vacances de Pâques à la plage de Newport avec un groupe de ses amies. A cette occasion, on retrouve aussi à cet endroit les « garçons », de même que la bière, la drogue et aussi les policiers ! Mon épouse et moi-même éprouvions de sérieuses craintes à laisser notre fille s'exposer à ces rencontres annuelles qui regroupent des milliers d'adolescents, après avoir lu dans les journaux ce qui s'y était passé à plusieurs reprises. Nous lui avons exprimé nos craintes mais notre fille n'en changea pas ses intentions, étant donné son profond désir d'aller à la plage avec ses amies. Nous savions que si elle y allait, nous aurions de la difficulté à dormir et que nous garderions la peur de recevoir en pleine nuit un appel téléphonique nous demandant de la tirer d'une situation embarrassante. L'écoute active nous a permis de découvrir certaines choses surprenantes. Son principal besoin était de passer le congé avec une de ses amies en particulier, de se trouver dans un endroit où il y aurait des garçons et de séjourner sur la plage de façon à pouvoir retourner à l'école avec une belle peau bien bronzée. Deux jours plus tard, le conflit n'étant toujours pas résolu, notre fille nous présenta une nouvelle solution. Serions-nous intéressés à une fin de semaine de golf ? (« Il y a longtemps que vous n'avez pris de telles vacances. ») Elle pourrait amener son amie et nous pourrions tous nous installer à proximité d'un de mes terrains de golf préférés. Nous serions aussi près d'une plage, non pas celle de Newport, mais une autre où il se trouverait des garçons. Nous nous sommes empressés d'accepter cette solution, grandement soulagés de trouver une façon d'éviter l'inquiétude que nous aurions ressentie de la savoir à la plage de Newport, sans surveillance. Elle aussi était très contente, puisque de cette façon tous ses besoins étaient satisfaits. Tout se déroula tel que prévu : ma femme et moi avons joué au golf, les filles ont passé leur temps à la plage et nous nous retrouvions en fin de journée. On constata par la suite qu'il y avait peu de garçons sur cette plage, ce qui désappointa les filles. Malgré cela, ni l'une ni l'autre ne s'en est plainte, ni n'a exprimé de ressentiment à notre égard pour la décision que nous avions prise ensemble.

Cette situation illustre également que certaines solutions obtenues par la Troisième Méthode se révèlent ne pas être parfaites. Quelquefois, de façon imprévisible, il arrive qu'une solution qui devait pouvoir satisfaire les besoins de tout le monde en déçoit quelques-uns. Cependant, cela ne semble pas causer de ressentiment ou d'amertume dans les familles qui emploient la Troisième Méthode. Les enfants se rendent sans doute compte assez clairement que ce ne sont pas les parents qui ont causé la déception, contrairement à ce qui se produit avec la Première Méthode : ils constatent que c'est plutôt le hasard, la température ou la chance. Ils peuvent blâmer des facteurs externes ou imprévisibles, mais non leurs parents. Avec la Troisième Méthode, les enfants ont la nette impression que les solutions viennent autant d'eux que de leurs parents : ce facteur compte également.

Un groupe ne peut pas prendre de décisions.

C'est un mythe assez répandu que seuls les individus sont capables de prendre des décisions, alors que les groupes en sont incapables. « Un chameau, c'est un cheval qui a été dessiné par un comité d'étude. » Les parents emploient souvent cette citation humoristique pour appuyer leur croyance que les groupes ne peuvent pas en arriver à une solution ou que la solution sera de qualité inférieure. Une autre citation que les parents reprennent dans nos groupes est celle-ci : « Quelqu'un doit décider pour le groupe. »

Ce mythe persiste parce que très peu de gens ont eu l'occasion de participer à des prises de décisions de groupe efficaces. Tout au cours de leur vie, la plupart des adultes se sont vu refuser cette expérience par ceux qui exerçaient un pouvoir sur eux car ces derniers employaient la Première Méthode pour régler les problèmes et résoudre les conflits, que ce soit leurs parents, leurs professeurs, les oncles et tantes, les chefs scouts, les instructeurs, les gardiennes, les officiers, leurs employeurs, et ainsi de suite. Dans notre société dite « démocratique », très peu d'adultes ont pu vivre des expériences de groupes où on résout démocratiquement les problèmes et les conflits. Il n'est pas étonnant que des parents soient sceptiques sur la capacité des groupes de prendre des décisions, car ils n'ont jamais eu la chance d'en voir un seul réussir !

Il y a lieu de s'inquiéter des implications de cette attitude dans un contexte social où les dirigeants proclament fréquemment l'importance d'éduquer les enfants à devenir des citoyens responsables.

C'est peut-être pour cette raison que bien des parents nous demandent des preuves qu'un groupe familial peut prendre des décisions de haute qualité et résoudre avantageusement les problèmes, même ceux qui sont délicats et complexes, tels les conflits qui touchent :

Les allocations et l'argent ;
L'entretien de la maison ;
Les tâches de chacun ;
Les achats pour toute la famille ;
L'usage de l'auto ;
L'emploi de la télévision ;
Les vacances ;
Le comportement des enfants lors des réceptions
à la maison ;
L'usage du téléphone ;
L'heure du coucher ;

Les repas ;
La place et le comportement de chacun dans l'automobile ;
L'heure des rentrées ;
Le choix des aliments ;
L'attribution des chambres et des espaces de rangement ;
L'entretien des chambres, etc.

La liste est interminable ; les familles *peuvent* prendre des décisions de groupe et plusieurs en font la preuve tous les jours en employant la méthode sans perdant. Bien entendu, les parents doivent s'engager à employer la Troisième Méthode, faire confiance à eux-mêmes et aux enfants et, comme groupe, expérimenter véritablement cette approche pour trouver des solutions originales et acceptables par tous.

La Troisième Méthode prend trop de temps.

L'idée d'avoir à consacrer beaucoup de temps à régler les conflits inquiète souvent les parents. Monsieur V..., un dirigeant d'entreprise, qui passait déjà beaucoup de temps en réunion pour les besoins de son travail, nous déclare : « Il m'est impossible de trouver le temps de m'asseoir et de passer une heure avec chacun de mes enfants chaque fois qu'un conflit survient. C'est ridicule ! » Madame B..., mère de cinq adolescents, nous dit : « Je ne pourrai pas m'acquitter de mon travail à la maison s'il faut que j'emploie la Troisième Méthode avec chacun de mes cinq enfants ; je suis déjà débordée ! » Nous ne nions pas que la Troisième Méthode prenne du temps. La durée dépend du problème et de la bonne volonté du parent et de l'enfant à rechercher une solution sans perdant. Voici quelques constatations tirées de l'expérience de parents qui se sont véritablement engagés et ont appliqué souvent la Troisième Méthode :

1. Plusieurs conflits sont minimes et ne requièrent que quelques minutes, dix minutes au plus ;
2. D'autres problèmes demandent plus de temps, comme celui des tâches ménagères, de l'usage de la télévision ou de l'heure du coucher. Cependant, une fois qu'ils ont été résolus par la Troisième Méthode, ils le sont généralement pour de bon. Contrairement aux décisions de la Première Méthode, celles

prises selon la Troisième Méthode ne sont pas remises en question continuellement ;

3. Les parents gagnent du temps à la longue car ils n'ont pas à passer des heures à rappeler, à insister, à vérifier, à harceler ;
4. Dans les premiers temps où une famille emploie la Troisième Méthode, les premières sessions demandent habituellement beaucoup plus de temps, parce que les enfants « et les parents » n'ont pas l'expérience de ce nouveau procédé, parce que les enfants peuvent ne pas avoir confiance dans les bonnes intentions de leurs parents (« Qu'est-ce que cette nouvelle technique pour mieux nous contrôler ? »), ou encore parce qu'il subsiste encore du ressentiment ou une partie de l'attitude perdant ou gagnant (« Il faut que je fasse prévaloir mon point de vue »).

Nous avons constaté chez les familles qui emploient la méthode sans perdant un changement que je n'avais nullement soupçonné au départ et qui devient la plus grande économie de temps : après une certaine période, il ne se produit plus tellement de conflits. Et ce résultat est sans doute le plus important !

« Il nous semble que nous manquons de problèmes à régler », nous a rapporté une mère, moins d'un an après avoir complété notre programme.

Une autre mère à qui je demandais des exemples d'application de la Troisième Méthode dans sa famille m'écrivit : « Nous aimerions bien répondre à votre demande de matériel de recherche, mais récemment il ne s'est pas produit chez nous de conflits qui auraient permis de mettre la Troisième Méthode en pratique. »

Dans ma propre famille, au cours de l'année dernière, je ne me souviens pas que se soient présentés de sérieux conflits entre parent et enfant ; tout simplement les choses se sont toujours arrangées facilement sans donner lieu à de véritables conflits.

Je croyais que les conflits se renouvelleraient année après année, et je suis certain que la plupart des parents qui ont participé à notre programme de formation le croyaient également. D'où vient cette diminution des conflits ? Après y avoir pensé, j'en donne l'explication suivante : la Troisième Méthode provoque un changement radical d'attitude chez les enfants et les parents. Sachant que les parents ont renoncé à employer le pouvoir pour avoir raison, pour gagner aux dépens des enfants en ne respectant pas leurs besoins, ces enfants n'ont plus à insister pour triompher ni à se défendre vigoureusement contre le pouvoir des parents. En conséquence, les grands conflits disparaissent presque totalement. Au lieu de soulever inutilement des conflits, le jeune devient conciliant, et il respecte autant les besoins de ses parents que les siens propres. Lorsqu'il éprouve un besoin, il l'exprime et ses parents cherchent une façon de le satisfaire ; lorsque les parents présentent des besoins, ils les expriment et l'enfant cherche des façons de les combler. Lorsque l'un ou l'autre rencontre des difficultés à concilier, il le voit beaucoup plus comme un problème à régler que comme une bataille à livrer.

Un autre changement se produit aussi : les parents et les enfants commencent à employer des méthodes pour *éviter* des conflits. Une adolescente se fait un devoir de laisser une note à son père sur la porte d'entrée, pour lui rappeler qu'elle a besoin de l'auto ce soir-là. Ou encore, elle demande à l'avance si elle peut inviter son amie à dîner, le vendredi suivant. Remarquez qu'elle ne demande pas *une permission ;* obtenir la permission des parents est une pratique empruntée aux familles qui emploient la Première Méthode : elle implique que le parent a pour rôle de *refuser* ou *donner* la permission. Dans l'atmosphère créée par la Troisième Méthode, l'enfant dit plutôt : « J'ai l'intention de faire telle chose, à moins que je n'apprenne que cela nuit à l'un de vos besoins. »

Les parents n'ont-ils pas raison de préférer la Première Méthode, puisqu'ils ont plus d'expérience ?

Les parents justifient leur emploi du pouvoir sur leurs enfants en alléguant qu'ils sont plus sages ou qu'ils ont une plus grande expérience. Cette notion a des racines profondes. Nous avons déjà cité les raisonnements qu'on nous soumet habituellement : « Nous connaissons mieux la situation à cause de notre expérience », « C'est pour son bien que nous l'empêchons de faire ça », « Nous voulons t'empêcher de faire les mêmes erreurs que nous avons faites », « Nous ne pouvons pas te laisser faire des erreurs que tu regretteras plus tard », etc.

Nombreux sont les parents qui tiennent des raisonnements semblables à leurs enfants et qui croient sincèrement ce qu'ils disent. Nous n'avons pas rencontré d'attitude plus difficile à modifier dans nos groupes que celle-ci : en effet, les parents se croient justifiés, ou pensent même avoir la responsabilité d'employer leur pouvoir parce qu'ils sont plus intelligents ou plus sages et qu'ils ont plus de connaissances, de maturité et d'expérience.

Cette attitude n'est pas exclusive aux parents. Tout au cours de l'histoire, les tyrans ont employé cet argument pour justifier le pouvoir qu'ils exerçaient sur leurs sujets, qu'ils soient esclaves, paysans, barbares, colons des forêts, nègres, immigrants, chrétiens hérétiques, agitateurs, roturiers, ou encore les travailleurs, les juifs, les Latins, les Orientaux, ou les femmes. Ce fait semble universel : tous ceux qui exercent un pouvoir sur d'autres sentent le besoin de justifier leur oppression et leur inhumanité en jugeant comme inférieurs ceux sur qui ils l'exercent.

Qui peut réfuter l'idée que les adultes sont plus sages et ont plus d'expérience que les enfants ? Cela semble tellement évident en soi. Pourtant, lorsque nous demandons aux parents de nos groupes si leurs propres parents ont déjà pris de mauvaises décisions en employant la Première Méthode, tous nous répondent : « Oui. » Comme il est facile pour les parents d'oublier leur expérience d'enfant ! Comme il est facile d'oublier qu'il arrive que les enfants ressentent beaucoup mieux que leurs parents s'ils ont sommeil ou s'ils ont faim, qu'ils apprécient mieux les qualités de leurs amis, leurs aspirations, leurs buts, qu'ils comprennent plus facilement comment leurs divers professeurs les traitent, qu'ils connaissent mieux les désirs et les besoins de leur corps, ou encore qu'ils savent mieux qui ils aiment et qui ils n'aiment pas, ce qui est important pour eux !

Les parents ont-ils une sagesse supérieure ? Non. Cependant, dans plusieurs situations qui concernent leurs enfants, les parents ont acquis une sagesse et une expérience très valables et il est bon d'utiliser ces précieuses ressources.

Dans nos groupes, beaucoup de parents ne se rendent pas compte au début que la méthode sans perdant fait appel *à la sagesse du parent combinée à celle de l'enfant.* Ni l'une ni l'autre n'est laissée de côté dans la recherche d'une solution (ce qui contraste avec la Première Méthode où on néglige la sagesse de l'enfant ou la Deuxième Méthode où on néglige celle du parent).

La mère de jumelles, jolies et exceptionnellement intelligentes, nous a fait part d'une discussion très réussie : cette conversation avait pour but de savoir si les jumelles devaient passer dans la classe supérieure afin de rendre leur travail scolaire plus intéressant et plus stimulant ou demeurer dans la classe où elles étaient avec leurs amies. Traditionnellement ce sont les « experts », soit les professeurs, les administrateurs et les parents, qui règlent seuls ce genre de problème. Dans le cas qui nous intéresse, la mère avait évidemment ses idées, mais elle faisait également confiance à la sagesse des sentiments de ses filles, à leur propre potentiel intellectuel et à leur capacité de découvrir ce qui serait préférable pour elles. Après avoir pesé le pour et le contre pendant plusieurs jours, et après avoir écouté les opinions et les interventions de leur mère, de même que les renseignements fournis par leur professeur, les jumelles acceptèrent la solution de monter de classe. Le résultat de cette décision familiale s'avéra tout à fait bienfaisant, tant pour la satisfaction des jumelles que pour leur rendement scolaire.

La Troisième Méthode peut-elle être appliquée aux jeunes enfants ?

« Cette méthode peut fonctionner avec des enfants plus âgés car ils peuvent s'exprimer facilement, ils ont acquis une certaine maturité et sont capables de raisonner, mais je ne vois pas comment je pourrais l'appliquer avec mes enfants de deux à six ans. Ils sont trop jeunes pour savoir ce qui leur convient. Devrais-je alors employer la Première Méthode. ? »

Cette question nous est posée dans chacun de nos groupes. Quoi qu'on en pense, la preuve nous a été donnée que la Troisième Méthode s'applique aussi à de très jeunes enfants, car de nombreuses familles l'ont employée avec succès. A titre d'exemple, voici une conversation où une mère résout sans perdant un conflit qu'elle avait avec sa fillette de trois ans :

Catherine : Je ne veux plus aller chez ma gardienne.

La mère : Tu n'aimes pas aller chez Mme Latour lorsque je vais au travail.

Catherine : Non, je ne veux pas y aller.

La mère : Il faut que j'aille travailler et tu ne peux pas rester à la maison, mais je vois que tu n'aimes pas aller chez elle. Est-ce qu'il y aurait moyen de faire quelque chose pour qu'il soit plus facile d'y rester ?

Catherine : *(silence)* : Je pourrais rester sur le trottoir jusqu'à ce que tu partes...

La mère : Mais tu dois rester à l'intérieur avec les autres enfants pour que Mme Latour sache où tu es.

Catherine : Je pourrais regarder par la fenêtre pour te voir partir.

La mère : D'accord, c'est ce qu'on fera la prochaine fois.

Voici comment une petite fille de deux ans a réagi à une approche où le parent n'a pas recours au pouvoir. L'incident nous est décrit par sa mère :

« Je préparais le repas du soir tandis que ma fille s'amusait sur son cheval de bois. A un moment donné, elle prit la courroie qui sert à y attacher un enfant et essaya de la boucler elle-même. Elle commença à crier et sa voix devint aiguë et son visage rouge à mesure que sa frustration augmentait. Ses cris commencèrent à me fâcher : alors, comme d'habitude, je me penchai pour la lui attacher, mais elle refusa de me laisser faire et continua de crier. J'étais sur le point de la faire descendre de son cheval et d'aller la conduire dans sa chambre, puis de fermer la porte pour atténuer le bruit, lorsqu'une lumière se fit en moi. Je me baissai à son niveau, plaçai mes mains sur les siennes et lui dit : «Tu es fâchée parce que tu ne peux pas le faire toi-même. » Elle répondit affirmativement par un signe de tête, s'arrêta de crier, et quelques secondes plus tard, elle se berçait à nouveau toute joyeuse. Je me suis mise à penser : « Et dire que c'est si simple. »

A cette mère étonnée, j'aimerais dire : « Non, ce n'est pas toujours aussi simple », mais la Troisième Méthode donne des résultats surprenants avec les enfants d'âge préscolaire et même avec les bébés. Je me souviens très bien de cet incident qui s'est produit dans notre famille :

Alors que notre fille n'avait que cinq mois, nous avons passé un mois de vacances dans un chalet près d'un lac. Avant ce voyage, nous avions été tranquilles parce que la petite n'avait jamaïs demandé à boire entre 11 heures du soir et 7 heures du matin. Ce changement d'environnement modifia notre chance. Elle commença à avoir soif à 4 heures du matin, et il nous était pénible de nous lever à cette heure matinale. Nous étions dans la partie nord du pays et, comme le mois de septembre était commencé, on gelait dans le chalet. Tout ce que nous avions à notre disposition, c'était un poêle à bois. Nous devions prendre la peine d'allumer un feu ou, ce qui était pire, nous enrouler dans des couvertures et essayer de nous tenir au chaud. Nous nous sentions vraiment en situation de « conflits de besoins » et il nous fallait chercher ensemble à résoudre ce problème. Après nous être consultés, ma femme et moi, nous avons décidé d'offrir à l'enfant une solution avec l'espoir qu'elle la trouverait acceptable. Plutôt que de la nourrir simplement à 11 heures, le soir suivant nous lui avons donné une petite quantité additionnelle de lait à minuit. Le matin suivant elle ne s'est réveillée qu'à 5 heures : jusque-là tout allait bien. Ce soir-là, nous avons procédé de la même façon et nous l'avons recouchée vers minuit et demi. Cela nous réussit ; le changement lui convenait. Les matins suivants, elle ne s'éveilla pas avant 7 heures, moment où nous désirions nous lever de toute façon. Il n'y a pas eu de perdant, nous avons tous gagné.

Non seulement est-il possible d'employer la Troisième Méthode avec les très jeunes enfants, mais il est même important de commencer à l'employer alors qu'ils sont très jeunes. Plus les parents l'appliquent tôt, plus l'enfant apprend tôt à établir des rapports démocratiques avec les autres, à respecter leurs besoins, à prendre conscience de ses propres besoins et à se rendre compte des situations où ceux-ci sont respectés.

Plusieurs parents ont participé à notre programme de formation alors que leurs enfants étaient déjà assez grands ; ils se sont alors initiés à la Troisième Méthode après s'être habitués à l'emploi du pouvoir par l'une ou l'autre des deux premières méthodes ; ces parents éprouvent inévitablement plus de difficultés que ceux qui emploient la Troisième Méthode dès le début.

Un parent a raconté à son groupe que les premières fois que lui et son épouse avaient essayé d'employer la Troisième Méthode avec le plus vieux de leurs garçons, celui-ci avait dit : « Qu'est-ce que cette nouvelle technique psychologique que vous essayez d'employer pour m'amener à faire ce que vous voulez ? » Ce garçon perspicace, habitué aux méthodes de résolution de conflits *gagnant ou perdant* (l'enfant était habituellement le perdant), trouvait difficile de faire confiance aux bonnes intentions de ses parents et à leur désir véritable d'essayer la méthode sans perdant. Dans le prochain chapitre, je vais expliquer comment surmonter de telles résistances de la part des adolescents.

N'y a-t-il pas de situations où il faut employer la Première Méthode ?

C'est devenu une plaisanterie, pour ceux d'entre nous qui enseignent notre programme, de voir dans presque tous les groupes un parent mettre en cause la validité ou les limites de la Troisième Méthode par une ou deux questions du genre :

> « Mais si en traversant la rue votre enfant se précipite devant une auto. A ce moment-là *ne devez-vous pas* employer la Première Méthode ? » « Et si votre fils se casse un bras en tombant d'une échelle *ne devez-vous pas* le prendre et l'emmener à l'hôpital ? La Première Méthode n'est-elle pas nécessaire ? »

Naturellement, nous répondons à ces deux questions par l'affirmative ; ce sont des situations de crise qui demandent une action vive et immédiate. Cependant, avant qu'un enfant se précipite devant une auto ou qu'il ait besoin qu'on le conduise à l'hôpital, on peut tout d'abord lui parler des dangers que représente l'automobile, marcher avec lui à l'intérieur de la cour, lui dire que tout ce qui dépasse ces limites représente un danger, lui montrer une photo d'un enfant frappé par une auto, construire une clôture autour de la cour ou encore le surveiller durant quelques jours lorsqu'il joue dans l'avant-cour et lui rappeler le danger à chaque fois qu'il s'aventure trop loin. Il est évident que la punition seule ne garantit pas que l'enfant ne risquera pas de nouveau sa vie dans la rue. Il vaut toujours mieux employer des méthodes plus durables.

Dans le cas des enfants qui deviennent malades ou qui ont besoin d'une intervention chirurgicale, de traitements ou d'exercices correctifs, les méthodes sans perdant peuvent aussi être extrêmement efficaces. Dans la situation que nous décrivons ici, une fillette de neuf ans et sa mère se rendent à une clinique pour le premier d'une série de traitements que la petite devra recevoir deux fois par semaine. La mère emploie exclusivement l'écoute active.

Elise : *(en un long monologue) :* Je ne veux pas recevoir ces traitements... ça fait mal... Je suppose que je vais en recevoir toute ma vie... deux fois par semaine. J'aime mieux continuer à supporter mes allergies. Pourquoi est-ce que tu m'as amenée ici ?

La mère : Hum-mmm.

Elise : Maman, est-ce que tu te souviens de la fois où je m'étais foulé le pied en tombant dans l'escalier et qu'on m'avait donné des soins ?

La mère : Oui, je m'en souviens. Le docteur t'avait replacé l'articulation et posé un bandage.

Elise : Le docteur m'avait dit de regarder une peinture accrochée au mur et alors je n'ai presque pas senti le coup.

La mère : Il y a des docteurs qui peuvent intervenir sans que tu ressentes tellement de mal.

Elise : *(à leur arrivée)* : Je n'entre pas.

La mère : *(tout en marchant)* : Tu aurais aimé mieux ne pas venir.

Elise : *(Elle entre avec une lenteur exagérée).*

La mère nous raconte alors la suite : Elise est entrée, est allée au rendez-vous tel que prévu ; elle a reçu son traitement et fut même complimentée par le docteur pour sa coopération. La mère d'Elise ajoute ce qui suit :

« Avant d'avoir suivi votre programme de formation, je l'aurais sermonnée sur la nécessité de suivre ces traitements, ou je lui aurais dit jusqu'à quel point certains soins m'avaient déjà aidée, que les traitements ne faisaient pas vraiment mal ; je lui aurais fait la morale, lui disant à quel point elle était chanceuse de ne pas avoir d'autres problèmes de santé ; ou encore j'aurais pu devenir exaspérée et lui dire d'arrêter de se plaindre. Je ne lui aurais certainement pas donné la chance de se souvenir d'une intervention qu'elle avait déjà subie et où elle n'avait « presque rien senti ».

Ne vais-je pas perdre le respect de mes enfants ?

Certains parents, les pères en particulier, craignent que l'emploi de la Troisième Méthode n'amène leurs enfants à cesser de les respecter. Ils nous disent :

« J'ai peur que mes enfants me montent sur le dos. »

« Est-ce que les enfants ne doivent pas respecter et considérer leurs parents ? »
« Je crois que les enfants devraient respecter l'autorité de leurs parents. »
« Est-ce que vous suggérez que les parents traitent leurs enfants comme des égaux ? »

Bien des parents se méprennent au sujet du mot « respect ». Parfois lorsqu'ils emploient ce mot, comme dans l'expression « respecter mon autorité », ils sous-entendent une certaine forme de « peur ». Leur véritable inquiétude semble de voir leurs enfants cesser de les craindre et alors cesser d'obéir et résister à leur tentative de les contrôler. Lorsqu'on les confronte, certains parents nous avouent : « Non, ce n'est pas ce que je veux dire, je veux qu'ils me respectent pour mes capacités, mes connaissances, etc. Je ne pense pas que je veuille qu'ils aient peur de moi. »

Nous demandons alors à ces parents : « Comment en venez-*vous* à respecter un autre adulte pour *ses* capacités et connaissances ? » Habituellement, on nous répond : « Bien, il devra tout d'abord démontrer ses capacités, *il devra gagner mon respect* d'une façon quelconque. » Généralement, il devient alors évident pour ces parents qu'ils doivent eux aussi *gagner* le respect de leurs enfants en faisant preuve de compétence.

Lorsqu'ils y pensent sérieusement, la plupart des parents se rendent compte qu'ils ne peuvent pas exiger que quelqu'un les respecte, mais qu'ils doivent mériter ce respect. Si leurs capacités et leurs connaissances méritent du respect, leurs enfants vont les respecter.

Les parents qui font un effort véritable pour substituer la Troisième Méthode aux méthodes gagnant ou perdant découvrent généralement que leurs enfants manifestent une nouvelle forme de respect à leur égard. Ce respect ne repose pas sur la peur, mais plutôt sur un changement de leur perception de leurs parents *en tant que personnes*. Un directeur d'école m'a adressé le touchant message qui suit :

« Je vous ferai mieux comprendre ce que votre programme signifie pour moi en vous disant que ma belle-fille ne m'avait jamais aimé depuis que j'étais arrivé dans sa vie, en épousant sa mère, alors qu'elle avait deux ans et demi. Son mépris me tracassait beaucoup, car habituellement les enfants m'aiment. Sylvie n'avait pas du tout cette attitude et je commençai à mon tour à la détester. Cette attitude prit une tournure telle qu'un matin j'ai fait un rêve où mes sentiments à son égard étaient tellement négatifs et pénibles que leur intensité me réveilla. Je me rendis alors compte qu'il me fallait chercher de l'aide. Je décidai de suivre une thérapie. Cette expérience m'aida, mais Sylvie ne m'aimait pas davantage. Six mois après ma thérapie, Sylvie avait à ce moment-là dix ans, je m'inscrivis à votre programme de formation que j'enseigne maintenant. En moins d'un an, ma belle-fille et moi avons eu des liens d'amitié aussi merveilleux que je le souhaitais. Elle a maintenant treize ans. Nous nous respectons tous les deux, nous avons une grande affection l'un pour l'autre, nous rions, discutons, jouons, travaillons et quelquefois pleurons ensemble. Il y a un mois, Sylvie m'a remis mon « diplôme ». Nous venions de terminer un repas en famille dans un restaurant chinois et nous étions à lire les horoscopes qu'on trouve toujours dans les biscuits que l'on sert avec le thé. Sylvie avait lu le sien en silence, lorsqu'elle me le passa en disant : « Papa, c'est toi qui aurait dû avoir celui-ci. » Il y était écrit : « Vous trouverez le bonheur dans vos enfants comme ils le trouvent en vous. » Vous voyez, j'ai des raisons de vous remercier de m'avoir fait connaître votre programme. »

La plupart des parents désirent vraiment obtenir de leurs enfants une forme de respect semblable à celui que Sylvie éprouve pour son beau-père. Avec la Troisième Méthode, les enfants perdent le respect « fondé sur la peur », c'est vrai ; mais un parent a-t-il perdu quelque chose lorsqu'il a gagné une forme de respect beaucoup plus appréciable ?

13

L'application de la méthode « sans perdant ».

Même après qu'ils sont convaincus de la valeur de la méthode sans perdant et qu'ils ont décidé de l'employer, les parents nous posent des questions pour savoir par où commencer. De plus, certains parents rencontrent des difficultés dès leurs débuts.

Voici quelques conseils qui pourront aider à régler quelques-uns des problèmes courants rencontrés par les parents et à résoudre des conflits irritants qui se produisent.

Par où commencer ?

Les parents qui ont le mieux réussi leurs premières applications de la méthode sans perdant sont ceux qui ont suivi notre conseil de s'asseoir avec leurs enfants et de leur expliquer en quoi consiste cette approche. Il faut se souvenir que les enfants ne connaissent pas cette méthode plus que leurs parents. Comme ils sont généralement habitués à ce que leurs conflits avec leurs parents soient résolus selon les Première et Deuxième Méthodes, il devient nécessaire de leur expliquer en quoi la Troisième Méthode est différente.

Certains parents ont employé les schémas préparés par leur moniteur. Ils présentent les Trois Méthodes et indiquent les différences. Ils reconnaissent qu'ils ont souvent gagné aux dépens de leurs enfants et vice-versa. Ensuite, ils font part de leur intention de renoncer aux méthodes « gagnant ou perdant » et d'essayer la méthode « sans perdant ».

Les enfants répondent habituellement avec enthousiasme à une telle introduction. Ils se montrent très intéressés à mieux connaître la Troisième Méthode, et ils ont hâte de l'essayer. Certains parents commencent par expliquer qu'ils ont suivi un cours sur la façon de devenir des parents plus efficaces et qu'ils aimeraient maintenant essayer cette nouvelle méthode. Il va de soi que ces explications ne sont pas appropriées avec les enfants de trois ans. Avec eux, il suffit de commencer sans s'expliquer.

Les six étapes de la méthode sans perdant.

Les parents qui ont participé à notre programme de formation ont trouvé très utile de pouvoir décomposer la méthode sans perdant en six étapes distinctes afin de comprendre les éléments essentiels à chacune. Lorsque les parents suivent ces étapes, ils ont beaucoup plus de chances de réussir l'expérience suivante :

Première étape :	Identifier et définir le conflit ;
Deuxième étape :	Enumérer les solutions possibles ;
Troisième étape :	Evaluer les solutions énumérées ;
Quatrième étape :	Choisir la solution la plus acceptable ;
Cinquième étape :	Etablir les moyens d'appliquer la décision ;
Sixième étape :	Réviser et réévaluer la décision.

Chacune de ces étapes comporte des points majeurs qu'il est important de comprendre. Lorsque les parents comprennent ces points, et en tiennent compte, ils évitent beaucoup de difficultés et de pièges. Même si de petits problèmes peuvent se régler sans avoir à franchir toutes les étapes, les conflits plus importants se régleront mieux si les parents maîtrisent chacune des étapes.

Première étape : identifier et définir le conflit.

Il s'agit de la phase critique : elle consiste à impliquer l'enfant. Les parents doivent obtenir son attention et s'assurer de sa collaboration dans la recherche d'une solution. Leurs chances d'y parvenir seront plus grandes s'ils gardent en mémoire les points suivants :

1. Choisir un moment où l'enfant n'est pas occupé, ni sur le point de quitter la maison pour une raison quelconque, afin d'éviter qu'il ne résiste ou n'éprouve du mécontentement parce qu'on l'a interrompu ou retardé.
2. Lui dire directement et brièvement qu'il y a un problème à résoudre. Eviter de tourner autour de la question en employant des formules trop vagues comme : « Est-ce que tu aimerais que nous tentions ensemble de régler le problème ? » ou encore : « Je pense que ce serait une bonne idée de chercher à nous attaquer à cette question. »
3. Faire savoir clairement à l'enfant ce que vous ressentez et, avec une intensité proportionnelle à vos sentiments, lui dire lequel de vos besoins n'est pas satisfait ou encore ce qui vous dérange. C'est le moment propice d'émettre un message comme : « *Je suis* vraiment découragée lorsque je m'aperçois que la cuisine que je viens juste de nettoyer est déjà en désordre parce que tu n'as pas rangé tes affaires après ta collation » ; ou : « *J*'ai peur que *mon* auto ne soit démolie et aussi que tu ne te blesses si tu continues à conduire aussi vite et à ne pas observer les règlements de la circulation. » Ou encore : « Je trouve insupportable d'avoir autant de travail à faire dans la maison et de voir que vous ne m'aidez pas. »
4. Evitez les messages qui déprécient ou qui blâment l'enfant, comme par exemple : « Tu es terriblement négligent au sujet de la propreté de la cuisine », « Tu ne montres aucune prudence lorsque tu empruntes mon auto », « Vous n'êtes qu'une bande de parasites dans cette maison. »
5. Etablir clairement que vous tenez à ce qu'il participe avec vous à la recherche d'une solution qui vous serait *acceptable à tous deux,* une solution qui permettrait de « bien vivre ensemble », qui ne laisserait personne perdant et qui satisferait les besoins de chacun. L'enfant voit dès le début quelles sont les règles du jeu. Il doit savoir qu'il s'agit de la Troisième Méthode, qu'il n'y aura pas de perdant,

qu'il ne s'agit pas de vieilles méthodes « gagnant ou perdant » présentées sous une autre forme.

Deuxième étape : énumérer les solutions possibles.

Cette phrase a pour but de suggérer une variété de solutions. Le parent peut proposer : « Quelles sont les choses que nous pourrions faire ? », « Essayons de penser à des solutions possibles », « Il doit bien y avoir plusieurs façons de régler ce problème. » Les quelques points suivants vous aideront :

1. Permettre à l'enfant, dès le début, de donner ses suggestions, puis continuer ensuite ensemble. (Il peut arriver que les jeunes enfants ne voient pas de solution au point de départ.)
2. Il est très important de ne pas évaluer, juger ou minimiser chacune des solutions offertes. On consacrera tout le temps nécessaire à recueillir *toutes* les solutions. Pour les problèmes complexes, il serait bon de les écrire. Mieux vaut également ne pas approuver ou juger positivement une solution en disant par exemple : « Celle-ci est bonne », car cela pourrait sous-entendre que vous rejetez déjà les autres suggestions de la liste parce qu'elles ne sont pas tellement bonnes.
3. Evitez de faire des commentaires si certaines des solutions proposées vous paraissent inacceptables.
4. Lorsque vous employez la méthode sans perdant pour régler un problème où plusieurs enfants sont impliqués, s'il arrive que l'un d'entre eux ne propose pas de solution, il pourrait être important de l'encourager à en suggérer.
5. Continuer d'inviter le jeune à donner ses idées jusqu'à ce que toutes les possibilités semblent avoir été épuisées.

Troisième étape : évaluer les solutions énumérées.

C'est maintenant le moment où l'on peut évaluer les différentes solutions. Le parent peut dire : « Très bien, voyons tout d'abord lesquelles de ces solutions semblent les meilleures » ou « Maintenant, essayons de voir parmi ces solutions lesquelles nous conviennent » ou « Que pensons-nous des solutions que nous avons devant nous ? » ou encore : « Y a-t-il dans tout ça une solution qui soit meilleure que les autres ? »

Généralement, le nombre de solutions se réduit bientôt à une ou deux par l'élimination des suggestions qui ne sont acceptables ni par le parent ni par les enfants (quelles qu'en soient les raisons). Il est important qu'à ce stade-ci les parents soient honnêtes, expriment leurs véritables sentiments et permettent aux jeunes d'en faire autant : « Cela ne me satisferait pas », « Ce n'est pas de cela dont j'ai besoin », ou bien « Je ne pense pas que cela serait convenable. »

Quatrième étape : choisir la solution la plus acceptable.

Cette étape ne se révèle pas aussi difficile que les parents ont l'habitude de le penser. Lorsque les autres étapes ont été bien franchies et qu'a lieu un véritable échange d'idées et de réactions, où chacun s'est exprimé sincèrement et ouvertement, une solution de très grande qualité se dégage souvent tout naturellement de la discussion. Assez souvent le parent ou l'enfant aura proposé une solution originale qui apparaîtra comme la meilleure de façon évidente et sera également acceptable par tout le monde.

Les conseils que nous pouvons donner pour en arriver à une décision finale sont les suivants :

1. Continuer à vérifier la position des enfants sur les solutions qui restent en les invitant à donner leur opinion par des questions ouvertes : « Penses-tu que celle-ci pourrait résoudre notre problème ? », « Est-ce que cette suggestion nous conviendrait ? »
2. Ne pas considérer une solution comme finale et impossible à modifier. Vous pourriez dire : « D'accord, essayons celle-ci, nous verrons si elle fonctionne », « Nous semblons nous entendre sur cette solution, commençons à l'appliquer et nous verrons si elle règle vraiment notre problème », ou bien « Je suis prêt à accepter celle-ci, seriez-vous prêts à l'essayer ? »
3. Si une solution comporte plusieurs points, il peut être utile de les noter afin de ne pas les oublier.
4. S'assurer que chacun a bien compris qu'il s'engage à appliquer la décision : « Voilà : c'est ce que nous avons accepté de faire, d'accord ? », ou « Tout le monde a bien compris, c'est notre entente et nous nous engageons tous à faire notre part. ».

Cinquième étape : établir les moyens d'appliquer la décision.

Il devient souvent nécessaire, après avoir pris une décision, d'établir en détail la façon dont elle sera appliquée. Les parents et les enfants peuvent sentir le besoin de demander : « Qui fera quoi, et à quel moment ? » ou « Maintenant, que nous reste-t-il à faire pour appliquer cette décision ? » ou encore « Quand commençons-nous ? »

Dans les conflits concernant les tâches ménagères, il pourra être important de discuter des questions comme : « Combien de fois par semaine ou par mois » ? « A quel moment, quel jour ? » ou « Quelles seront les exigences sur la qualité du travail ? ».

Dans les conflits au sujet de l'heure du coucher, une famille voudra établir qui sera chargé de regarder l'heure et d'avertir lorsque le temps sera venu.

Dans les conflits au sujet de la propreté des chambres, il sera important de s'entendre sur la signification du mot propreté, et de le préciser concrètement.

Il peut arriver que des décisions entraînent des achats, comme un tableau pour afficher des messages, une malle à linge pour l'enfant, un nouveau fer à repasser pour la fille, et ainsi de suite. Il pourrait être nécessaire, dans des cas comme ceux-là, de déterminer qui va faire l'achat et qui va le payer.

Il vaut mieux retarder la question de l'application de la décision jusqu'à ce qu'il soit bien clair qu'une entente est intervenue. Selon notre expérience, une fois que l'on s'est entendu sur une décision finale, son application se règle assez facilement.

Sixième étape : réviser et évaluer la décision.

Il ne faut pas penser que la première solution établie par la méthode sans perdant est toujours la meilleure. Pour cette raison, les parents doivent vérifier auprès de l'enfant s'il est toujours satisfait de la décision. Il arrive souvent que les enfants prennent des engagements qui se révèlent par la suite trop difficiles à suivre. Ou encore, ce peut être le parent qui trouve difficile de garder sa parole pour une variété de raisons. Les parents peuvent vouloir vérifier après un certain temps : « Comment trouves-tu notre décision maintenant ? », « Etes-vous toujours satisfaits de notre décision ? » Vous prouvez aux enfants que vous êtes préoccupés par leurs besoins.

Il arrive qu'une telle vérification fournisse des renseignements qui conduisent à modifier la décision originale. Sortir les ordures tous les jours peut s'avérer impossible ou même inutile, de même que de rentrer à la maison à 11 heures les soirs de fin de semaine lorsque l'enfant va au cinéma et qu'on y projette deux films.

Une de nos connaissances a découvert qu'en acceptant de laver la vaisselle tous les soirs la plus jeune de leurs filles devait y consacrer six heures par semaine, alors que sa sœur n'en avait besoin que de trois pour entretenir la salle de bains et garder la salle de jeux en ordre. C'était injuste pour la plus jeune, et ils ont modifié leur décision après un essai de deux semaines.

Naturellement, on ne passe pas nécessairement par chacune des six étapes de façon rigoureuse à chaque fois qu'on recherche une solution par la méthode sans perdant. Il arrive que des conflits soient résolus dès la première proposition de solution. Il peut aussi arriver que la solution qui sera retenue surgisse de façon inattendue alors que l'on procède à la troisième étape au moment où on évalue les solutions déjà proposées. Quoi qu'il en soit, il reste très utile d'avoir les six étapes à l'esprit.

La nécessité de l'écoute active et des « MESSAGES-JE »

Comme la méthode sans perdant exige que les personnes impliquées dans un conflit travaillent ensemble à rechercher une solution, une bonne communication est essentielle. En conséquence, il demeure important pour les parents de pratiquer l'écoute active et d'émettre des « messages-je » qui soient clairs. Les parents qui n'ont pas appris à maîtriser ces procédés ont rarement du succès avec la méthode sans perdant.

Pourquoi est-il nécessaire d'employer l'écoute active ? Tout d'abord, parce que les parents doivent connaître et comprendre les sentiments et les besoins des enfants. Qu'est-ce qu'ils veulent ? Pourquoi persistent-ils à vouloir quelque chose même après avoir appris que c'était inacceptable pour leurs parents ? Quels besoins les amènent à se conduire d'une telle façon ?

Pourquoi Marie ne veut-elle pas aller à la garderie ? Pourquoi Nicole ne veut-elle pas porter son imperméable beige ? Pourquoi Catherine fait-elle une crise lorsque sa mère la laisse chez sa gardienne ? Quels sont les besoins qui font que ma fille insiste autant pour aller à la plage durant le congé de Pâques ?

L'écoute active reste un outil très efficace pour aider un jeune à se confier et à révéler ses besoins réels et ses sentiments véritables. Une fois que le parent a compris ses réactions, il lui apparaît assez facile de les satisfaire en trouvant une solution qui ne comportera pour lui aucun élément inacceptable.

Comme des émotions assez vives peuvent se manifester au cours de la recherche de solutions, tant de la part des parents que les enfants, l'écoute active devient primordiale pour les exprimer, les libérer et les apaiser, afin que la recherche d'une solution puisse se poursuivre.

Finalement, l'écoute active est importante pour faire savoir aux enfants que leurs propositions de solutions sont comprises et acceptées comme des propositions faites de bonne foi, et que leurs idées et leurs évaluations des solutions proposées sont désirées et acceptées.

Les « messages-je » jouent aussi un rôle important dans le procédé de résolution de conflit sans perdant ; c'est par ce moyen que le parent peut faire connaître à l'enfant ce que le parent ressent, sans attaquer la personne de l'enfant ou le diminuer, sans le blâmer ou lui faire honte. Dans la résolution d'un conflit, les « messages-tu » provoquent habituellement des « messages-tu » opposés qui font dégénérer la discussion en une stérile bataille verbale entre des adversaires qui essaient de s'écraser mutuellement sous les insultes.

En employant les « messages-je », les parents peuvent ainsi manifester aux enfants qu'ils ont eux aussi des besoins et qu'ils tiennent à ce qu'ils ne soient pas ignorés à cause de ceux de l'enfant. Par ces « messages-je », le parent communique ses limites, ce qu'il ne peut pas tolérer, et ce qu'il ne veut pas sacrifier. Les « messages-je » transmettent : « Je suis une personne et j'ai des besoins et des sentiments », « J'ai le droit de jouir de la vie », « J'ai des droits dans cette maison ».

Le premier essai sans perdant.

Pour leur premier essai de la méthode sans perdant, nous conseillons aux parents de nos groupes de choisir un conflit qui existe depuis un certain temps, plutôt qu'un problème qui vient tout juste de se produire et qui pourrait provoquer des réactions plus vives. Lors de cette première session, il est sage également de donner l'occasion aux enfants d'identifier quelques-uns des problèmes qui les tracassent. Une première tentative de résolution de conflit sans perdant pourrait alors être présentée de la façon suivante :

> « Maintenant que nous avons tous compris ce qu'est la méthode sans perdant (ou la Troisième Méthode), commençons à faire une liste des conflits que nous avons dans notre famille. En premier lieu, vous les enfants, quels problèmes voyez-vous ? Quels problèmes aimeriez-vous nous voir résoudre ? Quelles sont les situations qui vous dérangent le plus ? »

Commencer par des problèmes identifiés par les enfants présente des avantages évidents. Premièrement, les enfants seront enchantés de voir que la nouvelle méthode peut servir à *leur* bien-être. Deuxièmement, on les empêche d'avoir la fausse impression que leurs parents ont trouvé une autre façon de s'assurer uniquement que leurs propres besoins soient satisfaits. Une famille ayant débuté de cette manière se retrouva avec une liste de griefs sur le comportement de la mère :

> Maman n'achète pas assez souvent de nourriture pour que nous ayons toujours de bonnes choses fraîches à la maison.
>
> Maman laisse ses sous-vêtements et ses bas à sécher dans la salle-de-bains, et il ne reste plus de place.
>
> Maman oublie souvent de nous dire à quelle heure elle pourra préparer le repas après son travail.
>
> Maman demande trop souvent au garçon (plus âgé) de servir de chauffeur pour ses sœurs.

Quelquefois, il peut être utile à une famille de commencer par discuter des règles de base dont elle aura besoin pour réussir la séance de recherche de solution à un conflit. Les parents peuvent suggérer de laisser la personne qui a la parole dire tout ce qu'elle veut sans l'interrompre. Il devrait être clairement établi qu'on n'emploiera pas le vote : on recherche une solution qui soit acceptable par tous et chacun. Entendez-vous également pour laisser seules deux personnes qui veulent régler ensemble un conflit qui les concerne. Etablissez à l'avance qu'il n'y aura pas de bousculade pendant que la famille se réunira pour résoudre un problème. Une famille a même décidé de ne pas répondre au téléphone lorsqu'elle se réunit pour régler un conflit. Beaucoup de familles ont trouvé très utile de se servir d'un tableau ou de grandes tablettes de papier dans les cas de problèmes complexes.

Des problèmes que les parents vont rencontrer.

Les parents font souvent des erreurs en essayant d'appliquer cette nouvelle méthode sans perdant ; les enfants ont aussi besoin d'un certain temps pour apprendre à régler leurs conflits sans recourir au pouvoir, en particulier les adolescents qui ont vécu pendant plusieurs années l'expérience des méthodes gagnant ou perdant. Parents et enfants doivent désapprendre de vieux modèles de comportement et en apprendre de nouveaux. Naturellement, ce changement ne s'opère pas spontanément.

Les parents rencontrés dans nos groupes nous ont appris les erreurs les plus fréquentes et les problèmes les plus courants.

Méfiance et résistance initiales.

Certains parents rencontrent de la résistance à l'emploi de la méthode sans perdant. Cette résistance provient invariablement des adolescents habitués depuis des années à lutter avec leurs parents pour le pouvoir. Ces parents nous rapportent :

« Jean refuse carrément de s'asseoir avec nous. »

« Yves s'est fâché et a quitté la discussion parce qu'il n'a pas pu gagner. »

« Lorraine s'est tout simplement assise et est restée immobile, sans dire un mot. »

« Danièle nous a dit que nous continuerions à avoir raison comme d'habitude. »

La meilleure façon de faire face à cette méfiance, à cette résistance, consiste à laisser temporairement de côté la recherche de solution à un conflit et d'essayer de comprendre sincèrement ce que l'enfant veut dire. On encourage ainsi les enfants à mieux exprimer leurs sentiments. S'ils le font, c'est un progrès, car après avoir manifesté leurs réactions, les jeunes vont souvent consentir à participer à la recherche d'une solution. S'ils demeurent retranchés et réticents, les parents voudront sans doute exprimer leurs sentiments à eux, sous forme de « messages-je », naturellement.

« Je ne veux plus employer mon pouvoir dans notre famille, mais je ne veux pas me soumettre au vôtre non plus. »

« Nous voulons vraiment trouver une solution que vous pourrez accepter. »

« Nous n'essayons pas de vous faire céder, mais *nous* ne voulons pas céder non plus. »

« Nous sommes fatigués des bagarres dans cette maison. Nous pensons que nous pouvons régler nos conflits avec cette nouvelle méthode. »

« J'aimerais vraiment que vous essayiez : je suis sûr que ça va marcher. »

Des messages de cette nature vont habituellement réussir à dissiper la méfiance et la résistance. Si après ces interventions ça ne va toujours pas, les parents peuvent laisser le problème sans solution pour quelques jours et essayer à nouveau la méthode sans perdant après ce délai.

Nous disons aux parents : « Rappelez-vous simplement à quel point vous étiez sceptiques et méfiants lorsque nous vous avons présenté la méthode sans perdant pour la première fois. On peut ainsi comprendre le scepticisme dans les premières réactions de vos enfants.

« Et si nous ne trouvons pas de solution acceptable ? »

Voilà bien une des craintes les plus fréquentes des parents. Sauf dans des cas exceptionnels, il est surprenant de constater qu'une séance de résolution d'un conflit se termine rarement sans qu'une solution acceptable ait été trouvée. Quand une famille se retrouve dans une impasse, c'est habituellement parce que les parents et les enfants ont conservé leur état d'esprit « gagnant ou perdant ».

Nous conseillons aux parents d'« essayer tout ce qui est possible en pareil cas ». Par exemple :

1 Continuer à parler.
2. Retourner à la deuxième étape et trouver d'autres solutions possibles.
3. Suspendre la séance et reprendre une nouvelle conversation.
4. Essayer de convaincre : « Mais voyons, il doit y avoir une façon de s'en sortir », « Essayons de faire tout notre possible pour trouver une solution acceptable. » Avons-nous

fait le tour de toutes les solutions possibles ? », « Essayons encore, faisons un autre effort, pensons à des solutions nouvelles. »

5. Souligner ouvertement la difficulté et essayer de vérifier s'il n'y a pas d'autres problèmes dont on n'a pas encore parlé et qui empêchent de trouver une solution. Vous pouvez dire : « Je me demande ce qui nous interdit de découvrir une solution ou de prendre une décision. Y a-t-il autre chose dont nous n'aurions pas parlé et qui nous empêcherait de trouver une solution ? »

Règle générale, une ou plusieurs de ces approches va donner des résultats et on pourra continuer la recherche d'une solution.

Revenir à la première méthode après un échec avec la troisième.

« Nous avons essayé sans succès la méthode sans perdant. Alors ma femme et moi avons pris les choses en main, et c'est nous qui avons pris les décisions. »

Certains parents sont tentés d'employer à nouveau la première méthode, mais cela peut avoir des conséquences graves. Dans un tel cas, les enfants sont fâchés : leurs parents les ont trompés en leur faisant croire qu'ils voulaient employer une nouvelle méthode. La prochaine fois que l'on voudra essayer la méthode sans perdant, ils seront encore plus méfiants et réticents.

Nous insistons auprès des parents pour qu'ils évitent de revenir à la première méthode. Il serait de même aussi désastreux de revenir à la deuxième méthode et de laisser gagner les enfants, car, dans ce cas, la prochaine fois qu'on leur proposera la méthode sans perdant les jeunes insisteront jusqu'à ce qu'ils aient gain de cause.

Devrait-on inclure une punition dans la décision ?

Plusieurs parents nous ont rapporté dans nos groupes de formation qu'après être parvenus à une décision par la méthode sans perdant ils avaient proposé d'y inclure une punition au cas où les enfants ne respecteraient pas l'entente.

Mes premières réactions à ces rapports ont été de suggérer

que des amendes et des punitions pourraient être employées, si elles étaient acceptées de part et d'autre, *et si elles s'appliquaient également aux parents* si ces derniers ne respectaient pas leur part de l'entente. J'ai maintenant une opinion différente à ce sujet.

Il est de beaucoup préférable pour les parents d'éviter de suggérer des punitions pour les cas de manquement à des ententes ou à des décisions prises selon la méthode sans perdant. En premier lieu, les parents auraient avantage à communiquer aux enfants que l'on n'emploiera plus jamais les punitions, même si elles étaient proposées par les enfants, ce qui arrive assez souvent. Deuxièmement, on gagne beaucoup plus à adopter une attitude de confiance à l'intégrité et aux bonnes intentions des enfants. Bien des jeunes nous disent : « Lorsque je sais qu'on me fait confiance, je suis beaucoup plus porté à me montrer digne de cette confiance. Lorsque mes parents ou mes professeurs ne me font pas confiance, je peux tout aussi bien passer outre, et faire ce qu'on croit déjà que j'ai fait. Selon eux, je suis déjà coupable ; je suis déjà perdant. Alors, quelle raison me reste-t-il de ne pas le faire ? »

Dans la méthode sans perdant les parents devraient tout simplement être assurés que *les enfants vont appliquer la décision.*

La confiance mutuelle fait partie de la nouvelle méthode, confiance mutuelle de respecter ses engagements, de tenir ses promesses, d'assumer sa part de responsabilités dans une décision. Toute discussion impliquant des réprimandes et des punitions va inévitablement communiquer de la méfiance, du doute, des soupçons et du pessimisme.

Il ne faut pas croire que les enfants vont *toujours* respecter leurs ententes. Ils ne respecteront pas toujours la parole donnée. Nous disons seulement que les parents devraient *présumer* qu'ils vont le faire. Selon la philosophie de notre programme, nous recommandons de considérer l'autre « innocent jusqu'à ce qu'on l'ait trouvé coupable » ou « responsable jusqu'à ce qu'il se montre irresponsable ».

Lorsque les ententes ne sont pas respectées.

Il est presque inévitable qu'à certains moments les enfants ne puissent pas respecter leurs engagements. Voici quelques-unes des raisons de ces écarts :

1. Ils peuvent s'apercevoir qu'ils se sont engagés dans une chose trop difficile à appliquer pour eux ;
2. Ils n'ont tout simplement pas beaucoup d'expérience de l'auto-discipline et de l'auto-direction ;
3. Ils avaient acquis l'habitude, par le passé, de dépendre du pouvoir de leurs parents pour leur discipline et leur contrôle personnel ;
4. Ils peuvent oublier ;
5. Il est possible qu'ils mettent à l'épreuve la méthode sans perdant, afin de savoir si papa et maman disent vrai ; ils veulent peut-être vérifier également s'ils peuvent s'en tirer sans tenir leurs promesses ;
6. Ils peuvent avoir accepté la décision au moment où elle a été prise, parce qu'ils étaient fatigués ou mal à leur aise dans ce nouveau procédé.

Toutes ces raisons nous ont été rapportées par des parents, et elles peuvent expliquer pourquoi dans certains cas les enfants ne respectent pas leurs engagements.

Nous enseignons aux parents à confronter directement et sincèrement tout enfant qui n'a pas tenu une promesse. Comme façon de le faire, nous proposons évidemment le « message-je » sans blâme, sans dépréciation ni menace. Il nous apparaît important que cette confrontation ait lieu le plus tôt possible. Voici des exemples :

« Je suis déçu de voir que tu n'as pas accompli la tâche que tu avais promis de faire. »
« Je suis surpris que tu n'aies pas effectué ta part du marché. »
« Dis, Pierrot, pour ma part, je trouve inacceptable que tu n'aies pas observé notre entente alors que moi je l'ai fait. »
« Je croyais que nous étions d'accord pour..., et maintenant je me rends compte que tu n'as pas fait ce qui était convenu. Je n'aime pas ça du tout. »
« Je croyais que notre problème était réglé, et je suis irrité qu'apparemment ce ne soit pas encore résolu. »

Des « messages-je » comme ceux-ci vont susciter des réactions chez les enfants ; ils pourront alors vous donner plus d'informations et vous expliquer la raison de leurs manquements. Ici encore l'écoute active est toute indiquée ; mais il est important qu'à la suite le parent réaffirme que la méthode sans perdant repose sur la responsabilité de chaque personne et sur la confiance. On s'attendra habituellement que les ententes soient respectées : « Il ne s'agit pas d'un jeu, nous tentons sérieusement de tenir compte de nos besoins respectifs. »

Cette situation peut demander de la discipline, une intégrité véritable, et beaucoup de travail. Le parent peut adopter trois attitudes selon le motif qui amène l'enfant à ne pas tenir sa parole.

1. S'apercevoir qu'il faut reconsidérer le problème et trouver une meilleure solution ;
2. S'apercevoir que les « messages-je » sont efficaces ;
3. Vouloir aider l'enfant à chercher des moyens de s'en souvenir.

Si un enfant a oublié, le parent pourra soulever le problème afin de trouver un moyen pour qu'il s'en souvienne la prochaine fois. Peut-être a-t-il besoin d'un réveille-matin, de prendre une note, d'inscrire un message sur le tableau familial, de s'attacher un pense-bête autour du doigt, d'un calendrier, d'une affiche dans sa chambre ?

Les parents devraient-ils rafraîchir la mémoire d'un enfant ? Devraient-ils prendre la responsabilité de lui rappeler ce qu'il a accepté de faire ? Notre réponse définitive est non. En plus de présenter des inconvénients pour les parents, ce serait maintenir l'enfant dans un état de dépendance, ralentir le développement de son auto-discipline et de son sens des responsabilités. Rappeler à un enfant de faire ce qu'il a accepté de faire, c'est une façon de le gâter, de le traiter comme s'il était immature et irresponsable. Cette situation restera inchangée, à moins que les parents ne commencent tout de suite *à remettre la responsabilité à l'enfant, à qui elle appartient*. Lorsque ce sera fait, si l'enfant a des manquements, on se servira des « messages-je ».

Lorsque les enfants sont habitués à gagner.

Il est fréquent que des parents, qui auparavant étaient des adeptes de la Deuxième Méthode, nous disent éprouver des difficultés à changer pour la Troisième. Comme la plupart du temps leurs enfants sont déjà habitués à gagner, ils manifestent beaucoup de résistance face à une méthode qui pourrait demander de leur part de changer un peu, de coopérer ou de faire des compromis. Ces enfants sont tellement habitués à gagner aux dépens de leurs parents qu'ils sont naturellement réticents à délaisser une position avantageuse du point de vue compétitif. Dans ces familles, lorsque, au début, les parents rencontrent une forte résistance à la méthode sans perdant, il leur arrive de prendre peur et ils renoncent à essayer de l'appliquer. Souvent, ces parents s'en tiennent à la Deuxième Méthode, parce qu'ils craignent la colère ou les larmes de leurs enfants.

Changer pour la Troisième Méthode demandera de la part de ces parents, jusque-là permissifs, beaucoup plus de force et de fermeté qu'ils n'ont coutume de démontrer avec leurs enfants. Ces parents ont besoin de développer leur capacité de s'affirmer afin de délaisser leur attitude qui veut « la paix à n'importe quel prix ». Il nous a souvent paru utile de leur rappeler le prix terrible qu'ils devront payer dans l'avenir si leurs enfants continuent de toujours gagner.

Nous nous efforçons de les convaincre qu'en tant que parents ils ont des droits. Ou encore nous leur rappelons que toujours céder à leurs enfants rend ces derniers égoïstes et sans considération. De tels parents ont besoin d'être convaincus que le rôle de parent peut être une source de joie à condition qu'une personne y trouve satisfaction à ses besoins. Ils doivent *vouloir* changer et être préparés à accueillir les protestations de leurs enfants lors du passage à la Troisième Méthode. Au cours de la période de transition, les parents doivent aussi être prêts à accueillir les sentiments de leurs enfants, à les traiter par l'emploi de l'écoute active et à émettre leurs propres sentiments par des « messages-je » clairs et précis.

> Dans une famille, les parents éprouvaient des difficultés avec leur fille de treize ans qui était habituée à toujours gagner. A leur première tentative pour employer la Troisième Méthode, la jeune fille fit une crise et alla s'enfermer dans sa chambre dès qu'elle s'aperçut qu'elle ne pourrait agir à sa guise. Plutôt que de la consoler ou de l'ignorer, comme il le faisait normalement, le père la rejoignit et lui dit : « Je suis vraiment à bout, maintenant. Nous soulevons un problème qui nous préoccupe ta mère et moi et tu te dérobes. Je crois que tu n'as aucune considération pour nos besoins. Je n'aime pas ça et je trouve cela inacceptable. Nous voulons régler ce problème tout de suite. Nous ne vou-

lons pas te faire perdre, mais ce n'est sûrement pas nous qui allons perdre pour te laisser gagner. Je pense que nous pouvons trouver une solution qui nous permettra d'être tous gagnants, mais nous ne pourrons certainement pas le faire si tu ne viens pas t'asseoir avec nous pour en discuter. Maintenant, est-ce que tu voudrais bien revenir à la table afin que nous puissions essayer de trouver une bonne solution ? »

Après avoir séché ses larmes, la jeune fille retourna avec son père à la table, et en quelques minutes ils parvinrent à une solution satisfaisante pour l'enfant et les parents. Jamais plus cette jeune fille ne tenta de se dérober lors d'une séance de résolution de conflit. Elle n'essaya plus de contrôler la situation par des colères dès qu'il fut clair que ses parents étaient déterminés à ne pas se laisser dominer de cette façon.

La méthode sans perdant pour résoudre les conflits entre enfants.

Tout comme ils le font pour les conflits entre parents et enfants, la plupart des parents considèrent les inévitables et très fréquents conflits entre enfants dans la perspective « gagnant ou perdant ». Les parents croient qu'ils doivent jouer les rôles de juges et d'arbitres, qu'*ils* ont la responsabilité de recueillir les faits, d'établir qui a tort et qui a raison et de décider de la bonne solution. Cette orientation présente de sérieuses lacunes et a généralement des conséquences malheureuses pour toutes les personnes concernées. La méthode sans perdant s'avère généralement plus efficace pour résoudre ce genre de conflit ; elle est également beaucoup plus facile pour les parents. Elle joue aussi un rôle important pour amener les enfants à développer leur maturité, leur responsabilité, leur autonomie et leur capacité d'auto-discipline.

Lorsque les parents se considèrent juges ou arbitres des conflits entre enfants, ils font l'erreur de *s'approprier* le problème. En s'imposant comme arbitres, ils privent les enfants d'une occasion d'assumer leur responsabilité, de s'occuper de leurs conflits et d'apprendre à les résoudre par leurs propres efforts. De cette façon, les parents empêchent leurs enfants de grandir et de mûrir, et cette attitude peut créer chez eux une dépendance permanente, et les amener à se fier à une autorité extérieure pour régler leurs conflits *à leur place*. Ce procédé comporte aussi un effet néfaste pour les parents : car leurs enfants vont continuer à leur apporter leurs problèmes. Plutôt que de les régler eux-mêmes, ils auront à chaque fois recours à leurs parents pour résoudre leurs disputes et leurs désaccords :

« Maman, André m'agace, dis-lui de s'arrêter. »
« Papa, Margot ne veut pas me laisser les ciseaux. »
« Je veux dormir, mais François n'arrête pas de parler, dis-lui de se tenir tranquille. »
« C'est lui qui m'a frappé le premier, c'est sa faute. Je ne lui ai rien fait. »

De tels « appels à l'autorité » sont très répandus dans la plupart des familles parce que les parents permettent qu'on les implique dans *les conflits de leurs enfants*.

Dans nos groupes, il faut user de persuasion pour réussir à convaincre les parents de reconnaître ces disputes comme celles de leurs enfants, de voir que le problème appartient à leurs enfants.

La plupart des disputes et des conflits entre enfants se situent dans la zone où les problèmes appartiennent aux enfants, dans la partie supérieure de notre rectangle :

Le problème appartient à l'enfant
Zone sans problème
Le problème appartient au parent

Si les parents prennent soin de situer ces conflits ou ils appartiennent, ils peuvent alors les traiter selon les procédés appropriés :

1. Rester complètement en dehors du conflit.
2. Inviter les enfants à parler.
3. Employer l'écoute active.

Jacques et André, deux jeunes frères, tentent de s'arracher

mutuellement un camion ; un tire sur l'avant, l'autre sur l'arrière. Tous les deux hurlent et lancent des cris ; l'un des deux pleure. *Chacun essaie d'employer sa force pour avoir raison.* Si les parents ne s'en mêlent pas, ils trouveront peut-être une façon de s'en sortir. Si ça se passe ainsi, tant mieux ; ils auront eu la chance d'apprendre à régler leurs problèmes par eux-mêmes. En ne s'impliquant pas dans le conflit, le parent a aidé les deux garçons à développer un peu plus leur personnalité.

Si les garçons continuent à se battre et que le parent sent qu'il peut les aider à résoudre *leur problème* en intervenant, une invitation à en parler peut être utile. Voici comment :

Jacques : Je veux le camion ! Lâche-le ! Lâche-le !

André : C'est moi qui l'avais le premier ! Il est venu et me l'a enlevé. Je veux le ravoir !

Parent : « Je vois que vous avez un vrai problème au sujet du camion. Voulez-vous venir ici pour en discuter ? J'aimerais vous aider à en discuter, si vous le voulez. »

Parfois, il suffit d'une telle invitation pour qu'un conflit cesse immédiatement. C'est comme si les enfants préféraient trouver eux-mêmes une solution plutôt que d'entrer dans tout le procédé que comporte une discussion en présence d'un parent. Ils se font la réflexion : « Ah, ce n'est pas aussi important que ça. »

D'autres conflits peuvent demander une participation plus active de la part du parent. Dans des situations semblables, le parent peut encourager la recherche d'une solution par l'emploi de l'écoute active et en servant d'agent de communication, mais pas d'arbitre. Par exemple :

Jacques : Je veux le camion ! Donne-moi le camion ! Lâche-le ! Lâche-le !

Parent : Jacques, tu veux vraiment avoir ce camion ?

André : Mais c'est moi qui l'avais le premier ! Il est venu et me l'a enlevé. Je veux le reprendre.

Parent : André, tu tiens à avoir le camion, parce que tu l'avais le premier, et tu crois que tu devrais le garder. Tu es fâché contre Jacques parce qu'il te l'a enlevé. Y a-t-il quelque chose que vous puissiez faire pour régler ce problème ? Avez-vous des idées ?

André : Il devrait me le laisser.

Parent : Jacques, André suggère cette solution.

Jacques : Bien sûr ! Il voudrait bien ; de cette façon il aurait ce qu'il veut.

Parent : André, Jacques dit qu'il n'aime pas ta solution parce que tu y gagnes et qu'il y perd.

André : Eh bien ! je peux le laisser jouer avec mes autos jusqu'à ce que j'aie fini avec le camion.

Parent: Jacques, André suggère une autre solution : tu pourrais jouer avec ses autos pendant qu'il jouerait avec le camion.

Jacques: Est-ce que je pourrai jouer avec le camion lorsqu'il en aura terminé ?

Parent : André, Jacques veut s'assurer qu'il pourra jouer avec le camion lorsque tu en auras terminé.

André : Certainement, d'ailleurs je n'en aurai pas besoin bien longtemps.

Jacques : Si c'est comme ça, je suis d'accord.

Parent : Cette solution convient à tous les deux, il n'y a plus de problème.

Bien des parents nous ont rapporté des réussites de ce genre dans la résolution des conflits entre enfants. Le parent suggère d'abord d'employer la méthode sans perdant, puis grâce à l'écoute active il facilite la communication entre les belligérants. Certains croient difficilement qu'ils peuvent impliquer leurs enfants dans l'approche sans perdant : il leur serait utile de garder à l'esprit qu'en l'absence des parents les enfants résolvent souvent leurs conflits par cette méthode, que ce soit à l'école, au terrain de jeux, en pratiquant des sports ou d'autres activités. Lorsqu'un adulte est présent et qu'il se laisse impliquer comme juge ou arbitre, les enfants sont portés à l'utiliser ; chacun fait appel à l'autorité de l'adulte pour essayer de gagner aux dépens des autres.

Habituellement, les parents font bon accueil à la méthode sans perdant pour résoudre les conflits entre enfants, car ils ont presque tous vécu de mauvaises expériences en essayant de régler les disputes de leurs enfants. A chaque fois qu'un parent essaie de régler un conflit, l'un des enfants va trouver la décision injuste et va réagir en manifestant du ressentiment et de l'hostilité à l'égard du parent. Parfois le parent devra subir la colère des deux enfants puisque sa décision aura comme conséquence de les priver tous les deux de l'objet de leur dispute. (« Si c'est comme ça, ni l'un ni l'autre ne jouera avec le camion. »)

Après avoir fait l'essai de la méthode sans perdant et avoir laissé ainsi aux enfants la responsabilité de trouver leur propre solution, des parents nous disent à quel point ils sont soulagés d'avoir découvert une façon constructive de se dégager du rôle de juge et d'arbitre. Ils nous disent alors : « C'est un grand soulagement de sentir que je n'ai pas à trancher leurs disputes. Je finissais toujours par encaisser des coups, peu importe la décision rendue. »

En amenant les enfants à régler eux-mêmes leurs problèmes par la méthode sans perdant, on peut envisager une autre conséquence ; ils vont cesser de mêler inutilement leurs parents à leurs désaccords et à leurs disputes. Après un certain temps de cette pratique, ils apprennent que même en s'adressant à leurs parents ils devront pourtant trouver eux-mêmes leur solution. Ils vont alors abandonner leur vieille habitude et commencer à résoudre leurs conflits de manière autonome. Peu de parents résistent à l'attrait de ce résultat.

Les situations où les deux parents sont impliqués dans un conflit entre parents et enfants.

Des problèmes délicats se présentent parfois dans une famille lorsqu'un conflit avec les enfants implique les deux parents.

Chacun parle pour soi.

Il est essentiel pour la résolution des conflits sans perdant que chacun des parents y participe « à titre personnel ». Les parents ne doivent pas se sentir obligés de présenter un « front commun », ni d'adopter la même position dans un conflit. Dans la résolution de problèmes par la méthode sans perdant, il est essentiel que chacun des parents puisse être lui-même, que chacun puisse présenter de façon adéquate ses sentiments et ses besoins. Chaque parent agit comme participant unique et autonome dans la résolution du conflit ; il doit considérer que ce procédé réunit un certain nombre de personnes, que chacune y est impliquée à titre individuel et qu'il ne s'agit pas d'un débat où les parents se liguent contre les enfants.

Parmi les solutions proposées au cours de la résolution d'un conflit, certaines peuvent être acceptables pour la mère et inacceptables pour le père, et vice-versa. Parfois le père et son fils adolescent pourront adopter la même position sur un problème alors que la mère soutiendra un point de vue différent. En d'autres circonstances, ce sera la mère qui sera d'accord avec le fils alors que le père penchera pour une solution contraire. Une autre fois, ce sera le père et la mère qui partageront une position commune qui n'ira pas dans le sens de celle de leur fils. Ou encore il peut arriver que chacun des participants ait sa position propre, et qu'on retrouve une complète diversité de points de vue.

Dans les familles où on pratique la méthode sans perdant, toutes ces combinaisons se présentent selon la nature du conflit. Pour appliquer efficacement la méthode sans perdant, il devient essentiel de dépasser toutes ces différences d'opinion pour parvenir à une solution acceptable par tous et chacun.

Dans nos groupes de formation, les parents nous ont fait connaître les types de conflits où se manifestent le plus souvent les différences marquées entre les pères et les mères :

1. Les pères partagent plus fréquemment le point de vue des enfants dans les conflits où les enfants risquent des blessures physiques. Il semble que les pères acceptent plus facilement que les mères qu'il soit inévitable que les enfants se blessent parfois.
2. Les mères prennent plus facilement la part de leurs filles lorsque celles-ci désirent commencer à sortir avec les garçons, avec tout ce que cela comporte : maquillage, rendez-vous, habillement, conversations au téléphone, et le reste. Les pères montrent plus de résistance à l'idée de voir leurs filles commencer à fréquenter les garçons.

   Les pères et les mères sont souvent en désaccord dans les conflits impliquant l'usage de l'auto familiale.
3. Les mères ont habituellement des exigences plus grandes que les pères quant à la propreté et à l'ordre des chambres et de la maison.

En fin de compte, le père et la mère sont différents et ces différences vont nécessairement se manifester au cours des conflits, si les parents sont sincères et restent eux-mêmes. En exprimant ouvertement et franchement leur avis, lors des séances de résolution de conflits, le père et la mère laissent ressortir leur côté humain devant leurs enfants ; les parents découvrent alors qu'ils méritent un nouveau genre de respect et d'affection. Sur ce chapitre, les enfants ne sont pas différents des adultes ; ils apprennent eux aussi à aimer ceux qui laissent voir leur humanité et à se méfier de ceux qui ne le font pas.

Ils veulent que leurs parents soient vrais, qu'ils ne jouent pas de rôle en se disant toujours d'accord l'un avec l'autre, alors que bien souvent ils ne partagent pas véritablement le même point de vue.

Un seul des parents emploie la Troisième Méthode.

On nous demande souvent dans nos groupes s'il est possible que l'un des parents résolve les conflits par l'approche sans perdant si l'autre ne le fait pas. La question se pose assez souvent puisque nos participants ne viennent pas tous par couples, bien que nous recommandions fortement que les deux parents s'inscrivent en même temps. Dans certains cas où seulement un des deux parents se décide à employer la méthode sans perdant, disons par exemple la mère, elle commence tout simplement à régler les conflits qu'elle-même rencontre avec ses enfants en employant la méthode sans perdant et elle laisse le père employer la Première Méthode pour régler les siens. Cette façon peut ne pas causer tellement de problèmes ; cependant, les enfants, devenus conscients de la différence, vont sans doute se plaindre à leur père et lui dire qu'ils n'aiment plus son approche et qu'ils souhaiteraient qu'il résolve les problèmes de la même façon que leur mère. Certains pères réagissent à ces plaintes en s'inscrivant par la suite à notre programme de formation. Voici le commentaire typique d'un père qui nous est arrivé à une première rencontre avec cette attitude :

> « Je suis ici à mon corps défendant : je suis ici ce soir parce que je commence à voir les bons résultats que ma femme obtient avec les enfants grâce à ses nouvelles méthodes. Ses relations avec les enfants se sont beaucoup améliorées, or les miennes restent mauvaises. Les enfants lui parlent, mais ils ne veulent plus m'adresser la parole. »

Un autre père qui s'était inscrit dans un de nos groupes après que son épouse eut participé à notre programme de formation nous fit cette remarque lors de la première réunion :

« Je veux dire aux femmes qui suivent ce cours sans leur conjoint à quoi elles peuvent s'attendre de sa part. Quand vous commencerez à employer les nouvelles méthodes pour écouter, confronter ou régler des conflits avec les enfants, il va se sentir blessé, délaissé. Il va ressentir que son rôle de père lui est enlevé. Vous obtiendrez des résultats qu'il ne pourra pas obtenir. Exaspéré, je me souviens d'avoir dit à ma femme : « Que penses-tu que je puisse faire ? Je ne l'ai pas suivi ce maudit cours, moi. » Vous comprendrez peut-être pourquoi je dis maintenant que je ne peux pas me permettre de ne pas le suivre ? »

Il reste des pères qui n'apprennent pas les nouvelles techniques et se contentent d'en rester à la Première Méthode, mais bien souvent ils se font prendre à partie par leurs femmes. Une de ces épouses nous a dit qu'elle avait commencé par avoir des griefs contre son mari et qu'à la longue elle en était venue à ressentir une forte hostilité à son égard, car elle ne pouvait plus supporter de le voir régler ses conflits en employant le pouvoir. « Je me rends compte maintenant à quel point l'usage du pouvoir peut causer du tort aux enfants et je ne peux plus rester assise à le regarder les agresser de cette façon », nous dit-elle. Une autre nous confia : « Je m'aperçois qu'il est en train de ruiner sa relation avec les enfants et cela me désappointe et m'attriste. Ils ont besoin de cette relation avec lui, mais elle se détériore sans cesse. »

Certaines mères recherchent l'aide des co-participants de leur groupe de formation afin de trouver le courage de confronter leur mari ouvertement et sincèrement. Je me souviens d'une charmante jeune mère qui, grâce à l'aide de son groupe, avait découvert à quel point elle craignait son mari et comment elle avait toujours évité de le heurter au sujet de son habitude d'employer la Première Méthode. Toujours est-il qu'en discutant ce problème avec son groupe elle montra un courage suffisant pour se rendre à la maison et lui communiquer les sentiments qu'elle avait identifiés en classe :

« J'aime trop mes enfants pour rester à te regarder leur faire du mal. Je sais que les procédés que j'ai appris dans mes cours sont bien meilleurs pour les enfants et je veux que toi aussi tu apprennes ces méthodes. J'ai toujours eu peur de toi et je m'aperçois que tu crée la même réaction chez eux. »

L'effet de son intervention renversa cette femme. Pour la première fois dans leurs relations son mari écouta, et comprit ce qu'elle ressentait. Il lui dit qu'il ne s'était jamais rendu compte combien il était dominateur avec elle et les enfants ; il consentit également à s'inscrire à la session suivante de notre programme de formation.

Les choses ne se règlent toutefois pas toujours aussi facilement que dans cette famille lorsque l'un des parents préfère employer la première méthode. Je suis convaincu qu'il existe même des familles où ce problème n'est jamais résolu. Même si nous n'en entendons que rarement parler, il est plus que probable que des conjoints ne s'entendent jamais sur leurs méthodes de résoudre les conflits. Dans certains cas où un des conjoints a été formé à notre programme, il se peut qu'il en vienne même à abandonner la partie et à revenir à ses anciennes méthodes sous la pression de l'autre qui refuse de ne pas employer le pouvoir pour résoudre les conflits.

« Pouvons-nous employer les trois méthodes ? »

Nous rencontrons à l'occasion des parents qui, tout en acceptant la validité et l'efficacité de l'approche sans perdant, se refusent à abandonner les deux approches gagnant ou perdant.

Dans un de mes groupes, un parent m'a déjà demandé : « Est-ce qu'un bon parent ne va pas employer un judicieux mélange de ces trois méthodes, selon la nature du problème ? »

La crainte de partager leur pouvoir avec leurs enfants peut permettre de comprendre en partie cette attitude ; cependant, nous ne pouvons appuyer ce point de vue. Comme il n'est pas possible d'être « un peu enceinte », il n'est pas possible d'être un peu démocratique dans les conflits entre parents et enfants. En premier lieu, la plupart des parents qui désirent employer un mélange des trois méthodes veulent dire, en réalité, qu'ils veulent se réserver le droit d'employer la Première Méthode dans les cas vraiment critiques.

Traduite en langage plus simple, leur attitude s'exprimerait ainsi : « Pour les sujets qui ne revêtent pas trop d'importance aux yeux des enfants, je vais les laisser participer à la décision ; au contraire, je me réserve le droit de décider sur les points vraiment essentiels. »

Après avoir vu des parents employer une telle approche, et

après avoir recueilli de nombreux témoignages en ce sens, nous en sommes arrivés à la conclusion suivante : elle ne peut pas fonctionner. Une fois qu'ils ont pu apprécier la valeur et le bien-être que l'on ressent en parvenant à résoudre un conflit sans perdant, les enfants éprouvent un vif ressentiment envers leurs parents lorsque ceux-ci veulent revenir à la première méthode. Il se peut aussi que les enfants perdent tout intérêt à la troisième méthode si l'on s'en sert pour traiter les sujets *sans importance* et ils seront mécontents d'être perdant quand il s'agit des points *plus importants.*

En ayant recours à ce « judicieux mélange » des méthodes, on peut s'exposer à un autre résultat : les enfants en viennent à se méfier de leurs parents lorsqu'ils proposent d'appliquer la troisième méthode, car ils ont appris que dans une situation difficile où le parent se trouve forcément impliqué émotivement il va s'arranger pour gagner de toute manière. Pourquoi alors s'engageraient-ils dans le procédé de résolution de conflit ? Ils savent d'avance qu'à chaque fois que se produira un véritable conflit leur père ou leur mère emploiera son pouvoir pour gagner.

Certains parents se tirent d'affaire en employant la premiere méthode dans les cas où les enfants ne sont pas impliqués émotivement, changeant *toujours* pour la troisième dès qu'un conflit s'avère important et qu'il suscite de vifs sentiments et de profondes convictions de la part des enfants. C'est peut-être un principe de base dans toute relation humaine : *« Lorsqu'une personne ne considère pas comme très important la solution à un conflit, elle peut être prête à céder au pouvoir d'une autre ; en revanche, dans les cas où elle se sentira profondément touchée, elle voudra s'assurer une participation à la prise de décision. »*

Y a-t-il des cas où la méthode sans perdant ne fonctionne pas ?

Nous devons répondre à cette question par l'affirmative. Nous avons rencontré dans nos groupes un certain nombre de parents qui, pour des raisons diverses, sont incapables de mettre notre méthode en pratique. Sans pourtant avoir fait une étude systématique de ces cas, leur type de participation nous laisse entrevoir les raisons de leur échec.

Certains ont trop peur de laisser leur pouvoir ; l'idée d'employer la Troisième Méthode pose une menace à leurs valeurs et à leurs convictions de la nécessité de l'autorité et du pouvoir dans l'éducation des enfants. Ces parents ont souvent une bien piètre perception de la nature humaine. Selon eux, on ne peut pas faire confiance aux êtres humains, et ils sont certains qu'en cessant d'employer leur autorité ils ne feraient que rendre leurs enfants sauvages et égoïstes. La plupart de ces parents ne tentent même pas de mettre la Troisième Méthode à l'essai.

Certains parents qui ont connu des échecs nous ont rapporté que leurs enfants ont tout simplement refusé de se prêter à la résolution de conflit sans perdant. Ceux-ci étaient pour la plupart des adolescents assez âgés qui avaient déjà rejeté leurs parents ; ou encore ces jeunes ressentaient tellement d'amertume et de colère à l'égard de leurs parents qu'ils considéraient que la troisième méthode offrait à ces derniers un sort meilleur qu'ils ne le méritaient. J'ai rencontré certains de ces adolescents dans des séances de thérapie et je dois vous confier que j'ai souvent pensé que le meilleur sort qui pouvait leur arriver était de trouver le courage de quitter leurs parents et leur foyer, et de se mettre à la recherche de relations plus satisfaisantes. Un garçon perspicace qui terminait ses études secondaires en vint de lui-même à la conclusion que sa mère ne changerait jamais. Etant devenu familier avec le contenu de nos cours par la lecture des livres de ses parents, le brillant jeune homme me fit part de ses sentiments :

« Ma mère ne changera jamais. Elle n'emploie jamais les méthodes que vous enseignez. Je suppose que je dois cesser d'espérer qu'elle change... C'est bien dommage, mais je crois qu'on ne peut plus rien faire avec elle. Je trouverai une façon de gagner ma vie afin de pouvoir quitter la maison. »

Il paraît évident à tous ceux qui sont impliqués dans notre programme de formation qu'un cours de dix semaines ne suscite pas de changement suffisant chez tous les parents, notamment chez ceux qui ont employé des méthodes inefficaces depuis quinze ans et plus. Dans le cas de certains de ces parents, notre programme ne réussit pas à provoquer un changement marqué : Nous conseillons aux parents l'apprentissage de cette philosophie pendant que leurs enfants sont encore jeunes, car les relations entre parents et enfants peuvent se détériorer tellement qu'on ne puisse plus rien pour les améliorer.

14

Comment éviter d'être congédié par ses enfants.

De plus en plus souvent, les enfants congédient leurs parents. Au moment de l'adolescence, plusieurs enfants rejettent leur père et leur mère ; les repoussant, ils rompent leurs relations avec eux. De nos jours, il en est ainsi dans des milliers de familles de tous les milieux économiques et sociaux. Par centaines, les jeunes quittent leurs parents, physiquement ou psychologiquement, et cherchent ailleurs des relations plus satisfaisantes, habituellement parmi des groupes de jeunes de leur âge.

Que se passe-t-il ? Mon expérience avec des milliers de parents qui ont suivi notre programme de formation m'a convaincu que ces enfants sont poussés à quitter leur famille à cause du comportement de leurs parents, et je m'en réfère ici à un comportement bien spécifique. Les parents sont congédiés par leurs enfants lorsqu'ils les harcèlent et les sermonnent pour leur faire changer des idées et des valeurs auxquelles ces jeunes tiennent. Les adolescents congédient leurs parents lorsqu'ils sentent qu on les prive de leurs droits civiques fondamentaux.

Les parents ratent leur chance d'exercer une influence positive sur leurs enfants en essayant avec trop de pression et d'insistance de les influencer dans les domaines que ceux-ci considèrent comme les plus importants pour affirmer leur personnalité et orienter leur vie. Tout comme les moniteurs le font dans nos groupes de formation, je vais examiner ce problème délicat et sérieux, et offrir des méthodes visant à éviter d'être congédié comme parent.

Bien que l'approche sans perdant soit d'une efficacité remarquable lorsque les parents peuvent l'utiliser, il existe quand même certains conflits inévitables que les parents *ne devraient pas s'attendre à voir résolus*, même par un emploi habile de cette approche, pour la bonne raison que leur résolution ne pourra pas se réaliser selon le cheminement de la troisième méthode. Plus encore, si les parents tentent d'impliquer leurs adolescents dans la résolution de ces problèmes, ils iront vers un échec assuré. Dans notre programme, c'est une tâche difficile d'amener les parents à comprendre et à accepter cette notion, car pour ce faire il devient nécessaire qu'ils renoncent à certaines idées et croyances désuètes sur le rôle des parents dans notre société.

Lorsque se présentent des conflits familiaux concernant des valeurs, des idées ou des goûts personnels, les parents devront les traiter différemment, car souvent les enfants ne sont pas disposés à négocier sur ces sujets ni à participer à une recherche de solution. On ne veut pas dire que les parents doivent renoncer à influencer leurs enfants dans le domaine des valeurs. C'est possible, mais s'ils veulent le faire, ils auraient avantage à employer une approche différente.

Une question de valeurs.

Il se produit inévitablement entre un parent et un enfant des conflits qui ont pour sources les idées de l'enfant, ses valeurs, ses préférences, sa philosophie de la vie. Comme premier exemple, prenons le cas des cheveux longs. La plupart des garçons d'aujourd'hui accordent aux cheveux longs une très grande valeur symbolique. Il n'est pas nécessaire qu'un parent comprenne tous les détails de la symbolique des cheveux longs ; il reste cependant essentiel qu'il comprenne à quel point il est important pour son fils de porter les cheveux longs. *Il accorde une valeur aux cheveux longs.* Ils revêtent pour lui une signification considérable. Il *préfère* les cheveux longs et, en un certain sens, il *a besoin* d'avoir les cheveux longs ; ce n'est pas un simple désir.

Si les parents essaient de le priver de ce besoin, ou s'ils font des efforts pour l'éloigner de ce qui pour lui représente une valeur importante, ils rencontreront à chaque fois une forte résistance de sa part. Porter les cheveux longs signifie pour un adolescent *qu'il fait ce qu'il désire, qu'il vit sa propre vie, qu'il oriente son comportement selon ses propres idées et ses propres valeurs.*

Essayez de convaincre votre fils de couper ses cheveux longs et il est plus que probable qu'il vous répondra :

« Ces cheveux sont à moi. »
« Je les aime comme ça. »
« Laisse-moi tranquille. »
« J'ai le droit de porter mes cheveux comme je le veux. »
« Ça ne te dérange en aucune manière. »
« Je ne te dis pas comment porter tes cheveux, tu n'as pas à me dicter comment porter les miens. »

Correctement décodés, ces messages communiquent au parent : « Je crois que j'ai le droit à mes propres valeurs, aussi longtemps qu'il n'est pas évident qu'elles t'affectent d'une façon concrète et tangible. »

Supposons que j'aie un fils et qu'il me parle ainsi, je devrai reconnaître qu'il a raison. Quelle que soit la longueur de ses cheveux, elle n'affecte en aucune façon tangible ou concrète mes possibilités de satisfaire mes propres besoins. Elle ne me fera pas perdre mon emploi, ne me causera pas une baisse de revenu, ne m'empêchera pas de conserver mes amis et de m'en faire de nouveaux, je ne serai pas plus mauvais joueur de golf, je pourrai continuer à écrire ce livre et à pratiquer ma profession et elle ne m'empêchera certainement pas de porter *mes* cheveux courts. Elle ne m'occasionnera même aucune dépense (en fait, je vais sans doute économiser puisque je n'aurai pas à payer ses coupes de cheveux).

Pourtant, les parents prennent à leur charge les comportements d'un enfant, comme la façon dont il porte ses cheveux, et en font leurs problèmes propres. Voici comment l'incident s'est produit pour un parent d'un groupe de formation :

Parent : Je ne peux pas supporter que tu portes les cheveux aussi longs. Tu as l'air du diable. Pourquoi ne les fais-tu pas couper ?

Le fils : Je les aime de cette façon.

Parent : Tu n'es pas sérieux, tu as l'air d'un hippy.

Le fils : Et puis, qu'est-ce que ça peut faire ?

Parent : Il va falloir faire quelque chose pour régler ce conflit. Je ne peux pas accepter que tu portes tes cheveux de cette façon. Que pourrait-on faire ?

Le fils : Ces cheveux sont à moi et je vais les porter comme je l'entends.

Parent : Pourquoi ne les coupes-tu pas au moins un peu ?

Le fils : Est-ce que moi je te dis comment porter tes cheveux ?

Parent : Non. Mais tu ne peux pas dire que j'ai l'air négligé comme toi ?

Le fils : Là, tu exagères ! Je n'ai pas l'air négligé comme tu le dis et mes amis m'aiment comme ça, les filles en particulier.

Parent : Ça m'importe peu. Moi, ça me dégoûte de te voir comme ça.

Le fils : Alors, c'est simple. Tu n'as qu'à ne pas me regarder.

Malgré tout, les parents continuent à essayer de modifier de semblables comportements et cette ingérence cause invariablement des querelles, de la résistance et du ressentiment de la part des enfants et amène habituellement une sérieuse détérioration des relations entre enfants et parents.

Les enfants résistent vigoureusement à des tentatives de modification de leur façon de faire quand ils sont persuadés que leur conduite n'entrave pas la satisfaction des besoins de leurs parents ; et sur ce point, ils n'agissent pas différement des adultes. Aucun adulte n'est prêt à modifier son comportement alors qu'il reste convaincu qu'il ne fait de tort à personne. Les adultes, tout comme les enfants, vont offrir une forte résistance afin de sauvegarder leur liberté lorsqu'ils sentent que quelqu'un les pousse à changer une habitude qui n'interfère pas véritablement avec ses besoins.

C'est une des erreurs les plus sérieuses des parents et une des raisons les plus fréquentes de leur inefficacité. Si les parents se limitaient à vouloir modifier les comportements qui portent atteinte à leurs besoins, il se produirait beaucoup moins de rébellion, moins de conflits, moins de relations détériorées entre parents et enfants. Sans justification valable, trop de parents critiquent, cajolent et harcèlent leurs enfants pour les amener à changer des attitudes qui ne les affectent d'aucune façon concrète ou tangible. Pour se défendre, les enfants contre-attaquent, résistent, se rebellent ou s'en vont.

On voit même fréquemment des enfants réagir en exagérant les comportements que les parents leur reprochent, comme dans le cas des cheveux longs. D'autres enfants, craignant l'autorité de leurs parents, vont céder aux pressions de ces derniers, mais ils ne le feront pas sans un profond ressentiment ou sans haine à l'égard des parents qui les auront forcés à changer.

Une grande part de la révolte des adolescents d'aujourd'hui, leurs manifestations, leurs occupations, leurs croisades contre l'ordre établi, peut être attribuée à l'intervention des parents et autres adultes qui font pression sur les jeunes pour les amener à modifier des comportements que ces derniers considèrent uniquement de leur juridiction personnelle.

Les enfants ne se révoltent pas contre les *adultes*, ils *se révoltent contre les tentatives des adultes qui portent atteinte à leur liberté.* Les jeunes se révoltent contre les tentatives que déploient les adultes pour les changer et les rendre conformes aux images qu'ils se font d'eux ; ils se rebellent contre le harcèlement des adultes, ils résistent aux adultes qui veulent leur imposer des valeurs qui ne sont pas les leurs.

En s'attaquant à des façons d'agir qui n'affectent pas *leur vie,* les parents en viendront malheureusement à perdre toute influence capable d'amener une modification des comportements qui les gênent. Selon mon expérience avec des enfants de tous les âges, les jeunes sont généralement disposés à modifier leur comportement dès qu'on leur fournit la preuve que ce comportement empêche *quelqu'un d'autre de satisfaire un besoin.* De même, si les parents se limitent à tenter de changer seulement une conduite qui les affecte de façon concrète et tangible, ils trouvent les enfants beaucoup plus ouverts au changement, fort disposés à respecter les besoins de leurs parents et réceptifs à l'idée de chercher avec eux des solutions à ces problèmes.

L'habillement, tout comme la longueur des cheveux, a pour les jeunes une valeur symbolique très grande. Dans ma jeunesse, la mode était aux pantalons de velours côtelés jaune pâle, que nous portions avec de gros souliers sales ! Je me souviens de ce rituel d'alors : à chaque fois que j'achetais de nouveaux souliers, je les enduisais de saleté avant même de penser à les porter. Aujourd'hui, la préférence va aux « blue-jeans » sales et délavés, aux ponchos, aux colliers et pendentifs, tant pour les garçons que pour les filles, aux sandales, aux lunettes rondes à la mode « grand-mère », aux mini-jupes et aux maxi-jupes ; les filles refusent de porter un soutien-gorge, et ainsi de suite. Ce que j'ai pu me battre pour assurer mon droit de porter ces pantalons de velours et ces souliers ! Je ressentais un grand besoin de ces symboles et, plus important encore, mes parents ne pouvaient pas me démontrer logiquement que le fait de m'habiller de cette manière les affectait de façon concrète et tangible.

Dans certaines circonstances, un enfant comprendra et acceptera que sa manière de s'habiller nuise à ses parents. A plusieurs reprises, on a cité l'exemple de Nicole et de son imperméable beige. Il lui apparaissait clair que si elle avait marché l'espace de plusieurs rues pour se rendre à l'autobus sans protéger ses vêtements de la pluie qui tombait, elle allait les abîmer. Il faudrait ensuite les faire nettoyer, et elle risquait en plus d'avoir un rhume, ce qui obligerait ses parents à acheter des remèdes et peut-être à rester à la maison pour lui prodiguer des soins.

On peut trouver un second exemple de problème résolu par la méthode sans perdant dans le conflit du congé de Pâques que ma fille désirait passer à la plage de Newport sans surveillance. Après explication, il devenait évident pour elle que nous aurions pu en perdre le sommeil d'inquiétude ou encore être réveillés en pleine nuit par un appel téléphonique, si elle s'était retrouvée au tribunal ou en prison avec un groupe d'adolescents.

Même un conflit sur la longueur des cheveux d'un fils peut, en de rares circonstances, faire l'objet d'une démarche de résolution de conflit ; ce fut le cas dans une famille dont le père était directeur d'école. Ce dernier était convaincu que son poste pouvait être mis en jeu si le milieu très conservateur où il vivait se mettait à interpréter la longueur des cheveux de son fils comme une preuve que le père était trop libéral pour conserver son emploi. Dans cette famille, le fils comprit que la longueur de ses cheveux avait une incidence certaine sur la vie de son père ; aussi accepta-t-il de réduire considérablement la longueur de ses cheveux par souci véritable pour les besoins de son père.

On aurait pu avoir un résultat différent dans une autre famille qui aurait connu les mêmes difficultés : il importe alors surtout que *l'enfant accepte et reconnaisse l'évidence* que son comportement a des répercussions concrètes et tangibles sur la vie du parent. Ce n'est qu'une fois ce fait admis qu'il acceptera de participer à une résolution de conflit. S'ils veulent que leur enfant accepte de négocier, les parents doivent tout d'abord réussir à bien lui prouver que son comportement les dérange d'une manière absolue : telle est la conclusion que notre expérience auprès de milliers de familles nous amène à tirer. Cependant, on peut donner en exemple d'autres comportements que les jeunes ne considèrent pas négociables parce qu'il est impossible de les convaincre qu'ils affectent sérieusement leurs parents.

Une adolescente a le goût des mini-jupes, un adolescent a l'habitude de porter des vieux jeans ou des espadrilles trouées.
Un adolescent affectionne un groupe d'amis que ses parents n'aiment pas.
Un fils veut quitter l'université et devenir chansonnier.
Un enfant lambine lorsqu'il fait ses devoirs scolaires.
Une fille adolescente s'habille à la mode hippy.
Un fils de quatre ans traîne encore son toutou avec lui.
Une fille veut se faire percer les oreilles.
Une fille aime se maquiller abondamment les yeux.
Un enfant s'est attiré des problèmes par ses bouffonneries à l'école.
Des jeunes ne veulent plus aller à l'église.

Il est évident que la Troisième Méthode n'a pas pour but de mouler les enfants selon des mesures fixées par les parents. Si les parents tentent de l'employer dans ce but, les enfants vont très certainement s'en apercevoir et offrir de la résistance. Les parents viendront alors de perdre toute chance de l'employer pour des problèmes qui les affectent directement. On rencontre de tels problèmes quand, par exemple, les enfants refusent d'accomplir leur part des corvées, lorsqu'ils font un vacarme excessif, abîment volontairement des meubles ou autre matériel, conduisent l'auto familiale à une trop grande vitesse, laissent leurs vêtements traîner un peu partout dans la maison, ne s'essuient pas les pieds avant d'entrer, monopolisent l'usage du téléviseur, ne rangent pas la cuisine après s'être préparé une collation, ne remettent pas les outils de leur père à leur place, piétinent le jardin ou affichent d'autres façons de se comporter tout aussi nuisibles.

Une question de droits civiques.

Les conflits entre parents et enfants sur la longueur des cheveux ou sur d'autres comportements où les enfants ne peuvent pas concevoir qu'ils peuvent affecter leurs parents de façon tangible et concrète impliquent la question des *droits civiques de l'enfant*. Les jeunes croient qu'ils ont *le droit* de porter leurs cheveux à leur façon, de choisir leurs amis, de porter les vêtements qu'ils aiment, et le reste. Sur ce plan, nous pouvons avoir la certitude que les adolescents d'aujourd'hui vont défendre ce droit vigoureusement tout comme ceux du passé l'on fait.

Les jeunes, à l'instar des adultes, des groupes ou des nations, vont se battre pour préserver leurs droits. Ils vont s'opposer de toutes leurs forces à toute tentative de les priver de leur liberté ou de leur autonomie. Pour eux, certaines choses importantes ne sont pas négociables : ils ne sont pas prêts à faire des compromis sur ces questions ni même à participer à une recherche de solution.

Comment se fait-il que les parents ne s'en aperçoivent pas ? Pourquoi les parents ne comprennent-ils pas que leurs fils et leurs filles sont des êtres humains et *qu'il est dans la nature humaine de combattre pour ses libertés* dès que celles-ci sont menacées par un autre ? Pourquoi les parents ne comprennent-ils pas qu'il s'agit-là d'un point fondamental, le besoin qu'a l'homme de préserver sa liberté ? Pourquoi les parents ne se rendent-ils pas compte que les droits civiques doivent commencer à la maison ?

Les parents ne pensent que rarement aux droits civiques de leurs enfants : une des raisons de cette attitude largement répandue reste la notion voulant que les enfants « appartiennent » aux parents. Par cette idée, les parents justifient leurs efforts de mouler leurs enfants, les former à leur goût, les endoctriner, les changer, les contrôler, leur imposer un lavage de cerveau. Pour accorder des droits civiques ou des libertés inaliénables aux enfants, on doit d'abord les percevoir comme des êtres humains distincts ou des personnes indépendantes, vivant leur propre vie. Bien peu de parents voient leurs enfants de cette manière lorsqu'ils arrivent dans nos groupes. Ils éprouvent une grande difficulté à accepter notre principe de laisser à l'enfant la liberté de devenir ce qu'il veut devenir, à la condition que son comportement n'entrave pas de façon tangible et concrète la liberté du parent de devenir ce que ce dernier veut devenir.

Ne puis-je pas transmettre mes valeurs ?

Voilà bien une des questions les plus fréquemment soulevées dans nos groupes de formation, car la plupart des parents sentent un vif besoin de transmettre à leur progéniture les valeurs qu'ils considèrent importantes. Nous répondons : « Certainement, vous le *pouvez*, mais il est également inévitable que, de fait, vous allez les transmettre. »

Les parents ne peuvent pas faire autrement que d'enseigner leurs valeurs à leurs enfants ; inévitablement, ceux-ci vont apprendre les valeurs de leurs parents en observant leurs agissements et en les écoutant parler.

Les parents en tant qu'exemples.

Les parents ne peuvent pas faire autrement que d'enseigner tout comme les autres adultes avec qui les jeunes entrent en contact au cours de leur croissance. Les parents font continuellement figure de modèles pour leurs enfants, démontrant par leurs actions encore plus que par leurs paroles leurs croyances et leurs valeurs.

Les parents *peuvent* enseigner leurs valeurs en les pratiquant. S'ils veulent que leurs enfants accordent une valeur à l'honnêteté, les parents doivent à tous les instants faire montre d'honnêteté.

S'ils veulent que leurs enfants valorisent la générosité, ils doivent agir avec générosité. S'ils veulent que leurs enfants adoptent les valeurs du christianisme, ils doivent eux-mêmes se comporter en chrétiens. C'est la meilleure et peut-être la *seule* façon qu'ont les parents de transmettre leurs valeurs à leurs enfants.

« Faites ce que je dis et non ce que je fais » ne fournit pas aux parents une approche très efficace pour transmettre des valeurs à leurs enfants. « Fais ce que je *fais* » aura au contraire de grandes chances de changer ou d'influencer un enfant.

Les parents qui veulent que leurs enfants soient francs et sincères s'y prennent mal s'ils répondent à une invitation par téléphone en mentant : « Cela nous ferait bien plaisir, mais nous attendons déjà des invités. » On pourrait citer d'autres exemples. Le père se vante au cours d'un repas en famille du raffinement qu'il a employé pour augmenter faussement les dépenses déductibles de son assiette d'impôt. La mère avertit sa fille de ne pas souffler mot à son père sur le prix de la nouvelle lampe ou de tout autre objet qu'elle aurait acheté pour la maison. Ou, encore, les parents ne disent pas complètement la vérité à leurs enfants sur les questions de la vie, de la sexualité, de la religion.

Les parents qui veulent que leurs enfants valorisent la non-violence dans les relations humaines feront figure d'hypocrites s'ils leur imposent des punitions. Je me souviens d'une caricature qui m'avait beaucoup impressioné et qui représentait un père administrant une fessée à son fils courbé sur ses genoux en lui criant : « J'espère que cela t'apprendra à ne plus frapper ton petit frère ! »

Les parents transmettent des valeurs à leurs enfants *en les mettant en pratique dans leur propre vie, non pas en essayant de les leur imposer*. Je suis fermement convaincu que l'une des principales raisons qui amènent les adolescents à rejeter autant de valeurs de la société des adultes reste qu'ils se rendent compte à quel point les adultes ne pratiquent pas ce qu'ils prêchent. A leur grande déception, les enfants découvrent que leurs livres de classe ne disent pas toute la vérité sur notre gouvernement et son histoire et que leurs professeurs mentent en leur cachant certaines des réalités de la vie. Ils ne peuvent pas faire autrement qu'en vouloir aux adultes qui prêchent certains principes de morale sexuelle lorsqu'ils voient dans des films ou des émissions de télévision des descriptions de mœurs sexuelles adultes qui viennent en flagrante contradiction avec ce que leurs parents soutiennent. Oui, les parents peuvent transmettre leurs valeurs à la condition de les vivre.

Mais combien de parents le font vraiment ? Vous pouvez sûrement enseigner vos valeurs, mais il faut donner l'exemple : il reste inutile de se contenter de persuader par la parole ou d'en imposer par son autorité de parent ! Bien sûr ! Transmettez *toutes vos valeurs personnelles*, mais il importe que vous le fassiez par la pratique de l'exemple.

Les parents craignent fort que leurs descendants *n'adoptent pas leurs valeurs*. C'est vrai ; il se peut bien qu'ils ne les adoptent pas. Les enfants peuvent ne pas apprécier certaines des valeurs de leurs parents, ou encore, ils peuvent s'apercevoir à juste titre que certaines positions prises par leurs parents donnent des résultats qu'ils ne désirent pas : c'est le cas du « patriotisme », que la jeunesse de nos jours rejette parce que bien souvent il suscite des comportements qui donnent naissance à des guerres.

Lorsqu'ils craignent que les jeunes n'adoptent pas leurs valeurs, les parents se disent toujours justifiés d'employer la force pour imposer leurs valeurs à leurs enfants. Pour convaincre, ils ont alors recours à l'argument : « Ils sont trop jeunes pour juger par eux-mêmes. » C'est en effet l'expression qu'emploient le plus souvent les parents qui imposent leurs valeurs à leurs enfants.

Est-il vraiment possible d'imposer des valeurs à une personne en bonne santé par l'emploi du pouvoir et de l'autorité ? Je ne le crois pas. Si l'on tente d'influencer ainsi les esprits des jeunes, on les amènera à résister avec une vigueur plus grande encore, allant même jusqu'à défendre leurs idées et leurs valeurs avec une extrême ténacité. On peut contrôler les actions des autres par le pouvoir et l'autorité ; il reste rare cependant que l'on puisse par ces moyens contrôler *leurs pensées, leurs idées et leurs valeurs*.

Le parent en tant que consultant.

En plus d'influencer les valeurs de leurs enfants par l'exemple, les parents peuvent avoir recours à une autre approche pour transmettre leur conception de ce qui est « bien » et de ce qui est « mal ». Ils peuvent *faire part* de leur expérience à leurs enfants et leur *communiquer* leurs idées, leurs connaissances. Un peu comme le fait un consultant avec les clients qui ont recours à ses services. Mais cette intervention ne réussit qu'à certaines conditions. Le consultant efficace expose plutôt qu'il ne prêche, il *offre* et n'impose pas, il *suggère* plutôt que de commander. Plus important encore, le consultant compétent n'expose, n'offre et ne suggère *qu'une seule fois*. Le consultant compétent présente à ses clients les avantages de ses connaissances et de son expérience, c'est vrai, mais il ne les harcèle pas semaine après semaine, il ne leur fait pas honte s'ils n'acceptent pas ses idées et il n'insiste pas pour faire accepter son point de vue lorsqu'il perçoit une résistance. Le consultant efficace expose ses idées, puis il *laisse à son client la responsabilité de les accepter ou de les refuser.* Si un consultant se comportait comme le font la plupart des parents, il aurait tôt fait d'être remercié de ses services.

De nos jours, bien des jeunes rejettent leurs parents, les informent que leurs services ne sont plus désirés, parce que bien peu de parents jouent efficacement le rôle de consultant auprès de leurs enfants. Ils les menacent, les sermonnent, les cajolent, les implorent puis tentent de les persuader, leur font la morale ou essaient de leur faire honte ; les parents emploient tous ces moyens pour essayer de forcer leurs enfants à bien agir. Les parents reviennent continuellement à la charge et, jour après jour, ils ne laissent pas à l'enfant la responsabilité de son apprentissage. Dans leur rôle de consultants, selon l'attitude qu'adoptent la plupart des parents, *leurs clients « doivent » suivre leurs suggestions,* autrement ils croient qu'ils ont échoué.

Malheureusement, les parents ressassent toujours les mêmes conseils. Il n'y a pas alors lieu d'être surpris de voir, dans des familles, les enfants exaspérés dire à leurs parents : « Laissez-moi tranquille », « Arrêtez de me harceler », « Je sais ce que tu penses, il n'est pas nécessaire de me le répéter tous les jours », « Arrête de me faire la leçon », « Ça suffit », « Salut ».

Nous aimerions justement ici communiquer aux parents notre expérience de consultant. Si vous voulez agir comme consultant utile auprès de vos enfants, vous pouvez réussir en appliquant les points suivants : exposer ses idées, son expérience, sa sagesse, tout en se souvenant qu'un consultant efficace évite de se faire congédier par la personne qu'il veut aider.

Si vous croyez que vous possédez des connaissances utiles sur l'effet de la cigarette sur la santé, dites-le à vos enfants. Si la religion occupe une place importante dans votre vie, parlez-en à vos enfants à l'occasion. Si vous découvrez un bon article traitant des effets de la drogue sur la vie des adolescents, prêtez le texte à vos enfants, ou lisez-le à haute voix à toute la famille. Si vous avez découvert des statistiques sur la valeur de la fréquentation de l'université, informez-en vos enfants. Si dans votre jeunesse vous avez appris une façon de rendre vos travaux scolaires moins fastidieux, faites part de votre méthode à vos enfants. Si vous considérez avoir acquis une compétence sur le sujet des relations sexuelles préconjugales, communiquez vos découvertes à vos enfants au moment approprié.

Voici une dernière suggestion : au cours de mon expérience personnelle de consultant, j'ai appris que *mon outil le plus important* restait l'écoute active. Lorsque je présentais de nouvelles idées à mes clients, leur première réaction était généralement de résister et de se défendre. Comme mes idées allaient très souvent à l'encontre de leurs habitudes de penser ou d'agir, on s'explique facilement cette attitude. Lorsque j'écoutais activement ces réactions, elles s'apaisaient généralement jusqu'à disparaître et je voyais souvent mes nouvelles idées adoptées par la suite. Les parents qui veulent transmettre leurs croyances et leurs valeurs à leurs enfants auraient avantage à rester attentifs à toute résistance à leur enseignement, et à demeurer sensibles aux objections que suscitent leurs idées. Quand vous percevez une résistance, c'est le temps de penser à employer l'écoute active. Elle vous sera utile lorsque vous serez le consultant de vos enfants.

Pour conclure sur ce sujet, nous aimons dire aux parents de nos groupes de formation et à ceux qui lisent ce livre : vous pouvez certainement essayer de transmettre vos valeurs à vos enfants, mais, de grâce, cessez de les harceler ! Expliquez-vous clairement, mais cessez de toujours répéter ! Soyez généreux dans vos explications, mais évitez de prêcher. Communiquez ouvertement, mais n'imposez rien. Retirez-vous ensuite élégamment et laissez votre « client » décider s'il va adopter ou rejeter vos idées, sans jamais oublier l'écoute active ! Si vous vous comportez de cette façon, vos enfants pourront recourir à vos services à nouveau. Sachant que vous leur êtes utile en tant que consultant, ils pourraient vous garder sur leur liste de références. Ils pourraient tout simplement ne pas ressentir l'envie de vous congédier.

« Accepter ce qu'on ne peut changer. »

Les lecteurs se souviendront peut-être de cette prière, dont j'ai oublié l'auteur, mais qu'on a souvent citée :

> « Seigneur, donnez-moi le courage de changer ce que je peux changer, la sérénité d'accepter ce que je ne peux pas changer, et la sagesse d'admettre qu'il en est ainsi. »

« La sérénité d'accepter ce que je ne peux pas changer », voilà qui me semble illustrer parfaitement ce que je viens de traiter. Car il se trouve un grand nombre de comportements d'enfant que les parents ne réussissent pas à changer. La seule chose à faire, c'est de les accepter.

Au chapitre des valeurs, les parents acceptent mal l'idée de n'être que des consultants pour leurs enfants.

Ils disent :

« Mais j'ai la responsabilité de voir à ce que mon fils ne commence pas à fumer la cigarette. »
« J'ai la responsabilité et le devoir d'employer mon autorité pour empêcher ma fille d'avoir des relations sexuelles avant le mariage. »
« Je ne suis pas d'accord pour agir en simple consultant sur la question de fumer de la marijuana. Je dois faire plus que cela pour protéger mes enfants de cette tentation. »
« Je ne pourrais pas accepter de laisser mon enfant négliger ses travaux scolaires tous les soirs ».

Bien des parents désapprouvent certains comportements au point de ne pas vouloir renoncer à leurs tentatives d'influencer leurs enfants. C'est compréhensible. Cependant, une analyse plus objective les convaincra généralement qu'il ne reste pratiquement pas de possibilité si ce n'est de céder, c'est-à-dire d'accepter ce qu'ils ne peuvent pas changer.

Prenons l'exemple de la cigarette. Supposons que les parents aient communiqué tous les faits pertinents à leur fils adolescent (leur propre expérience des méfaits de cette habitude, les rapports du ministère de la Santé publique, des articles de journaux, etc.). Que peuvent faire les parents si le fils choisit malgré tout de commencer à fumer ? S'ils essaient de l'empêcher de fumer, il fumera sans doute quand même dès qu'ils ne pourront pas le surveiller. De toute évidence, ils ne peuvent pas le suivre à chaque fois qu'il sort de la maison, ni rester à la maison à chaque fois qu'il y est. Même s'ils le surprenaient en train de fumer, que pourraient-ils faire ? S'ils lui donnaient une punition pour une certaine période, il recommencerait dès sa punition terminée. Théoriquement, ils pourraient même menacer de l'expulser de la maison, mais peu de parents sont prêts à tenter d'appliquer des mesures aussi lourdes de conséquences, car ils se rendent compte qu'ils pourraient bien se voir forcés de mettre leurs menaces à exécution. Alors, en fait, les parents n'ont pas d'autres possibilités que d'accepter leur incapacité d'arrêter leur fils de fumer. Une mère a bien exprimé le dilemme où elle se trouvait coincée en déclarant : « Le seul moyen qui pourrait empêcher ma fille de fumer serait de l'attacher dans son lit. »

Les travaux scolaires offrent un autre exemple des problèmes qui provoquent des conflits dans beaucoup de familles. Que peuvent dire les parents si un enfant ne fait pas ses travaux scolaires. S'ils l'enferment dans sa chambre, il s'amusera probablement à n'importe quoi sauf à travailler. En fait, il est impossible de faire étudier ou apprendre quelqu'un malgré lui. « Vous pouvez amener un cheval jusqu'à l'eau, mais vous ne pouvez pas le forcer à boire » reste un proverbe qu'on peut appliquer à l'enfant qui ne veut pas faire ses devoirs.

On peut dire la même chose au sujet des relations sexuelles préconjugales. Le même principe s'applique tout aussi bien ici, car il est impossible pour des parents de surveiller leur fils ou leur fille tout le temps. Dans un de nos groupes de formation, un père l'a admis de façon explicite : « Mieux vaut pour moi cesser d'essayer d'empêcher ma fille d'avoir des relations sexuelles avant de se marier, car il est bien certain que je ne peux pas m'asseoir sur le siège arrière de l'auto avec un fusil à chaque fois qu'elle sort avec un garçon !!! »

On pourrait ajouter encore bien d'autres comportements à la liste de ceux que les parents n'ont pas le pouvoir de changer : se maquiller exagérément, boire, créer des problèmes à l'école, se mêler à certains enfants, fréquenter des membres d'une autre race ou d'une autre religion, fumer de la marijuana, et le reste. Tout ce qu'un parent peut faire, c'est d'influencer par l'exemple, d'agir en bon consultant et de développer une relation « thérapeutique » avec son enfant. Que pourrait-il faire de plus ? Tel que je vois les choses, à la limite, un parent ne peut qu'accepter ; il n'a pas le pouvoir d'empêcher l'enfant de faire ce que ce dernier est déterminé à accomplir.

C'est peut-être là un des prix à payer pour être parent. Vous pouvez *faire* de votre mieux, et puis *espérer* que tout aille bien, mais il se peut qu'à la longue vous courriez le risque de ne voir vos efforts couronnés que d'un succès partiel. Il se pourrait à ce moment-là que vous aussi vous disiez : « Seigneur, donnez-moi... la sérénité d'accepter ce que je ne peux pas changer. »

La technique des deux colonnes pour commencer à employer la méthode sans perdant.

Dans bon nombre de familles, les parents ont surtout employé la première méthode et ils ont souvent réprimandé ou harcelé leurs enfants au sujet de comportements qui ne les affectaient pas de façon concrète et tangible : il devient alors difficile de commencer d'appliquer le procédé de résolution de conflit sans perdant parce que la relation entre les parents et les enfants se trouve passablement détériorée. Comme les enfants ressentent déjà de la colère contre leurs parents, n'importe quelle intervention des parents les place sur la défensive et ils trouvent suspecte toute tentative de modifier leur comportement. Alors, lorsque les parents s'amènent pour leur proposer une séance de résolution de conflit, les enfants vont refuser de participer ou bien accepter avec l'idée de saboter la nouvelle tentative de leurs parents de les priver de ce qu'ils considèrent être leur liberté.

Dans nos groupes, nous avons mis au point une méthode extrêmement simple qui permet de surmonter la résistance et le manque de confiance que peuvent démontrer les enfants lors d'une séance de résolution de conflit. Tout ce dont les parents ont besoin pour employer cette méthode se limite à un crayon et une feuille de papier divisée en deux colonnes par une ligne tracée de haut en bas. Les parents peuvent, par exemple, débuter la séance en s'adressant à leurs enfants de la façon suivante :

> « Nous voulons mettre à l'essai une nouvelle façon de résoudre les conflits qui existent entre nous. Dans le passé, nous avons souvent gagné et vous avez souvent perdu ; ou encore, vous avez gagné et nous avons aussi perdu. Nous aimerions maintenant changer et tenter de trouver à nos conflits des solutions qui seraient acceptées par tous et chacun d'entre nous afin qu'ainsi personne ne soit perdant. Dans cette nouvelle approche, la règle veut que tout ce que nous décidons doit être acceptable pour nous tous : au besoin, nous devrons continuer à chercher une solution jusqu'à ce que nous en ayons trouvé une qui nous convienne vraiment et que nous soyons tous prêts à la mettre en pratique.
> » J'ai ici une feuille de papier divisée en deux parties. Nous allons dresser la liste de nos problèmes et de nos conflits au

fur et à mesure que l'un de nous les soulèvera. Dans la colonne de gauche, je vais inscrire les conflits que nous avons eus au sujet de certains de vos comportements qui ne nous affectent pas de façon tangible et concrète, bien qu'ils nous dérangent jusqu'à un certain point. Par exemple, nous pourrions penser immédiatement à vos travaux scolaires. Dans la colonne de droite, je vais inscrire les conflits que nous avons eus au sujet de certaines de vos façons d'agir qui nous touchent dans nos vies. On pourrait prendre comme exemple le fait que vous ne sortez pratiquement jamais les ordures.

» Lorsque nous aurons complété notre liste, nous vous promettons de ne pas vous harceler ni de vous critiquer au sujet des problèmes contenus dans la colonne de gauche. Nous mettrons tout simplement ces problèmes de côté, nous n'en discuterons plus. Prenons l'exemple des travaux scolaires. Nous acceptons de ne plus jamais en parler, ce sera à vous de décider quand vous les ferez ou encore si vous les ferez ou pas. Vous êtes capables de vous en occuper par vous-mêmes

» En revanche, tous les problèmes de la colonne de droite devront être réglés en trouvant une solution qui soit acceptable pour tout le monde : il ne devra pas y avoir de perdant. Est-ce que vous auriez des questions à nous poser sur la façon dont nous allons procéder ? (On répond alors aux questions). Ça va, maintenant commençons à faire la liste des problèmes. Chacun de nous peut en soulever ; puis nous allons prendre chaque problème et décider s'il doit aller dans la colonne de droite ou dans celle de gauche. »

Lorsqu'on emploie cette méthode dans une famille, les enfants sont tellement surpris et enchantés de voir éliminés tous les problèmes qu'on place dans la colonne de gauche qu'ils deviennent beaucoup plus ouverts à négocier ceux de la droite. Ils sont ainsi beaucoup plus motivés à suggérer des solutions et à en accepter une qui réponde aux besoins de leurs parents autant qu'aux leurs.

Voyez à la page suivante un tableau à deux colonnes qui représente l'inventaire des problèmes dressés par une famille. Dans cette famille, comme dans la plupart, on retrouve beaucoup plus de problèmes dans la colonne de gauche que dans celle de droite.

Problèmes acceptés comme étant de la responsabilité de l'enfant (qui ne feront pas l'objet d'un procédé de résolution de conflit).	**Problèmes devant faire l'objet d'entente mutuelle établie par le procédé de résolution de conflit.**
1. Tes travaux scolaires ; comment tu étudies, combien tu étudies, si tu étudies. 2. La longueur de tes cheveux, et ta façon de les coiffer. 3. L'heure à laquelle tu te couches. 4. Ce que tu manges. 5. Ta façon de te vêtir pour aller à l'école. 6. Le choix de tes amis. 7. Le nombre de fois où tu prends ton bain. 8. La manière de décorer ta chambre. 9. Les lieux que tu fréquentes lorsque tu fais des sorties. 10. La façon dont tu dépenses ton allocation.	1. La contribution que tu apportes aux travaux d'entretien de la maison. 2. La question de ton allocation, de ce que tu achètes et ce que nous nous engageons à te fournir. 3. Le moyen de nous avertir quand tu ne viens pas manger à la maison. 4. Le problème de l'usage de la voiture familiale. 5. L'ordre et le rangement de la maison, où tu laisses souvent traîner tes affaires.

15

Les parents peuvent éviter les conflits en se transformant eux-mêmes.

Voici le dernier concept que nous présentons aux parents. Ils peuvent prévenir bien des conflits entre eux et leurs enfants en changeant certaines de leurs attitudes. On présente cette idée en dernier lieu parce qu'il peut paraître menaçant pour les parents d'entendre dire que quelquefois c'est *eux* qui devraient changer plutôt que leurs enfants. Les parents acceptent beaucoup plus facilement une nouvelle méthode permettant de transformer leurs *enfants* et de nouvelles méthodes pouvant modifier l'*environnement* que l'idée de procéder à des changements en *eux-mêmes*.

Dans notre société, être parent ne signifie pas seulement « élever des enfants ». Les parents doivent faire abstraction de leurs propres désirs, et leurs actions n'être dirigées que vers un seul but : le développement de la croissance, morale et physique, des enfants. On parle *d'enfants :* problèmes, mais on ne parle pas de *parents :* problèmes. A ce qu'il semble, on n'identifie pas de relations entre parents et enfants qui soient des problèmes.

Cependant, chaque parent sait très bien que dans ses relations avec son conjoint, un ami, un parent, un patron ou un subalterne, il rencontre des moments où c'est *lui* qui doit changer pour prévenir de sérieux conflits ou pour préserver l'état des relations. Nous avons tous vécu des expériences qui nous ont amenés à changer notre propre attitude face au comportement d'une autre personne, la plupart du temps en devenant plus réceptifs aux manières de voir et d'agir de cette autre personne. Par exemple, vous pouvez avoir éprouvé une vive irritation face à l'habitude qu'avait un ami d'arriver en retard à ses rendez-vous. Au cours des années, vous commencez à l'accepter, peut-être à en rire et à le taquiner à ce propos. Maintenant, vous ne vous irritez plus de cette situation ; vous acceptez cette habitude comme l'un des traits caractéristiques de votre ami. Votre *comportement* a changé. *Vous* vous êtes adapté. *Vous* avez changé.

Les parents eux aussi peuvent changer leur attitude face aux comportements de leurs enfants.

La mère de Lucie accepta beaucoup mieux le besoin de sa fille de porter la mini-jupe après s'être rappelé la période de sa vie où, au grand désespoir de sa mère, elle avait elle-même suivi la mode des jupes au-dessus du genou et des bas roulés.

Le père de Jean accepta beaucoup mieux l'activité débordante de son fils de trois ans lorsque, au cours d'une discussion de groupe, plusieurs autres parents mentionnèrent ce comportement comme typique des garçons de cet âge.

Les parents auraient avantage à réaliser qu'ils peuvent réduire le nombre de comportements qu'ils trouvent inacceptables en se modifiant eux-mêmes de façon à devenir plus tolérants envers les attitudes de leurs enfants ou des enfants en général.

Cette démarche n'est pas aussi difficile qu'elle peut paraître. Bien des parents deviennent plus tolérants à l'égard du comportement des jeunes après leur premier enfant et souvent cette tolérance s'accroît après le deuxième et le troisième. Les parents peuvent aussi montrer plus d'indulgence à l'égard des enfants après la lecture d'un livre sur l'éducation des enfants ou suite à une expérience comme moniteur auprès de groupes d'enfants. Un contact direct et approfondi avec les enfants ou même des connaissances acquises grâce à l'expérience des autres peuvent modifier considérablement l'attitude d'un parent. Les parents peuvent également avoir recours à d'autres façons plus fondamentales de changer et de devenir plus tolérants.

Pouvez-vous mieux vous accepter ?

Des études ont démontré qu'il existe un lien direct entre la façon dont on accepte les autres et celle dont on s'accepte soi-même. Quelqu'un qui s'accepte lui-même en tant que personne acceptera probablement beaucoup plus facilement les autres. Les gens qui ne peuvent pas tolérer une grande variété d'attitudes et de comportements chez eux-mêmes trouvent habituellement difficile de tolérer une grande diversité de sentiments et de gestes chez les autres.

Un parent aurait avantage à se poser lucidement la question suivante : « Est-ce que j'aime vraiment la personne que je suis ? »

Si la réponse est négative, ce parent gagnerait à réexaminer sa propre vie et à trouver le moyen de s'épanouir et de tirer une plus grande satisfaction de ses propres réalisations. Les personnes qui s'acceptent et s'estiment beaucoup elles-mêmes sont généralement productives : elles font fructifier leurs talents, développent leurs capacités et accomplissent beaucoup : ce sont des « réalisateurs ».

Les parents qui sont satisfaits de leurs efforts autonomes non seulement s'acceptent eux-mêmes, mais aussi *ne ressentent pas la nécessité de rechercher la satisfaction de leurs besoins à travers leurs enfants et leurs façons d'agir.* Ils n'éprouvent pas le besoin de contrôler la personnalité et l'avenir de leurs enfants. Les personnes qui ressentent une haute estime d'elles-mêmes en s'appuyant sur les fondements solides de leurs propres réalisations montrent beaucoup plus d'acceptation envers leurs enfants et leurs façons de se comporter.

D'autre part, si dans sa propre vie un parent ne trouve que peu ou pas de sources de satisfaction personnelle et d'estime de lui-même, et si cette satisfaction doit dépendre fortement de l'évaluation que les autres font de ses enfants, il est plus que probable qu'il éprouvera de l'inacceptation envers ses enfants ; il craindra en particulier les comportements qui pourraient selon lui l'amener à passer pour un mauvais parent.

Comme il doit compter sur cette « acceptation indirecte de lui-même », *un tel parent sentira alors le besoin d'amener ses enfants à se comporter de façons prédéterminées.* Il éprouve ainsi de l'inacceptation à leur égard et s'irrite lorsqu'ils dévient de la route qu'il leur a tracée.

Beaucoup de parents recherchent un symbole de prestige en

« produisant » de « bons enfants » capables d'obtenir de bons résultats à l'école, de réussir socialement, d'accomplir de bonnes performances sportives, et le reste. Ils éprouvent le « besoin » d'être fiers de leurs enfants ; ils ont besoin de voir leurs enfants se comporter d'une façon qui leur permettra de passer pour de bons parents aux yeux des autres. En ce sens, bien des parents *utilisent* leurs enfants pour se donner un sentiment d'appréciation et d'estime d'eux-mêmes, ce qui est malheureusement vrai d'une multitude de mères (et d'un bon nombre de pères également), dont la vie se limite à élever de « bons » enfants. Le parent se trouve alors dans une situation de dépendance à l'égard de ses enfants, ce qui crée chez lui une grande anxiété et un besoin incontrôlable d'amener ses enfants à se comporter de telle façon particulière.

A qui appartiennent les enfants ?

Beaucoup de parents justifient leurs efforts répétés pour former leurs enfants selon un moule préconçu, en disant : « Après tout, ce sont mes enfants, n'est-ce pas ?» ou encore : « Les parents n'ont-ils pas le droit d'influencer *leurs* enfants selon les valeurs auxquelles ils croient ? »

Plus un parent est possessif, plus il croit avoir le droit de mouler son enfant d'une certaine façon, et plus il est par conséquent porté à ne pas accepter un comportement qui dévie de ses prescriptions. Quand un parent voit son enfant comme une personne distincte, et même très différente et qui n'est pas du tout sa « propriété », il démontre tout naturellement beaucoup plus d'acceptation du comportement de cet enfant puisqu'il ne fixe pas de moule ou de modèle préconçu à suivre. En adoptant une telle attitude, le parent peut plus facilement accepter son enfant comme un être unique et lui permettre de devenir ce qu'il est destiné à être selon son propre potentiel.

Un parent tolérant est capable de laisser un enfant mener sa vie selon sa propre orientation. D'autre part, celui qui adopte une attitude d'inacceptation ressent le besoin de « programmer » la vie de son enfant à sa place.

Bien des parents voient leurs enfants comme des « prolongements d'eux-mêmes ». Cette conception amène souvent un parent à essayer d'influencer fortement un enfant à devenir un « bon enfant » selon ses propres critères ou encore à devenir ce qu'à son grand regret il n'a pas pu devenir lui-même. De nos jours, les psychologues de la tendance dite humaniste parlent beaucoup du concept de « personne distincte ». Ils découvrent et commencent à démontrer que, dans de saines relations, chaque personne peut permettre à l'autre d'être autonome et « distincte ». Plus cette attitude de « personne distincte » existe, moins on éprouve le besoin de changer l'autre, d'être intolérant à l'égard de ses particularités ou de manifester de l'inacceptation devant ses comportements.

Dans mon travail avec des familles en difficulté, de même que dans nos groupes de formation, je me suis souvent évertué à expliquer aux parents : « Vous avez créé une vie, maintenant laissez-la à l'enfant. Laissez-le décider ce qu'il veut faire de la vie que vous lui avez donnée. »

Kahlil Gibran énonce ce principe avec beaucoup d'élégance et de sensibilité dans son livre *Le Prophète.*

> *« Vos enfants ne sont pas vos enfants.*
> *Ils sont les fils et les filles de l'appel de la vie à elle-même.*
> *Ils viennent à travers vous, mais non de vous.*
> *Et, bien qu'ils soient avec vous, ils ne vous appartiennent pas.*
> *Vous pouvez leur donner votre amour, mais non point vos pensées.*
> *Car ils ont leurs propres pensées...*
> *Vous pouvez vous efforcer d'être comme eux, mais ne tentez pas de les faire comme vous.*
> *Car la vie ne fait pas marche arrière, ni ne s'attarde au passé. »*

Les parents *peuvent* évoluer, se modifier eux-mêmes, et ainsi réduire le nombre de comportements qui leur sont inacceptables ; ils y parviendront mieux en considérant leurs enfants non pas comme *leur* propriété, ni comme des prolongements d'eux-mêmes, mais comme des êtres uniques et distincts. Un enfant a le droit de devenir ce qu'il est capable d'être, différent de ses parents ou des plans qu'ils ont tracés pour lui. Ce droit est tout à fait légitime et *inaliénable.*

Aimez-vous vraiment les enfants ou seulement un type particulier d'enfant ?

J'ai connu des parents qui disaient aimer les enfants, mais leur comportement démontrait clairement qu'ils n'aimaient qu'un type particulier d'enfant. Les pères qui valorisent les sports rejettent souvent assez tragiquement un fils dont les intérêts et les talents ne s'orientent pas vers ce domaine. Les mères qui valorisent la beauté physique peuvent rejeter une fille qui ne possède pas les caractéristiques stéréotypées de la beauté féminine. Un parent qui accorde une grande importance à la musique montrera facilement à un enfant qui ne manifeste pas cet intérêt à quel point il en est désappointé. Les parents qui valorisent la réussite scolaire et les études théoriques peuvent susciter des troubles affectifs irrémédiables chez un enfant qui ne possède pas ce type particulier d'intelligence et d'intérêt.

Les parents trouvent beaucoup moins de comportements inacceptables s'ils se rendent compte qu'il existe une variété infinie d'enfants dans ce monde et qu'il existe tout autant de voies qu'ils peuvent emprunter dans la vie. La beauté de la nature, le miracle de la vie résident justement dans l'extrême variété des formes vivantes.

Je dis souvent aux parents : « Ne souhaitez pas que votre enfant devienne telle chose en particulier ; souhaitez simplement qu'il « devienne ». Avec cette attitude les parents vont inévitablement ressentir de plus en plus d'acceptation pour chaque enfant et éprouver de la joie et de l'enthousiasme simplement à regarder chacun « devenir ».

Vos croyances et vos valeurs sont-elles les seules à être vraies ?

Les parents sont évidemment plus âgés et plus expérimentés que leurs enfants. Dans plusieurs situations, il apparaît cependant moins évident que leurs expériences particulières ou leurs connaissances leur ont donné un accès exclusif à la vérité ou leur ont procuré une sagesse suffisante pour toujours juger adéquatement ce qui est bien et ce qui est mal. « L'expérience est bon maître », mais elle n'enseigne pas nécessairement ce qui est vrai ; la connaissance vaut mieux que l'ignorance, or la personne qui a accumulé des connaissances n'a pas automatiquement acquis la sagesse.

J'ai été surpris de constater que les parents aux prises avec des problemes graves dans leurs relations avec leurs enfants présentaient très souvent des attitudes très rigides sur ce qui est bien et ce qui est mal. On pourrait peut-être en conclure que : *plus une personne ressent une certitude absolue de la justesse de ses valeurs et de ses croyances, plus elle aura tendance à les imposer à ses enfants* (et habituellement aux autres également). En conséquence, de tels parents seront portés à ne pas accepter les comportements qui paraîtront dévier de leurs valeurs et de leurs croyances.

Les parents dont le système de valeurs reste plus flexible, plus perméable, changent plus facilement ; ceux qui ne voient pas en termes de tout blanc ou tout noir sont portés à accepter beaucoup plus facilement un comportement qui pourrait sembler dévier de leurs valeurs et de leurs croyances. J'ai aussi observé que ces parents restent beaucoup moins portés à imposer un plan préconçu à leurs enfants ou à essayer de les presser dans un moule préétabli. Ces mêmes parents trouvent plus facile d'accepter que leur fils porte les cheveux longs ou la barbe, même s'ils ne considèrent pas ces pratiques valables pour eux-mêmes ; ils acceptent plus facilement la mini-jupe, la transformation des mœurs sexuelles, les différents styles de vêtements, les manifestations contre l'ordre établi, la révolte contre les autorités scolaires, les manifestations contre la guerre, ou la fréquentation d'enfants de race ou d'héritage culturel différents.

Somme toute, ces parents acceptent le changement comme inévitable. Pour eux, « la vie ne fait pas marche arrière ni ne s'attarde pas au passé », les croyances et les valeurs d'une génération ne sont pas nécessairement celles de la suivante et notre société a vraiment besoin d'améliorations. A leurs yeux, il y a lieu de protester vigoureusement contre certaines positions, et il leur paraît nécessaire de résister fortement à certains usages déraisonnés et répressifs de l'autorité. Les parents qui partagent de telles attitudes considèrent un bien plus grand nombre de comportements des jeunes comme étant justifiés et véritablement acceptables.

Votre relation avec votre conjoint demeure-t-elle primordiale ?

Beaucoup de parents contemporains se tournent vers leurs *enfants* plutôt que vers leur conjoint pour établir leur relation privilégiée. Les mères, en particulier, comptent beaucoup sur leurs enfants pour des satisfactions et des joies qu'il serait plus approprié de rechercher dans leur relation avec le conjoint.

Cette attitude mène fréquemment les parents à « faire passer les enfants en premier », à se sacrifier pour les enfants, ou encore à miser énormément sur la « réussite des enfants », car ils ont investi une part affective énorme dans leur relation avec leurs enfants. Ces parents *se préoccupent de façon démesurée* du comportement de leurs enfants. La façon dont se comportent les enfants prend alors une importance beaucoup trop grande. Ces parents ont le sentiment que leurs enfants doivent être continuellement surveillés, guidés, orientés, jugés, évalués. Il devient très difficile pour ces parents de permettre à leurs enfants de faire des erreurs ou des faux pas dans leur vie. Ils pensent que leurs enfants doivent être protégés contre tout échec et préservés de tout danger possible.

Les parents efficaces peuvent se permettre une expérience beaucoup plus décontractée avec leurs enfants. Leur vie de couple passe en premier. Leurs enfants occupent une place importante dans leur vie, or c'est une place secondaire ou, sinon secondaire, en tout cas pas plus importante que celle avec le conjoint. Ces parents semblent accorder à leurs enfants beaucoup plus de liberté et d'indépendance. Ils apprécient la compagnie de leurs enfants, mais pour des périodes limitées ; ils aiment aussi passer du temps seul avec leur conjoint. Ils n'investissent pas seulement dans leurs enfants, mais aussi dans leur vie de couple. Le comportement de leurs enfants ou leur réussite leur apparaît moins crucial et moins menaçant. Ils peuvent plus facilement percevoir que leurs enfants disposent d'une vie qui leur est propre et qu'il est avantageux que les jeunes bénéficient d'une plus grande liberté pour se former eux-mêmes. Les parents qui adoptent une telle attitude réprimandent leurs enfants beaucoup moins souvent et dirigent beaucoup moins leurs activités. Ils sont capables d'être disponibles lorsque les enfants ont besoin d'eux, mais ils ne ressentent pas la nécessité d'intervenir et de s'ingérer dans leur vie si ces derniers ne le leur demandent pas. En général, ils ne négligent pas leurs enfants : ils s'intéressent à eux mais sans anxiété. Ils s'occupent de leurs enfants mais ne les couvent pas. Leur attitude peut se résumer ainsi : « Les enfants sont les enfants, et il faut les accepter pour ce qu'ils sont. » Les parents efficaces sont plus souvent amusés que découragés par l'immaturité ou les travers de leurs enfants.

Les parents de ce dernier groupe manifestent de toute évidence un plus haut degré d'acceptation et ils sont beaucoup moins souvent bouleversés par les comportements de leurs enfants. Ils ressentent moins le besoin de dominer, contrôler, diriger, contraindre, réprimander ou sermonner leurs enfants, et les reconnaissent comme des personnes distinctes. Les parents du premier groupe seront enclins à moins d'acceptation. Ils *ont besoin* de contrôler, limiter, diriger, contraindre, etc. Comme ils accordent la première importance à leur relation avec leurs enfants, ces parents éprouvent un grand besoin de diriger leur comportement et de programmer leur vie.

Les parents peuvent-ils changer leurs attitudes ?

En lisant ce livre, ou en participant à notre programme de formation durant dix semaines, les parents peuvent-ils parvenir à un véritable changement d'attitude ? Un parent peut-il apprendre à mieux accepter ses enfants ? Avant cette expérience, j'aurais été sceptique, car comme tant d'autres praticiens des professions « thérapeutiques » j'ai certaines « déformations professionnelles ». On nous a généralement enseigné que les gens ne changent pas à moins de s'engager dans une psychothérapie intensive en consultation avec un professionnel, pour une durée de six mois à un an, ou même davantage.

Cependant, ces dernières années, il s'est opéré un profond renversement de pensée chez les gens de nos professions « d'agents de changement ». En effet, la plupart d'entre nous avons pu observer des changements importants dans l'attitude et le comportement des personnes qui ont participé à des expériences de groupe de développement humain, qu'il s'agisse de « croissance personnelle », de « sensibilisation » de développement sensoriel, de groupe d'animation, de rencontres de dynamique de groupe, de formation de cadres, de réunions de couples, d'ateliers de familles, et autres. Une bonne partie des professionnels acceptent maintenant l'idée que les gens peuvent changer considérablement s'ils ont la chance de vivre une expérience de groupe, où ils peuvent parler honnêtement et ouvertement avec d'autres personnes, exprimer leurs sentiments et discuter de problèmes dans une atmosphère de compréhension et d'acceptation mutuelles.

Apparemment, notre programme constitue une expérience de ce genre. Les parents donnent leurs impressions, expriment leurs sentiments et discutent dans un cadre ouvert et détendu. Les parents s'assoient en cercle ; chacun peut parler lorsqu'il le désire ; nous les encourageons à parler de ce qu'ils ressentent à l'égard de leurs enfants ; ils découvrent que la grande majorité des parents rencontrent les mêmes problèmes qu'eux ; le moniteur écoute et manifeste sa compréhension par l'écoute active ; leurs idées et leurs points de vue ne sont ni jugés ni évalués ; le moniteur n'est pas là pour les critiquer, et les parents se rendent compte par l'expérience que des gens se préoccupent de leur bien-être.

Nous ne faisons aucun examen ni aucune classification. Les participants sont évidemment libres d'assister à nos rencontres et les absences sont exceptionnelles. Nous veillons à ce que les parents se sentent à l'aise pour exprimer leur désaccord, parler ouvertement de toute réticence à ces nouvelles idées et nouvelles méthodes. Nous donnons aux parents l'occasion de pratiquer les nouvelles méthodes dans l'atmosphère de confiance qui règne dans le groupe avant de les encourager à les essayer à la maison ; et la maladresse des premiers essais est acceptée et comprise par le groupe.

Presque tous les parents qui s'inscrivent à notre programme de formation se rendent compte que leurs attitudes présentes et leurs méthodes d'éducation laissent beaucoup à désirer ; et ils n'hésitent pas à le confier ouvertement à leur groupe. Plusieurs reconnaissent qu'ils ont été inefficaces avec l'un ou plusieurs de leurs enfants ; d'autres craignent les conséquences que leurs méthodes actuelles pourraient avoir sur leurs enfants ; tous sont très sensibilisés aux problèmes que rencontrent un grand nombre d'enfants et se rendent compte que beaucoup de relations entre parents et enfants se détériorent au moment où l'enfant atteint l'âge de l'adolescence.

Par conséquent, la plupart des parents de nos groupes sont disposés à changer et désirent le faire ; ils veulent apprendre des méthodes nouvelles et plus efficaces pour éviter les erreurs des autres parents (ou les leurs) en plus de découvrir des techniques qui pourraient leur rendre la tâche plus facile. Nous n'avons pas encore rencontré un seul parent qui ne désirait pas améliorer son œuvre d'éducation de ses enfants.

Avec tout ce qui se passe dans nos groupes et toutes les ressources qui y sont disponibles, il n'est pas étonnant que cette expérience de formation amène des changements importants d'attitudes et de comportements chez les parents. Voici quelques exemples de confidences tirées de lettres ou de feuilles d'évaluation remplies anonymement par les parents à la fin du cours :

« Nous souhaiterions avoir suivi ce cours il y a plusieurs années, avant que nos enfants n'atteignent l'âge de l'adolescence. »

« Nous montrons maintenant à nos enfants le même genre de respect qu'envers nos amis. »

« J'apprécie la chance d'avoir pu participer à votre cours pour parents. Plus encore, j'ai l'impression que ma perception de l'espèce humaine dans son entier s'est élargie et j'accepte beaucoup plus les autres tels qu'ils sont et non pas comme j'avais l'habitude de les voir. »

« J'ai toujours aimé les enfants ; maintenant, j'apprends également à les respecter. Votre programme n'est pas seulement un cours sur l'éducation des enfants : pour moi, c'est un mode de vie. »

« Je viens de réaliser combien j'avais sous-estimé mes enfants, et à quel point je les avais affaiblis par ma surprotection et mes attentions exagérées. J'avais participé à un groupe d'étude sur l'enfant, qui était « très bien », mais le seul résultat en avait été d'accentuer mon sentiment de culpabilité et de continuer à essayer d'être une mère parfaite. »

« Mon scepticisme était tel, et j'avais tellement peu de confiance en mes enfants, que j'ai maintenant peine à le croire. Lorsque j'ai découvert qu'ils font face à leurs sentiments et à leurs problèmes beaucoup mieux que je ne l'ai jamais fait, j'ai senti qu'un grand poids venait de s'envoler de mes épaules ; j'ai alors commencé à vivre pour moi-même. Je suis retourné aux études et je suis devenue une personne beaucoup plus heureuse, beaucoup plus épanouie, et par conséquent un meilleur parent. »

Ce ne sont pas tous les parents qui peuvent opérer les changements d'attitude nécessaires pour en arriver à une plus grande acceptation de leurs enfants au cours des dix semaines que dure notre programme. Certains en viennent à se rendre compte qu'ils ne vivent pas d'une façon mutuellement satisfaisante. A cause de cette situation, l'un des parents ou les deux ne peut pas être efficace dans sa relation avec les enfants. Ils en trouvent rarement le temps et la force parce qu'ils ont pratiquement besoin de consacrer toutes leurs énergies à soutenir leur lien conjugal ou encore ils découvrent qu'ils ne peuvent pas ressentir d'acceptation envers leurs enfants parce qu'ils ne s'acceptent pas eux-mêmes comme mari et femme.

D'autres trouvent difficile de renoncer à un système de valeurs fondé sur la domination et la contrainte par l'autorité hérité de leurs parents ; et aujourd'hui cette attitude les rend critiques à l'excès et les empêche d'accepter leurs enfants. D'autres encore éprouveront de la difficulté à modifier leur attitude de « propriétaires de leurs enfants » ou leur engagement profond à poursuivre leur but de fondre leurs enfants dans un moule bien défini. Cette attitude se retrouve souvent chez les parents qui ont été influencés par les dogmes de certaines sectes religieuses qui enseignent aux parents qu'ils ont l'obligation morale de convertir leurs enfants, même si cela exige que le parent emploie le pouvoir et l'autorité ou des méthodes d'influence qui ne sont pas loin du lavage de cerveau et du contrôle de la pensée.

Pour les quelques parents qui trouvent difficile de modifier leurs attitudes fondamentales, l'expérience de notre programme ouvre néanmoins la porte à la recherche d'autres formes d'aide, soit thérapie de groupe, consultation conjugale, thérapie familiale, ou encore thérapie individuelle.

Plusieurs, parmi les parents de nos groupes, nous ont dit qu'avant d'avoir participé à notre programme de formation ils n'avaient jamais osé consulter un psychologue ou un psychiatre. Il semble bien que notre programme permet d'approfondir la connaissance de soi ; cette expérience donne aux gens la motivation et le désir de changer, même si notre programme n'est pas suffisant pour provoquer un changement significatif chez tous les participants.

Après avoir suivi notre cours de formation, certains parents demandent à se réunir en petits groupes afin de travailler à transformer certaines attitudes et de résoudre les problèmes qui les empêchent d'employer efficacement les nouvelles méthodes qu'ils ont apprises. Dans ces groupes « avancés », les parents traitent principalement de leurs relations avec leur conjoint, avec leurs propres parents ou de leurs attitudes fondamentales vis-à-vis d'eux-mêmes comme personnes. Ce n'est qu'après leur expérience dans des groupes de thérapie approfondie que certains parents affinent leurs perceptions et opèrent des changements d'attitudes qui leur permettent alors d'employer nos méthodes efficacement.

Chez quelques parents, notre programme peut ne pas produire suffisamment de changements d'attitudes, mais il donne naissance à un processus de changement ou les encourage à s'engager sur la voie qui conduit à une plus grande efficacité en tant que personne ou parent.

Il est bien évident que la lecture de ce livre ne peut pas équivaloir à la féquentation d'un groupe de formation durant dix semaines en compagnie d'autres parents sous la direction d'un moniteur expérimenté. Néanmoins, je crois que la lecture et l'étude attentive de ce livre donneront à la plupart des parents une compréhension valable de cette nouvelle philosophie de l'éducation des enfants : de nombreux parents pourront acquérir un niveau raisonnable de compétence et appliquer au sein de leur famille les techniques propres à cette philosophie.

Le lecteur peut mettre ces procédés en pratique très souvent et bien longtemps après avoir complété la lecture de ce livre. Cette approche demeure utile non seulement dans nos relations avec nos enfants, mais aussi dans nos relations avec notre conjoint, nos associés, nos parents et nos amis.

Nos expériences nous apprennent que pour devenir plus efficaces dans l'éducation d'enfants responsables nous devons fournir un travail attentif et assidu, soit par la participation à un groupe de formation ou par la lecture de ce livre ou encore par les deux à la fois. Mais, après tout, quelle tâche ne requiert pas de travail ?

16

Les autres parents de vos enfants.

Au cours de leur vie, vos enfants seront exposés à l'influence d'autres adultes à qui vous déléguez certaines de vos responsabilités de parents. Comme ces personnes remplissent certaines fonctions de parents envers vos enfants, elles exerceront, elles aussi, une grande influence sur leur développement et leur épanouissement. Je pense ici bien entendu aux grands-parents, aux oncles et tantes et gardiennes d'enfants ; aux professeurs, principaux d'école et conseillers pédagogiques, aux entraîneurs sportifs, directeurs de colonies de vacances et moniteurs de terrains de jeux, aux directeurs et animateurs des centres de loisirs, aux chefs de troupes chez les scouts et les guides, aux responsables de mouvements de jeunesse et dans certains cas aux officiers de probation.

Lorsque vous confiez vos enfants à de tels parents-suppléants, quelle certitude avez-vous de leur efficacité ? Ces adultes vont-ils créer avec vos fils et vos filles des relations « thérapeutiques » et constructives ou « non thérapeutiques » et destructives ? Jusqu'à quel point seront-ils des agents d'aide efficaces pour vos enfants ? Pouvez-vous confier vos enfants à ces « gardiens de la jeunesse », et avoir confiance que vos jeunes ne vont pas en souffrir ?

Ce sont là d'importantes questions, car tous les adultes qui établiront des relations avec vos enfants influenceront grandement leur vie.

Beaucoup de ces parents-suppléants s'inscrivent à nos cours. Nous avons également conçu des programmes de formation spécialement destinés aux enseignants, aux consultants et aux cadres. Nous avons appris que ces professionnels adoptent envers les enfants des attitudes et des méthodes qui ressemblent étrangement à celles des parents. Ils négligent habituellement eux aussi d'écouter vraiment les enfants ; ils emploient eux aussi avec les enfants des façons de parler qui les abaissent et diminuent l'estime d'eux-mêmes ; ils font eux aussi grand usage de l'autorité et du pouvoir pour manipuler les enfants et contrôler leur comportement ; eux aussi, ne voient souvent rien d'autre que les deux méthodes gagnant ou perdant pour régler les conflits ; eux aussi, ils harcèlent, critiquent et sermonnent les enfants dans l'intention de former leurs valeurs et leurs croyances et de les mouler selon leur propre image.

Naturellement, on retrouve des exceptions, tout comme on en voit chez les parents. De façon générale, cependant, les adultes qui interviennent dans la vie de nos enfants n'ont pas les attitudes requises pour être des agents d'aide efficaces. Tout comme les parents, ils n'ont pas reçu une formation adéquate pour devenir des personnes capables d'établir des relations « thérapeutiques » avec les enfants et les adolescents. Pour ces raisons, malheureusement, nos enfants peuvent avoir à souffrir de leurs relations avec eux.

A titre d'exemple, je vais prendre le cas des professeurs et des directeurs d'école ; je ne veux pas dire qu'ils sont les moins efficaces ou que ce sont eux qui ont le plus grand besoin de formation. Cependant, comme ils passent beaucoup de temps avec vos enfants, ce sont probablement eux qui peuvent exercer la plus grande influence sur ces derniers, que ce soit en bien ou en mal. Selon l'expérience que nous avons acquise à travailler dans des écoles de nombreuses régions et dans plusieurs pays, nous pouvons conclure que ce sont des institutions autoritaires organisées et dirigées selon une structure et une philosophie qui prennent modèle sur les organisations de type militaire.

Les règlements destinés à régir la conduite des étudiants sont presque invariablement déterminés de façon unilatérale par les adultes qui occupent le sommet de la hiérarchie, sans aucune participation des jeunes qui sont sensés y obéir. On punit les infractions à ces règlements, et dans certains cas, croyez-le ou non, on emploie encore les châtiments corporels. Quand on établit un règlement, on ne consulte même pas les professeurs qui sont responsables d'un groupe et qui auront la charge de l'appliquer. Encore plus ironique, ces enseignants sont habituellement jugés beaucoup plus sur leur capacité de maintenir l'ordre dans leur classe que sur leur efficacité à stimuler le goût d'apprendre.

Les écoles imposent également aux enfants un programme d'études que la plupart d'entre eux considèrent sans intérêt et sans aucun lien avec leur vie personnelle actuelle. Constatant qu'un tel programme d'étude ne réussit pas à motiver les étudiants par manque d'intérêt et de pertinence, les écoles emploient presque universellement un système de récompenses et de punitions, les sempiternelles notes ; ce procédé douteux amène presque la majorité des enfants à se retrouver « endessous de la moyenne ».

Dans les classes, les enseignants réprimandent et rabaissent souvent les enfants. Ils les récompensent pour leur capacité à réciter ce qu'on leur a demandé de lire, et souvent ils les punissent s'ils manifestent quelque désaccord ou divergence d'opinion. La majorité des professeurs ne réussissent pas à amener leurs étudiants à participer de façon valable à des discussions de groupe. On observe cette difficulté principalement dans la dernière partie du cours élémentaire et dans toutes les classes suivantes, du secondaire jusqu'à l'université ; ce problème se présente tout simplement parce que la méthode employée amortit la discussion plutôt que de l'encourager. De cette façon, les étudiants se sentent en général peu enclins à communiquer de façon franche et sincère.

Lorsque les enfants se « conduisent mal » en classe, ce qui est inévitable dans un climat aussi peu « thérapeutique » et dénué d'intérêt, les enseignants traitent ordinairement les conflits qui en résultent par la première méthode, et quelquefois par la deuxième. On ordonne souvent aux enfants d'aller voir le principal ou un consultant ; ces derniers sont sensés essayer de résoudre ces conflits entre professeur et étudiant, *même si l'un des participants au conflit, en l'occurrence le pro-*

fesseur, est absent. En conséquence, le principal ou le consultant *présume* habituellement que l'enfant est fautif et, séance tenante, il le punit ou lui sert un sermon ou encore il lui fait signer une promesse « de cesser son comportement et de s'amender ».

Dans la plupart des écoles, on prive carrément les étudiants de leurs droits civiques : droit de parole, droit de porter leurs cheveux comme ils l'entendent, droit de porter les vêtements qu'ils aiment, droit à la divergence d'opinion. Dans les écoles, on prive également les enfants du droit de refuser de témoigner contre eux-mêmes ; et lorsque les jeunes font face à des ennuis, il est très rare que les administrateurs scolaires suivent les procédures prescrites dans la loi et garanties aux citoyens dans le système judiciaire.

Est-ce que j'ai présenté là une image déformée de nos écoles ? Je ne le crois pas. Beaucoup d'autres observateurs du système scolaire y ont décelé les mêmes lacunes.* Pour compléter ce tableau, il suffit de demander à un jeune ses opinions et impressions sur l'école et les professeurs. Presque tous les enfants détestent l'école et considèrent que leurs professeurs ne les respectent pas et qu'ils sont injustes. Ils en viennent à tenir l'école comme un endroit où ils sont *obligés* d'aller ; apprendre devient rarement pour eux une expérience agréable ou amusante ; ils ressentent l'étude comme une tâche fastidieuse, et ils considèrent leurs professeurs comme des policiers hostiles.

Lorsqu'on confie des enfants à des adultes dont le traitement produit de telles réactions négatives, il ne faut pas demander aux parents de porter tous les blâmes pour ce que deviennent leurs enfants. On peut certes blâmer, mais les autres adultes doivent partager ce blâme.

Comment les parents peuvent-ils agir ? Peuvent-ils participer aux décisions concernant le genre de traitement et de communication que les autres adultes fourniront à leurs enfants ? Je crois qu'ils le peuvent et, à mon avis, ils en ont le devoir. Pour ce faire, ils doivent abandonner la passivité et la soumission qu'ils ont adoptées par le passé.

En premier lieu, ils doivent devenir vigilants et tenter de détecter dans toutes les institutions dédiées aux jeunes toute évidence de contrôle et d'oppression par des adultes qui font un

* Voir dans notre liste de lectures supplémentaires suggérées à la fin de ce volume les ouvrages de Freinet, Glasser, Holt, Neill, Rogers.

emploi arbitraire du pouvoir et de l'autorité. Il importe que les parents se tiennent prêts à combattre ceux qui soutiennent l'emploi de « la méthode forte » avec les enfants et qui, sous la bannière de la loi et de l'ordre, justifient les méthodes autoritaires en alléguant qu'on ne peut pas faire confiance aux enfants, lesquels ne font preuve d'aucune responsabilité ni d'autodicispline.

Les parents ont la responsabilité de protéger les droits civiques de leurs enfants et de se révolter à chaque fois que ceux-ci sont menacés par des adultes qui pensent que les enfants ne méritent pas de semblables droits.

Les parents peuvent aussi appuyer des programmes pédagogiques et des méthodes novatrices d'éducation propres à amener des changements dans l'école. Ces propositions peuvent viser des changements dans le programme d'études, l'élimination des méthodes actuelles d'évaluation, l'introduction de nouvelles approches pédagogiques, l'établissement d'une structure offrant à l'élève plus de liberté d'apprendre par lui-même et à son propre rythme, la mise sur pied d'enseignement individualisé, l'occasion pour les jeunes de participer avec les adultes à l'organisation de l'école ou finalement la formation des professeurs à des approches plus humaines et plus « thérapeutiques » dans leurs relations avec les enfants.

De tels programmes sont déjà en marche dans les localités où l'on veut améliorer les écoles. Beaucoup d'autres se trouvent au stade préparatoire. Les parents n'ont pas lieu de craindre ces nouvelles orientations d'éducation, mais ils auraient plutôt avantage à leur réserver un bon accueil, à encourager les administrateurs à les essayer et à vérifier leurs effets.

Evidemment, le programme avec lequel je suis le plus familier reste la Formation à l'Efficacité Humaine : nous avons pour le milieu scolaire trois formules de cours, une pour les enseignants, une pour les administrateurs et une pour les consultants. Au cours des dernières années, cette formation a été donnée dans plusieurs centaines d'écoles. Les résultats constatés jusqu'à maintenant sont encourageants. En voici quelques exemples typiques :

En participant à notre programme de formation, le directeur d'une école secondaire a décidé d'engager les professeurs et les étudiants à rédiger à nouveau les règlements de conduite pour les élèves de l'école. Ce processus de résolution de problèmes, impliquant la participation d'un groupe d'adultes et d'étudiants, a permis d'abandonner le règlement rigide et compliqué qui prévalait auparavant et d'y substituer deux règles toutes simples :

Premièrement, personne n'a le droit de nuire à l'apprentissage d'un autre.

Deuxièmement, personne n'a le droit d'en agresser un autre physiquement.

Le principal nous a rapporté les effets de ce nouveau règlement en ces termes :

> « La réduction de l'usage du pouvoir et de l'autorité sur l'ensemble des étudiants a amené les jeunes à démontrer une plus grande auto-discipline ; chacun assume une plus grande responsabilité pour son propre comportement comme pour celui des autres. »

Dans une autre école, le professeur d'une classe qui ne fonctionnait plus par manque de discipline a employé la Troisième Méthode pour résoudre ce conflit. Ce procédé a permis de réduire le nombre d'interruptions nuisibles et inacceptables de trente par période d'une heure à une moyenne de quatre et demie pour une même durée.

Un questionnaire d'évaluation a démontré que soixante-seize pour cent des élèves trouvaient que la classe avait accompli beaucoup plus de travail depuis les séances de résolution de conflit, et quatre-vingt-quinze pour cent que l'atmosphère de la classe s'était « améliorée » ou « grandement améliorée ».

Le directeur d'une école secondaire nous a décrit en ces termes les effets de la Formation à l'Efficacité Humaine à laquelle il avait lui-même participé de même que ses professeurs :

1. « Les problèmes de discipline ont diminué d'au moins cinquante pour cent. Je considère que c'est une méthode efficace de traiter les problèmes de comportement sans avoir à punir les élèves. J'ai appris qu'une punition ne fait que suspendre le problème pour trois ou quatre jours et qu'elle n'atteint pas les causes du comportement qu'on veut éliminer. Les procédés que votre cours m'a permis d'apprendre facilitent la résolution des problèmes entre les élèves, entre le personnel et l'administration ainsi qu'entre les professeurs et les étudiants.

2. Nous avons institué des réunions d'école : au cours de ces rencontres, nous avons la nette impression de prévenir des conflits et nous avons de cette façon réussi à empêcher plusieurs conflits de devenir des problèmes de comportement.
3. J'ai réussi à améliorer énormément mes relations avec les étudiants en leur permettant d'être responsables de leurs actions et en leur reconnaissant le privilège de régler leurs propres problèmes. »

Le directeur d'une école élémentaire a écrit cette observation sur notre programme de Formation à l'Efficacité Humaine :

« En tant que directeur d'une école élémentaire, je travaille avec un grand nombre de professeurs, soit vingt-trois, dont seize ont suivi le cours de Formation à l'Efficacité Humaine. J'ai observé des changements de comportement directement attribuables à votre programme à la fois chez ces enseignants et chez leurs élèves.

1. Les professeurs ont confiance en leurs capacités de régler de difficiles problèmes de comportement et se sentent plus « outillés » pour faire face à de telles situations.
2. Le climat affectif des classes est devenu beaucoup plus détendu, beaucoup plus sain.
3. On implique les enfants dans l'élaboration des règles qui régiront leur expérience scolaire. Par conséquent, ils se sentent personnellement engagés envers ces règlements.
4. Les enfants apprennent ainsi comment résoudre des problèmes interpersonnels sans avoir recours à la force ou à la manipulation.
5. On me signale maintenant beaucoup moins de problèmes de « discipline ».
6. Les professeurs agissent de façon beaucoup plus appropriée ; par exemple, on offre de l'aide à un étudiant quand celui-ci a un problème, non pas, comme auparavant, quand le problème appartient au professeur.
7. Les enseignants règlent les problèmes qui leur appartien-

nent d'une manière beaucoup plus efficace sans avoir recours à la force avec les enfants.

8. La capacité des professeurs d'animer des rencontres avec les parents s'est grandement améliorée.

On *peut* susciter des changements importants dans les écoles en donnant aux administrateurs et aux professeurs une formation qui leur permette d'acquérir les mêmes techniques éducatives que nous enseignons aux parents dans le programme conçu à leur intention. En revanche, nous avons aussi appris qu'on n'est pas tellement réceptif au changement dans les écoles des localités où la majorité des parents défendent le statu quo, craignent le changement ou continuent d'employer l'autorité avec leurs enfants.

J'espère qu'un plus grand nombre de parents commenceront à écouter leurs enfants lorsque ceux-ci se plaindront du traitement qu'ils reçoivent de la part de beaucoup de professeurs, d'entraîneurs ou de moniteurs. Ils peuvent faire confiance aux sentiments de leurs enfants et les croire lorsqu'ils leur disent qu'ils détestent l'école ou qu'ils n'aiment pas la façon dont les adultes les traitent.

Les parents peuvent apprendre ce qui ne va pas dans ces institutions en écoutant leurs enfants et en ne prenant pas toujours la défense des institutions.

Seuls les parents vigilants réussiront à influencer les institutions dans le sens d'une plus grande démocratisation, d'une plus saine humanisation et à les rendre plus « thérapeutiques ». Ce dont nous avons le plus grand besoin n'est rien de moins qu'une nouvelle charte des droits de l'enfant.

La société ne peut plus se permettre de traiter les enfants comme ils l'étaient jadis, pas plus qu'elle ne peut sanctionner la façon dont on traitait les groupes minoritaires dans le passé.

J'offre une nouvelle philosophie de ce type pour les relations entre parents et enfants. Je la présente ici sous la forme d'un credo : c'est d'après ce texte que notre programme de formation des parents a été construit. Il s'agit d'une tentative d'expression de la philosophie fondamentale de notre programme, sous une forme succincte et de compréhension facile.

Nous remettons ce texte, composé il y a plusieurs années, aux participants de notre programme de formation. Il est présenté ici comme un défi à tous les adultes :

Un credo pour mes relations avec les jeunes

Toi et moi vivons une relation que j'apprécie et que je veux sauvegarder. Cependant, chacun de nous reste une personne distincte ayant ses besoins propres et le droit d'essayer de les satisfaire. Je tenterai d'accepter sincèrement ton comportement lorsque tu essaieras de satisfaire tes besoins ou lorsque tu éprouveras des difficultés à le faire.

Lorsque tu me feras part de tes problèmes, j'essaierai de t'écouter avec sympathie et compréhension, de façon à t'aider à trouver toi-même tes solutions plutôt que de dépendre des miennes. Lorsqu'un de mes comportements t'empêchera de satisfaire tes besoins, je t'encourage à me dire ouvertement et franchement ce que tu ressens. Alors, je vais t'écouter et essayer de modifier mon comportement, si je le peux.

En outre, lorsque ton comportement m'empêchera de satisfaire mes besoins, m'amenant ainsi à un ressentiment à ton égard, je vais te faire part de mes sentiments aussi ouvertement et franchement que je le pourrai, car j'ai confiance que tu respecteras suffisamment mes besoins pour m'écouter et essayer de modifier ton comportement.

Dans les situations où ni l'un ni l'autre ne pourra modifier son comportement pour permettre a l'autre de satisfaire ses besoins et où nous constaterons que notre relation souffre d'un conflit de besoins, engageons-nous à résoudre de tels conflits sans jamais avoir recours à notre pouvoir pour essayer de gagner aux dépens de l'autre. Je respecte tes besoins, et du dois aussi respecter les miens. En conséquence, efforçons-nous toujours de trouver à nos inévitables conflits des solutions acceptables pour chacun de nous. De cette façon, tes besoins seront satisfaits et les miens aussi : personne ne perdra, nous y gagnerons tous les deux.

Ainsi, tu pourras continer à t'épanouir en tant que personne, en cherchant à satisfaire tes besoins et moi de même. Notre relation pourra alors rester toujours saine, parce que nous en retirerons mutuellement satisfaction. Chacun de nous pourra devenir ce qu'il est capable d'être et nous pourrons poursuivre notre relation dans un sentiment de respect et d'amour mutuels, dans l'amitié et la paix.

Je n'éprouve aucun doute que si les adultes œuvrant dans les institutions consacrées à la jeunesse adoptaient ce credo et le mettaient en pratique, on y verrait bientôt des changements fort constructifs. Cependant, je me rends également bien compte qu'une telle réforme peut mettre longtemps à se réaliser. Après tout, les adultes d'aujourd'hui sont les enfants d'hier et ils ont eux-mêmes connu le rôle de parent sous un angle assez inefficace.

Nous avons besoin d'une nouvelle génération de parents qui acceptera de relever le défi d'apprendre les procédés nécessaires à élever des enfants responsables. C'est en effet dans la famille que les changements les plus profonds peuvent s'opérer rapidement. Cette transformation peut s'engager dès aujourd'hui, même chez vous.

Annexe.

1. L'écoute des sentiments.

INSTRUCTIONS : Les enfants communiquent à leurs parents beaucoup plus que des mots ou des idées. Souvent, on voit apparaître les sentiments derrière les mots. Voici quelques « messages » typiques émis par les enfants. Lisez-les un par un ; essayez d'être à l'écoute attentive des sentiments. Imaginez le ton de la voix et le visage correspondant. Puis, dans la colonne de droite, écrivez le ou les sentiments que vous percevez. Délaissez le « contenu factuel ». Ecrivez seulement les sentiments en quelques mots. Certains messages peuvent révéler plusieurs sentiments différents : inscrivez tous les sentiments principaux que vous saisissez *en indiquant une lettre pour chaque sentiment différent*. Quand vous aurez terminé, comparez votre liste avec la « clé » de la page suivante. Accordez un pointage à chaque énoncé tel qu'indiqué dans les instructions.

	L'enfant dit	L'enfant se sent
Exemple :	*Je ne sais pas ce qui ne marche pas. Je n'arrive pas à le trouver. Je devrais peut-être tout simplement renoncer.*	*a) Embarrassé* *b) Découragé* *c) Tenté d'abandonner.*

1. Eh bien ! encore dix jours seulement et l'école sera finie !
2. Regarde, papa, j'ai fait un avion avec mes nouveaux outils !
3. Me tiendras-tu la main quand nous entrerons à la maternelle ?
4. Diable ! je ne m'amuse pas du tout. Je ne trouve rien à faire.
5. Je ne serai jamais bon comme Jacques. Je pratique autant que je peux et il est encore meilleur que moi.
6. Mon nouveau professeur nous donne trop de devoirs. Je n'arrive jamais à tout faire. Qu'est-ce que je vais faire ?
7. Tous les autres jeunes sont partis à la plage. Je n'ai personne avec qui jouer.
8. Les parents de Jacques le laissent aller à l'école à bicyclette, pourtant je sais mieux conduire que lui.
9. Je n'aurais pas dû être aussi mesquin avec le petit Jeannot ; je pense que j'ai mal agi.
10. Je veux porter les cheveux longs ; ce sont mes cheveux, après tout, n'est-ce pas ?
11. Penses-tu que je rédige bien ce compte rendu ? Est-ce que ce sera assez bon ?
12. Pourquoi est-ce que la vieille chipie m'a gardé après la classe, en fin de compte ? Je n'étais pas le seul à parler. J'aimerais lui mettre mon poing sur le nez.
13. Je suis capable de le faire moi-même. Tu n'as pas besoin de m'aider. Je suis assez grand pour le faire moi-même.
14. Va-t-en, laisse-moi tout seul, tranquille, je ne veux pas te parler, ni à toi ni à personne d'autre. De toute façon, tu ne te préoccupes pas de ce qui m'arrive.
15. Pendant un bon moment je réussissais bien, mais maintenant je suis pire qu'avant. J'essaie de toutes mes forces, mais ça ne semble pas s'améliorer. Qu'est-ce que ça donne ?

16. J'aimerais sûrement y aller, mais je ne suis tout simplement pas capable de l'appeler. Et si elle se moque de moi parce que je le lui demande ?
17. Je ne veux plus jamais jouer avec Sylvie, elle est bête et ennuyante.
18. Je suis vraiment content d'être venu au monde votre bébé, à toi et à papa, plutôt qu'à d'autres parents.
19. Je pense que je sais quoi faire, mais ce n'est peut-être pas correct. Il me semble que je m'engage toujours sur une mauvaise piste. Qu'est-ce que tu penses que je devrais faire, papa, travailler ou continuer mes études ?

MAINTENANT, PASSEZ A LA PAGE SUIVANTE ET EMPLOYEZ LA CLE DE POINTAGE POUR EVALUER VOS REPONSES.

Clé de pointage.

L'écoute des sentiments.

INSTRUCTIONS : Accordez-vous 4 points pour chaque numéro où vous croyez que vos réponses correspondent de près à celles de cette clé de pointage. Donnez-vous 2 points pour un numéro si votre réponse correspond partiellement à celle de cette clé ou encore si vous n'avez pas mentionné un sentiment particulier. Accordez-vous 0 pour un numéro si vous avez tout à fait manqué.

1. (a) Content
   (b) Soulagé
2. (a) Fier
   (b) Satisfait
3. (a) Effrayé
4. (a) Ennuyé
   (b) Embarrassé
5. (a) Incapable
   (b) Découragé
6. (a) Surchargé
   (b) Vaincu
7. (a) Délaissé
   (b) Seul
8. (a) Se sent traité injustement par ses parents.
   (b) Compétent
9. (a) Coupable
   (b) Regrette son geste
10. (a) Rebuté par l'intervention des parents.
11. (a) Un certain doute
    (b) N'est pas certain
12. (a) Fâché, déteste
    (b) Traité injustement
13. (a) Se sent compétent
    (b) Ne veut pas d'aide
14. (a) Frustré
    (b) Incapable
15. (a) Blessé
    (b) Fâché
    (c) Croit qu'on ne l'aime pas.
16. (a) Découragé
    (b) Veut abandonner
17. (a) Veut s'en aller
    (b) Effrayé, a peur
18. (a) Fâché
19. (a) Content, reconnaissant.
    (b) Apprécie ses parents
20. (a) Incertain, indécis

Votre pointage total : ______________________

Comment classer votre pointage de perception des sentiments :

61 à 80 : Perception des sentiments supérieure.
41 à 60 : Perception des sentiments au-dessus de la moyenne.
21 à 40 : Perception des sentiments en dessous de la moyenne.
0 à 20 : Faible perception des sentiments.

2. Reconnaître des messages inefficaces. (Exercice.)

INSTRUCTIONS : Lire chaque situation et le message émis par le parent. Dans la colonne intitulée « Messages inappropriés à cause de » inscrire en quoi le message du parent est inefficace en employant la liste suivante d'« erreurs d'émission. »

- Blâmer, juger
- Message indirect, sarcasme
- Donner des solutions, des ordres
- Dire des noms
- « Attaquer » au moment inapproprié

Situation et Message	Message inapproprié à cause de :
EXEMPLE : Un enfant de six ans a laissé un canif ouvert sur le plancher de la chambre du bébé : « Le bébé aurait pu se couper. Tu as vraiment agi en imbécile. »	Blâmer, juger
1. Les enfants se battent pour choisir l'émission de télévision à regarder : « Arrêtez cette bataille, et éteignez le téléviseur tout de suite. »	
2. La fille arrive à la maison à 1 heure et demie après avoir promis de rentrer à minuit. Le parent était très inquiet qu'il lui soit arrivé quelque chose. Le parent se sent soulagé quand elle arrive enfin : « Eh bien ! on ne peut pas te faire confiance, à ce que je vois ! Je suis fâché contre toi. Tu ne sortiras pas pour un mois. »	

3. L'enfant de douze ans a laissé ouverte la grille qui entoure la piscine, mettant en danger l'enfant de deux ans : « Qu'est-ce que tu veux faire, noyer ton petit frère ? Je suis furieux contre toi. »	
4. Le parent a reçu de l'école une note où le professeur indique que l'enfant de onze ans parle trop fort en classe et emploie des expressions « malpropres » : « Viens ici et explique pourquoi tu veux mettre tes parents dans l'embarras avec ta sale gueule ? »	
5. La mère est en colère et très frustrée parce que l'enfant flâne et la met aussi en retard pour un rendez-vous : « Maman aimerait que tu aies plus de considération pour elle. »	
6. La mère entre à la maison et trouve le salon tout en désordre alors qu'elle avait demandé aux enfants de le tenir propre pour la visite : « J'espère que vous vous êtes bien amusés à mes dépens tous les deux cet après-midi. »	
7. Le père éprouve de la répugnance à voir et à sentir les pieds sales de sa fille : « Ne te laves-tu jamais les pieds comme tous les autres êtres humains ? Va tout de suite te doucher. »	
8. L'enfant dérange la mère parce qu'il attire l'attention des invités en faisant des sauts acrobatiques. Elle dit : « Petit paradeur. »	
9. La mère est fâchée contre son enfant parce que la vaisselle n'a pas été rangée après le lavage. Au moment où l'enfant sort en courant pour prendre l'autobus qui l'amène à l'école : « Je suis très choquée de ton attitude ce matin, le sais-tu ? »	

Comparez vos réponses avec celles-ci :

1. Donner une solution
2. Blâmer, juger
3. Donner une solution
4. Blâmer, juger
5. Blâmer, juger, atténuer
6. Message indirect
7. Message indirect
   Donner une solution
   Blâmer, juger
8. Dire des noms
9. Attaquer au moment inapproprié.

(Pour la suite de cet exercice, voir la page suivante).

ECRIRE MAINTENANT DES « MESSAGES-JE » POUR CHACUNE DES SITUATIONS DECRITES PLUS HAUT, EN EVITANT TOUTES LES ERREURS ET TOUS LES OBSTACLES MENTIONNES.

1.

2.

3.

4.

5.

6.

7.

8.

9.

3. Emettre des messages « Je ».

INSTRUCTIONS : Lire chaque situation, étudier le message « lu » de la colonne du centre, puis écrire un message « Je » dans la colonne de droite. Quand vous aurez terminé, comparez vos messages « Je » avec ceux qui sont présentés à la page suivante.

Situation	Message « Tu »	Message « Je »
1. Le père veut lire son journal. L'enfant lui monte sans cesse sur les cuisses. L'enfant lui monte sans cesse sur les cuisses. Le père est irrité.	« Tu ne devrais jamais interrompre quelqu'un quand il lit. »	
2. La mère passe l'aspirateur. L'enfant s'amuse à débrancher l'appareil. La mère est pressée !	« Ah ! que tu es détestable ! »	
3. L'enfant s'installe à table les mains et le visage très sales.	« Tu ne te comportes pas comme un grand garçon responsable. Tu agis comme le ferait un petit bébé. »	
4. L'enfant tarde à aller se coucher. La mère et le père veulent parler d'un problème intime qui les concerne. L'enfant tourne autour d'eux et les empêche ainsi d'en parler en tête à tête.	« Tu sais que ton heure de coucher est passée. Tu le fais exprès pour essayer de nous déranger. Tu as besoin de sommeil. »	

5. L'enfant ne cesse de supplier d'être emmené au cinéma, mais il n'a pas nettoyé sa chambre depuis plusieurs jours, une tâche qu'il avait accepté de faire.	« Tu ne mérites pas de venir au cinéma puisque tu as été tellement égoïste et irréfléchi. »	
6. L'enfant boude et montre un visage triste toute la journée. La mère en ignore la raison.	« Arrive maintenant. Arrête cette bouderie. Egaie-toi ou bien tu devras sortir et aller bouder dehors. Tu prends les choses trop au sérieux. »	
7. L'enfant fait jouer la radio si fort qu'il nuit à la conversation des parents qui sont dans la pièce voisine.	« Ne peux-tu pas montrer plus de considération envers les autres ? Pourquoi mets-tu le volume si haut ? »	
8. L'enfant a promis de repasser des napperons dont on se servira au dîner de réception. Pendant la journée elle a flâné, maintenant il reste une heure avant l'arrivée des invités et elle n'a pas commencé cet ouvrage.	« Tu as flâné toute la journée et failli à ta tâche. Comment peux-tu être si irréfléchie et irresponsable ? »	
9. L'enfant a oublié de revenir à la maison à l'heure pour que sa mère puisse l'emmener acheter des souliers. La mère est fort occupée.	« Tu devrais avoir honte. Après tout, je suis convenu de t'emmener, et tu ne te soucies même pas de l'heure ! »	

Clé.

1. « Quand tu montes sur mes cuisses et que tu veux jouer, ça m'empêche de lire mon journal. Et ça m'agace, car je ne puis avoir un moment de libre pour me reposer seul et avoir du bon temps. »
2. « Je suis très pressée de finir cet ouvrage, et je deviens vraiment frustrée quand l'aspirateur ne cesse de s'arrêter et que je dois le rebrancher. »
3. « Je ne peux jouir de mon dîner quand je vois toute cette saleté. Ça me rend malade et j'en perds pratiquement l'appétit. »
4. « Ta mère et moi avons des choses importantes à discuter et nous avons besoin d'être seuls pour en parler. Alors quand tu tournes comme ça, je suis agacé et je ne suis pas capable de parler. »
5. « Je n'ai pas tellement le goût de faire quelque chose pour toi quand je vois que tu n'as pas tenu ton engagement de nettoyer ta chambre, car je me sens perdant et toi gagnant. »
6. « Je suis désolée de te voir si malheureux, mais je ne sais pas comment t'aider puisque je ne sais pas ce qui te rend si triste. »
7. « La musique est si forte que je ne peux parler tranquillement avec ton père ; alors je me sens vraiment privée de sa présence ; de plus ce bruit nous irrite les nerfs au plus haut degré. »
8. « Nos invités seront ici dans une heure à peine et tu n'as pas encore repassé les napperons. Maintenant je commence à craindre qu'ils ne soient pas prêts à temps, ou que j'aie à me hâter et à les faire moi-même. Or je me sens laissée pour compte puisque je me fiais à ta promesse de les repasser pour moi. »
9. « J'avais organisé toute ma journée pour que nous puissions aller t'acheter des souliers. Alors ça me gêne au plus haut point de t'attendre. »

4. Usage de l'autorité parentale. (Un exercice d'auto-analyse.)

INSTRUCTIONS : Voici une liste d'actions typiques que des parents posent dans leurs relations avec leurs enfants. En étant objectif et honnête avec vous-même, dans cet exercice, vous apprendrez quelque chose sur un aspect important de votre rôle de parent : comment vous employez votre autorité parentale. Vous lisez chaque énoncé et alors vous indiquez sur la feuille de réponse s'il est pro-

bable ou non probable que vous, comme parent, fassiez ce qui est énoncé (soit exactement ce qui est énoncé ou quelque chose de semblable).
Si vous n'avez pas encore d'enfants, ou si l'énoncé s'applique à un enfant plus âgé ou plus jeune ou d'un sexe autre que celui du ou des vôtre(s), supposez simplement comment vous agiriez dans de tels cas. Encerclez seulement un choix par numéro. Encerclez-le « ? » seulement si vous ne comprenez pas un énoncé ou si vous vous sentez *très* incertain(e).

P. Probable que vous agiriez ainsi ou d'une façon semblable.
N. Non probable que vous agiriez ainsi ou d'une façon semblable.
? Tout à fait incertain ou ne comprend pas.

Pour bien comprendre les termes employés dans cet exercice, lisez d'abord les définitions suivantes :

« Punir » : Faire une certaine chose désagréable pour l'enfant, le priver de ce qu'il veut ou lui infliger une douleur physique ou psychologique.

« Réprimander : Exprimer fortement une critique, « gronder », « tancer », sermonner, évaluer négativement.

« Menacer » : Avertir l'enfant d'une punition possible.

« Récompenser » : Faire une certaine chose agréable pour l'enfant en lui donnant quelque chose qu'il veut.

« Complimenter » : Evaluer l'enfant positivement ou favorablement, dire du bien à son sujet.

EXEMPLE : Exiger de votre enfant de dix ans qu'il demande la permission de parler quand il est dans un groupe d'adultes.
En encerclant le *N*, vous indiquerez que vous n'exigeriez probablement *pas* cela.

INDIQUEZ VOS REPONSES
SUR LA FEUILLE DES REPONSES

1. Enlever votre enfant du piano quand il refuse d'arrêter de jouer après que vous lui avez dit que ça devenait insupportable pour vous.
2. Complimenter votre enfant pour avoir été régulièrement ponctuel à venir dîner à la maison.

3. Gronder votre enfant de six ans si elle démontre des manières inadmissibles à table devant des invités.
4. Complimenter votre fils adolescent quand vous le voyez lire de la « bonne » littérature.
5. Punir votre enfant quand il emploie un juron inadmissible.
6. Donner une récompense quand votre enfant a indiqué sur un tableau qu'il n'a pas manqué une seule fois de se brosser les dents.
7. Dire à votre enfant de s'excùser parce qu'il a traité un autre enfant d'une manière impolie.
8. Complimenter votre enfant quand elle se rappelle d'attendre à l'école pour que vous passiez la chercher en auto.
9. Faire manger à votre enfant tout ce qui est dans son assiette avant de lui permettre de quitter la table.
10. Exiger que votre fille prenne un bain chaque jour et lui donner une récompense pour ne pas avoir manqué un seul jour durant le mois.
11. Punir votre enfant ou le priver de quelque chose quand vous l'avez pris à dire un mensonge.
12. Offrir à votre fils adolescent une sorte de récompense ou lui accorder un privilège s'il change ses cheveux longs pour un style plus court.
13. Punir ou réprimander votre enfant pour avoir volé de l'argent dans votre bourse.
14. Promettre à votre fille une chose qu'elle désire ardemment si elle s'abstient d'employer trop de maquillage.
15. Insister auprès de votre enfant pour qu'il exécute son numéro quand la famille ou des invités le demandent.
16. Promettre à votre enfant une chose que vous savez qu'il veut s'il pratique ses leçons de piano durant un certain temps chaque jour.
17. Garder votre enfant de deux ans sur le pot le temps nécessaire quand vous savez qu'il doit y aller.
18. Monter un système où votre enfant peut gagner une certaine récompense s'il accomplit régulièrement ses travaux autour de la maison.
19. Punir votre enfant ou menacer de le punir s'il mange entre les repas, après que vous lui avez dit de ne pas le faire.
20. Promettre une sorte de récompense pour encourager votre garçon à rentrer à temps à la maison le soir après ses sorties.
21. Punir ou gronder votre enfant pour ne pas avoir nettoyé sa chambre après qu'il l'ait dérangée en jouant.

22. Bâtir un système de récompense pour inciter votre fille à limiter la durée de ses appels téléphoniques.
23. Gronder votre enfant pour avoir détruit ou brisé par négligence un de ses jouets coûteux.
24. Promettre une certaine récompense à votre fille de treize ans si elle s'abstient de fumer.
25. Punir ou gronder votre enfant pour vous avoir répliqué ou vous avoir parlé d'une manière irrespectueuse.
26. Promettre à votre enfant une récompense quelconque si elle suit son horaire d'étude pour augmenter ses notes.
27. Empêcher votre enfant d'apporter ses jouets dans le salon quand celui-ci devient trop encombré.
28. Dire à votre fille que vous êtes fier d'elle ou enchanté de son choix quand vous appréciez fortement le garçon avec qui elle sort.
29. Exiger que votre enfant nettoie ses dégâts quand il renverse par négligence des aliments sur le tapis.
30. Dire à votre enfant qu'elle est une bonne fille ou la récompenser si elle reste tranquille quand vous la peignez.
31. Punir votre enfant pour avoir continué de jouer dans sa chambre alors que vous le pensiez couché et endormi.
32. Instituer un système de récompense pour votre enfant s'il se lave régulièrement les mains avant de se mettre à table.
33. Dire à vos enfants d'arrêter ou les punir quand vous les surprendrez à se tâter les organes génitaux.
34. Installer un système quelconque pour donner des récompenses à votre enfant s'il se prépare rapidement pour l'école.
35. Punir ou réprimander vos enfants pour s'être battus bruyamment afin d'obtenir un jouet.
36. Complimenter ou récompenser votre enfant pour ne pas avoir pleuré quand il n'a pas eu ce qu'il désirait ou qu'il s'est senti blessé dans ses sentiments.
37. Menacer de punir ou de réprimander votre enfant pour vous avoir dit qu'il n'irait pas faire une commission après que vous le lui avez demandé plusieurs fois.
38. Dire à votre fille que vous lui achèterez une chose qu'elle désire depuis longtemps si elle garde sa robe propre jusqu'à ce que vous sortiez souper dans une heure ou deux.
39. Punir ou réprimander votre enfant quand vous le voyez relever la jupe d'une fille du voisinage ou l'agacer.
40. Offrir à votre enfant de lui donner une récompense quelconque en argent pour chaque cours où il aura remonté sa note lors du prochain bulletin scolaire.

Feuilles de réponses.
Usage de l'autorité parentale.

1.	P	N	?	2.	p	N	?
3.	p	N	?	4.	P	N	?
5.	P	N	?	6.	P	N	?
7.	P	N	?	8.	P	N	?
9.	P	N	?	10.	P	N	?
11.	P	N	?	12.	P	N	?
13.	P	N	?	14.	P	N	?
15.	P	N	?	16.	P	N	?
17.	P	N	?	18	P	N	?
19.	P	N	?	20.	P	N	?
21.	P	N	?	22.	P	N	?
23.	P	N	?	24.	P	N	?
25.	P	N	?	26.	P	N	?
27.	P	N	?	28.	P	N	?
29.	P	N	?	30.	P	N	?
31.	P	N	?	32.	P	N	?
33.	P	N	?	34.	P	?	?
35.	P	N	?	36.	P	N	?
37.	P	N	?	38.	P	N	?
39.	P	N	?	40.	P	N	?

Suivre les instructions de pointage décrites à la page suivante pour établir le vôtre.

INSTRUCTIONS POUR LE POINTAGE :

1. D'abord compter tous les « P » encerclés après les nombres **IMPAIRS** (1,3,5,7,etc.) et placer ce nombre dans le carré « P » IMPAIRS.
2. Ensuite, compter tous les « P » encerclés après les nombres **PAIRS** (2,4,6,8,etc.) et placer ce nombre dans le carré « P » PAIRS.
3. Additionner les nombres dans les carrés de pairs et d'impairs et entrer ce total dans le carré TOTAL DES P.

USAGE DES PUNITIONS

Ce nombre indique à quel degré on emploie des PUNITIONS ou des menaces de punitions pour contrôler son enfant ou faire observer ses solutions aux problèmes.

P IMPAIRS	POINTAGE	EVALUATION
	0 - 5	Très peu
	6 - 10	Occasionnellement
	11 - 15	Souvent
	16 - 20	Très souvent

USAGE DES RECOMPENSES

Ce nombre indique à quel degré on emploie des récompenses ou des moyens d'incitation pour contrôler son enfant ou faire observer ses solutions aux problèmes.

P PAIRS	POINTAGE	EVALUATION
	0 - 5	Très peu
	6 - 10	Occasionnellement
	11 - 15	Souvent
	16 - 20	Très souvent

USAGE DES DEUX FORMES DE POUVOIR

Ce nombre indique à quel degré on emploie les deux sources de son POUVOIR PARENTAL pour contrôler son enfant.

TOTAL DES P	POINTAGE	EVALUATION
	0 - 10	Anti-autoritaire
	11 - 20	Modérément autoritaire
	21 - 30	Considérablement autoritaire
	31 - 40	Très autoritaire

5. Une liste des effets des façons typiques dont les parents répondent aux enfants.

Donner des ordres, diriger, commander.

Ces messages communiquent à l'enfant que ses sentiments et ses besoins ne sont pas importants ; il doit alors se plier aux sentiments ou aux besoins de ses parents. (« Ce que tu veux faire ne m'intéresse pas ; rentre à la maison tout de suite. »)

Ils communiquent une inacceptation de l'enfant tel qu'il est en ce moment. (« Veux-tu bien te tenir tranquille. »)

Ils suscitent la peur de la force du parent. L'enfant y entend une menace : il craint de se faire brutaliser par quelqu'un de plus grand et de plus fort que lui. (« Va dans ta chambre ; si tu n'y va pas tout de suite, je vais m'en occuper. »)

Ils peuvent provoquer le ressentiment ou la colère de l'enfant et l'amener souvent à exprimer des sentiments hostiles, à faire une crise, à se venger, à résister, à vouloir mettre à l'épreuve la volonté des parents.

Ils peuvent communiquer à l'enfant que le parent ne fait pas confiance à son jugement ou à sa compétence. (« Ne touche pas à cette assiette », « Ne t'approche pas du bébé »).

Avertir, mettre en garde, menacer.

Ces messages peuvent rendre un enfant craintif et soumis. (« Si tu fais ça, tu vas le regretter. »)

Ils peuvent soulever le ressentiment et l'hostilité de la même manière que font les ordres, les contraintes et les commandements. (« Si tu ne vas pas au lit immédiatement, tu auras la fessée. »)

Ils peuvent communiquer que le parent n'éprouve aucun respect pour les besoins ou les désirs de l'enfant. (« Si tu n'arrêtes pas de jouer de ce tambour, je vais me fâcher. »)

Il arrive que les enfants répondent aux avertissements et aux menaces en disant : « Ce qui peut arriver m'importe peu, ça ne changera pas ce que je ressens. »

Ces messages invitent aussi l'enfant à vérifier le degré de détermination contenue dans la menace du parent. Parfois, les enfants sont tentés de faire ce qu'on leur a défendu, simplement pour vérifier si les conséquences que le parent a annoncées vont se produire véritablement.

Moraliser, prêcher, faire la leçon.

De semblables messages font peser sur l'enfant le poids d'une autorité imposée, d'un devoir ou d'une obligation extérieure à lui.

Les enfants peuvent réagir à ces « tu devrais », « il faut », « tu dois », en résistant et en défendant leurs positions avec plus de vigueur encore.

Ces messages peuvent faire penser à un enfant que le parent n'a pas confiance en son jugement ; qu'il ferait mieux de se fier au jugement des « autres ». (« Tu dois faire ce qui est « bien ».).

Ils peuvent créer un sentiment de culpabilité chez l'enfant ; lui faire sentir qu'il est « méchant ». (« Tu ne devrais pas penser de cette façon. »)

Ils peuvent faire comprendre à un enfant que le parent n'a pas confiance en sa capacité d'évaluation des principes et des valeurs des autres. (« Tu dois toujours respecter tes professeurs. »)

Conseiller, donner des suggestions ou des solutions.

Ces messages sont souvent ressentis par l'enfant comme la preuve que le parent n'a pas confiance en son jugement ou en sa capacité de trouver ses propres solutions.

Ils peuvent créer une dépendance chez l'enfant et l'amener à arrêter de penser par lui-même. (« Qu'est-ce que je devrais faire, papa ? »)

Il arrive que les enfants s'irritent vivement et résistent fortement aux idées ou aux conseils des parents. (« Laisse-moi régler ça tout seul. » « Je ne veux pas que l'on me dise quoi faire. »)

Un conseil peut parfois communiquer à l'enfant nos attitudes de supériorité. (« Ta mère sait ce qu'il te faut. ») Les enfants peuvent aussi y trouver un sentiment d'infériorité. (« Pourquoi n'y ai-je pas pensé ? » « Tu sais toujours mieux que moi ce qu'il faut faire. »)

Les conseils peuvent amener un enfant à croire que ses parents ne le comprennent pas du tout. (« Tu ne me proposerais pas cela si tu savais ce que je ressens. »)

L'habitude de donner des conseils peut inciter l'enfant à consacrer tout son temps à réagir aux idées de ses parents et à ne rien faire pour élaborer les siennes.

Expliquer, argumenter, persuader par la logique.

Essayer d'enseigner donne souvent à « l'étudiant » l'impression qu'on veut le faire paraître inférieur, subordonné, incompétent. (« Tu crois toujours tout savoir. ») Souvent l'enfant s'irrite ou se met sur la défensive quand on le place face à des faits, à des arguments ou à la logique. (« Tu crois que je ne le savais pas ? »)

Les enfants, tout comme les adultes d'ailleurs, n'aiment pas beaucoup qu'on leur démontre qu'ils ont tort. Ils vont donc alors défendre leur position avec acharnement. (« Tu as tort, c'est moi qui ai raison. » « Tu ne réussiras pas à me convaincre. »)

Règle générale, les enfants détestent les « causeries » des parents. (« Ils parlent et parlent sans arrêt, et je dois rester là à les écouter. »)

Les enfants vont souvent recourir à des méthodes excessives pour réfuter les faits avancés par les parents. (« Tu es trop vieux pour savoir ce qui se passe. » « Tes idées sont dépassées et démodées. » « Tu es un croulant. »)

Souvent les enfants connaissent déjà tous les faits que leurs parents tiennent à leur démontrer ; alors ils n'apprécient pas leurs propos qui sous-entendent qu'ils ne sont pas renseignés. (« Je sais déjà tout ça, tu n'as pas besoin de te donner la peine de me le dire. »)

Parfois les enfants choisissent d'ignorer les faits présentés par les parents. (« Ça ne me dérange pas. » « Et puis, après ? » « Cela ne m'arrive pas à moi. »)

Juger, critiquer, être en désaccord, blâmer.

Ces messages, probablement plus que tous les autres, amènent les enfants à se sentir inaptes, inférieurs, stupides, insignifiants, méchants. L'image qu'un enfant a de lui-même se bâtit d'après les jugements et les évaluations que ses parents font de lui. L'enfant portera souvent sur lui-même le jugement que le parent a porté sur lui. (« J'ai tellement souvent entendu répéter que j'étais méchant, que j'ai commencé à croire que je devais l'être vraiment. »)

Une critique négative en provoque une autre. (« Je t'ai vu faire la même chose. » « Tu n'es pas tellement mieux toi-même »).

Evaluer les enfants les influence grandement à garder leurs

sentiments pour eux-mêmes ou à cacher des choses à leurs parents. (« Je sais que si je leur en parle, ils vont me critiquer. »)

Les enfants, tout comme les adultes, n'aiment pas être jugés négativement. Ils répondent par la défensive pour pouvoir préserver l'image qu'ils ont d'eux-mêmes. Souvent, ils vont se fâcher, et détester le parent qui les a ainsi évalués même si son jugement a été juste.

Des évaluations et des critiques fréquentes amènent certains enfants à croire qu'ils ne possèdent aucune capacité et que leurs parents ne les aiment pas.

Complimenter, être d'accord, évaluer positivement, approuver.

On croit que les compliments sont toujours bénéfiques aux enfants, mais, contrairement à cette croyance très répandue, ils ont souvent des effets négatifs. Une évaluation positive qui ne correspond pas à l'image que l'enfant se fait de lui-même peut même provoquer de l'hostilité : « Je ne suis pas beau, je suis laid. » « Je déteste mes cheveux. » « Je n'ai pas bien joué, j'ai été minable. »

Les enfants concluent inévitablement que si le parent peut juger positivement, il pourra aussi juger négativement à un autre moment. Aussi, dans le cas d'une famille où les compliments et les encouragements sont fréquents, leur absence peut être interprétée par l'enfant comme une critique. (« Tu ne m'as pas complimenté sur mes cheveux, tu ne les aimes donc pas ? »)

Un enfant ressent souvent un compliment comme une manipulation, comme une façon subtile de le pousser à faire ce que veulent ses parents. (« Tu dis cela seulement pour me faire étudier davantage. »)

Les enfants en concluent parfois que leurs parents ne les comprennent pas lorsqu'ils les complimentent : « Tu ne m'aurais pas dit ça si tu avais su ce que j'éprouvais face à moi-même. »)

Les enfants se sentent souvent embarrassés par les compliments, surtout devant des amis. (« Voyons, papa, ce n'est pas vrai. »)

Les enfants qui reçoivent beaucoup de compliments peuvent à la longue en être dépendants, et même en venir à les demander. (« Tu n'as rien dit sur la propreté de ma chambre ? » « Maman, comment me trouves-tu ? » « J'ai été bon garçon, n'est-ce pas ? » « J'ai fait un beau dessin, n'est-ce pas ? »)

Dire des noms, ridiculiser, faire honte.

Des messages de ce type peuvent avoir des effets néfastes sur l'estime qu'un enfant a de lui-même. Ils peuvent insuffler à un enfant des sentiments d'infériorité, lui faire croire qu'il est indigne, méchant, mal aimé.

Le plus souvent les enfants réagissent à de tels messages par la riposte. (« Tu chiales tout le temps ! » « Tiens, regarde donc qui me traite de paresseux ! »)

Lorsqu'un enfant reçoit un tel message de la part d'un parent qui essaie de l'influencer, il est beaucoup moins porté à s'examiner de façon réaliste et à changer. Au contraire, il peut se concentrer sur le message injuste du parent et se trouver des excuses. (« Je n'ai pas l'air vulgaire avec ce maquillage. Ce n'est pas juste de me dire ça. »)

Interpréter, psychanalyser, diagnostiquer.

Les messages de ce type font sentir à l'enfant que le parent voit clair « dans son jeu », qu'il connaît ses motifs ou les raisons qui l'amènent à agir de telle façon. Une telle psychanalyse de la part du parent peut devenir une menace et une frustration pour l'enfant.

Si l'interprétation ou l'analyse du parent se révèle juste, l'enfant peut se sentir embarrassé de se voir ainsi exposé. (« Tu n'as pas d'amis parce que tu es trop timide. » « Tu fais cela pour attirer l'attention. »)

Lorsque l'analyse ou l'interprétation du parent est erronée, comme cela se produit souvent, l'enfant se sentira irrité d'avoir été accusé injustement. (« C'est ridicule de dire que je suis jalouse ! »)

Les enfants voient dans ces diagnostics une attitude de supériorité de la part du parent. (« Tu crois tout savoir. ») Les parents qui psychanalysent souvent leurs enfants leur communiquent qu'ils se croient supérieurs, plus intelligents.

Les messages du genre « Je sais pourquoi » et « Je vois dans ton jeu » ont souvent pour effet immédiat de couper toute communication avec l'enfant sur le sujet : et le jeune en retient qu'il ne lui sert à rien de faire part de ses problèmes à ses parents.

Rassurer, sympathiser, consoler, soutenir.

Ces messages ne sont pas aussi utiles que les parents veulent bien le croire. Rassurer un enfant troublé par un événement ou par toute autre chose peut tout simplement le convaincre que vous ne le comprenez pas. (« Tu ne dirais pas ça si tu savais à quel point j'ai peur. »)

Les parents rassurent et consolent à cause de l'inconfort qu'ils ressentent eux-mêmes à la vue de leur enfant confus, troublé ou découragé. Ces messages lui disent que vous désirez qu'il cesse de ressentir ce qu'il vit en ce moment. (« Ne t'inquiète pas, les choses vont s'arranger. »)

Les enfants peuvent voir dans ces tentatives de les rassurer des efforts pour les changer, et ils se méfient alors de leurs parents. (« Tu dis ça seulement pour que je me sente mieux. »)

Minimiser un événement ou un sentiment, tenter de rassurer des efforts pour les changer, et ils se méfient alors de leurs parents. (« Tu dis ça seulement pour me consoler. »)

Enquêter, questionner, interroger.

Poser des questions peut manifester à votre enfant votre manque de confiance, vos soupçons, vos doutes. (« T'es-tu lavé les mains comme je te l'ai demandé ? »)

Les enfants perçoivent aussi certaines questions comme des pièges qui leur sont tendus. (« Combien de temps as-tu étudié ?... Seulement une heure ! Il ne faudra pas être surpris si tu as de mauvaises notes à cet examen. »)

Les enfants se sentent souvent menacés par les questions, surtout quand ils ne comprennent pas pourquoi leur parent les leur pose. Il suffit de remarquer le nombre de fois où un enfant dit : « Pourquoi me demandes-tu ça ? » « A quoi veux-tu en venir ? »

Si nous questionnons un enfant qui nous a fait part d'un problème, il peut en déduire que nous amassons de l'information pour régler son problème plutôt que de lui laisser trouver sa propre solution. (« Quand as-tu commencé à avoir cette sensation ? Vois-tu des liens avec l'école ? Comment ça va à l'école ce temps-ci ? » Fréquemment les enfants ne veulent pas que leurs parents leur présentent des solutions à leurs problèmes : (« Si j'en parle à mes parents, ils vont tout de suite me dire que je devrais faire ceci ou cela. »)

Lorsque nous questionnons quelqu'un avec qui nous discutons d'un problème, chacune de nos questions limite la liberté de cette personne de parler de ce qu'elle veut. En un sens, chacune de nos questions oriente et conditionne son prochain message. Si on demande : « Quand as-tu observé ce sentiment pour la première fois ? », on dit à la personne de s'en tenir au moment de l'apparition de ce sentiment et à rien d'autre. C'est pourquoi il est tellement pénible d'être contre-interrogé par un avocat : on sent alors qu'on doit raconter son histoire selon les termes de ses questions. Interroger n'est donc nullement une méthode efficace de faciliter la communication ; au contraire, on limite considérablement la liberté de la personne avec qui on communique.

Esquiver, distraire, faire de l'humour, divertir.

De tels messages peuvent communiquer à l'enfant que vous ne vous intéressez pas à lui, que vous ne respectez pas ses sentiments ou que vous le rejetez nettement.

Lorsqu'ils éprouvent le besoin de parler de quelque chose, les enfants démontrent généralement une grande détermination et une attitude très sérieuse. Si on leur répond par une blague, ils peuvent se sentir blessés et rejetés.

Eviter la communication d'un enfant ou l'en distraire peut paraître au premier abord efficace, mais une personne ne se libère pas aussi facilement d'un sentiment.

Il reparaît souvent par la suite. Un problème mis de côté est rarement un problème résolu.

Les enfants, tout comme les adultes, veulent être écoutés et compris dans le respect. Si leurs parents les écartent, ils auront tôt fait de s'en rendre compte et ils s'adresseront à d'autres pour traiter de leurs sentiments et de leurs problèmes importants.

6. Lectures suggérées aux parents.

Axline Virginia. *Dibs*. Paris, Flammarion 1970.

L'histoire émouvante du développement et du changement d'un enfant au cours d'une thérapie avec l'auteur, qui figure parmi les pionniers de la thérapie par le jeu centré sur la personne. Elle démontre l'écoute active et la puissance du langage de l'acceptation.

Bettelheim Bruno. *Les Enfants du rêve.* Paris, Laffont 1972, Montréal, Jour 1972.

Une étude approfondie des enfants et de l'éducation dans les kibboutz d'Israël. L'auteur en tire des leçons pour les parents et en présente les implications pour nos méthodes d'éducation des enfants, en particulier dans les quartiers défavorisés. Il aidera les parents à élargir leurs conceptions de l'éducation et leur offrira de nouvelles façons dont nous pourrions élever nos enfants plus efficacement.

Bronfenbrenner Urie. *Enfants russes et enfants américains.* Paris, Fleurus, 1973.

Un rapport détaillé d'une étude comparative des méthodes d'éducation pratiquées en Russie et aux Etats-Unis. L'auteur montre comment les parents américains ont poussé leurs enfants à être élevés par leurs camarades et par la télévision. Il souligne certains aspects où les parents n'ont pas réussi à fournir une liberté appropriée à leurs enfants. Il montre que, par contraste avec les parents soviétiques, nous négligeons la formation des enfants à la coopération, à l'altruisme et à l'auto-discipline.

Coutrot Anne-Marie et Jean Ormezzo. *Chers parents.* Paris, Laffont, 1974.

Les auteurs rapportent les résultats d'une enquête où ils ont tenté de saisir de quelle façon les enfants voyaient leurs parents. Les jeunes étaient invités à s'exprimer sur le caractère de leurs parents, leur style d'autorité, leurs méthodes d'éducation, leurs attitudes face à la jeunesse, etc. Les réponses touchantes, critiques et indulgentes de nos jeunes nous apprennent directement quel genre d'impact ou d'effets véritables nous avons sur ceux que nous voulons éduquer.

Donovan Frank R. *Education stricte ou éducation libérale.* Paris, Laffont, 1970.

Une surprise pour les gens qui n'acceptent pas les jeunes d'aujourd'hui et leur comportement. L'auteur montre que les jeunes se sont révoltés contre l'autorité tout au long de l'histoire et de quelle façon les enfants ont été exploités.

Dreikurs Rudolf. *Le Défi de l'enfant.* Paris, Laffont, 1972.

Un livre où l'auteur présente aux parents une conception de l'éducation fondée sur la théorie d'Adler. Le système de Dreikurs a des ressemblances avec notre philosophie, mais aussi quelques différences, notamment dans le domaine de la discipline et des conflits.
Ce livre peut aider les parents à mieux comprendre leurs enfants, même si certains procédés recommandés sont en désaccord avec l'approche sans perdant.

Freinet Célestin. *Les Dits de Mathieu.* Paris, Delachaux et Niestlé, 1959.

Série de propos brefs et imagés où les thèmes de la motivation, l'intérêt, la créativité, la production, l'apprentissage et les relations entre enfant et éducateur sont présentés en rapport avec la vie des enfants en liberté, l'apprentissage spontané, l'expérience du jeu et de la famille.

Fromm Erich. *L'Art d'aimer.* Paris, Epi, 1968.

Une œuvre classique qui étudie le sentiment d'amour entre homme et femme, et entre parent et enfant. L'auteur fait le lien entre la capacité d'aimer et la force intérieure, l'amour de soi-même et la créativité et la productivité personnelles. Excellent pour aider à comprendre le vrai sens psychologique de l'expression « Aimer ses enfants ».

Ginot Haim G. *Relations entre parent et enfant.* Paris Marabout, 1968.

Cet ouvrage fort populaire et facile à lire montre aux parents la différence entre une conversation destructive et un entretien constructif (thérapeutique) avec les enfants. Bien que fertile en anecdotes et en exemples brefs, ce livre ne présente pas d'extraits plus longs où l'on verrait comment employer l'écoute active comme forme de consultation auprès des enfants. Contrairement à l'approche sans perdant, la méthode de discipline de Ginott approuve que le parent établisse seul des limites et des règlements. Ce livre offre un bon nombre de suggestions utiles pour traiter certains problèmes particuliers tels que la jalousie, le lever et le coucher, l'usage de la télévision, l'habillement, l'éducation sexuelle, etc. Pour certains de ces problèmes l'auteur préconise très fortement telle « bonne » solution.

Ginott Haim G. *Relations entre parents et adolescents.* Paris, Marabout, 1969.

L'auteur traite en particulier des façons dont les parents peuvent employer le langage de l'acceptation pour répondre aux messages des adolescents. Il démontre les effets destructifs des critiques, des insultes, des compliments et des sermons. Il offre aux parents des conseils pour traiter des problèmes particuliers à l'adolescence tels que les fréquentations entre garçons et filles, l'habillement, l'alcool, les relations sexuelles et la drogue.
L'auteur est souvent catégorique sur la façon dont les parents « devraient » agir. Il présente une philosophie de la discipline qui est différente de l'approche sans perdant.
Fertile en exemples concrets, cet ouvrage n'offre cependant aucune théorie cohérente pour lier ensemble tous ces exemples.

Glasser William. *Des écoles sans déchets.* Paris, Fleurus, 1973.

Une vision fort critique des écoles modernes, où l'auteur montre comment l'enseignement, l'évaluation et les programmes imposés contribuent à l'échec des enfants. Il présente des procédés applicables en classe pour donner aux jeunes une plus grande liberté de pensée et de parole. Il traite des façons d'établir une discipline sans punition.

Gordon Thomas. *Devenir enseignant efficace : enseigner et être soi-même.* Québec, Institut de Développement Humain, 1977.

En employant la même théorie générale de l'efficacité humaine qu'il a appliquée à la relation entre parent et enfant, l'auteur montre comment les enseignants peuvent susciter un meilleur développement chez leurs étudiants et comment établir dans la classe une discipline et un climat d'apprentissage sans recourir au pouvoir et sans verser dans la permissivité. L'ouvrage contient également une partie spécialement destinée aux parents où l'auteur présente des façons efficaces de traiter les difficultés d'apprentissage et les problèmes scolaires de leurs enfants.

Holt John. Parents et maîtres face à l'échec scolaire. Bruxelles, Casterman, 1968.

Un enseignant présente une analyse pénétrante du système scolaire. Il montre que les attitudes des enseignants et l'école mènent à un sentiment d'échec, même chez les enfants qui ont de bonnes notes. Il montre les effets de l'évaluation. Il montre comment les écoles ennuient, effraient et confondent les enfants. Ouvrage tout aussi intéressant pour les parents que pour les professeurs.

Jourard Sidney. *La Transparence de soi.* Québec, Saint-Yves, 1972.

Présente l'hypothèse que l'homme peut être plus sain, vivre plus pleinement sa vie et être plus utile aux autres s'il acquiert le courage d'être vrai avec les autres. Dissimuler ses sentiments et ses pensées empêche les relations intimes et provoque des maladies émotionnelles.

Maslow Abraham. *Vers une psychologie de l'être.* Paris, Fayard, 1971.

Excellente présentation d'une psychologie positive et optimiste fondée sur l'aspiration des personnes à se développer et à réaliser leur potentiel. L'auteur souligne que cette tendance est facilitée quand on accepte les gens tels qu'ils sont.

Neill A.S. *Libres enfants de Summerhill.* Paris, Maspéro, 1969.

Compte rendu sur une école avant-gardiste d'Angleterre où l'auteur mène une expérience où il incorpore dans une institution d'éducation les principes de la démocratie et les éléments d'une communauté thérapeutique.

Neill A.S. *La Liberté et non l'anarchie.* Paris, Pagot, 1967.

Neill applique la philosophie fondamentale de son école de

Summerhill à la relation entre adulte et enfant. Il souligne la différence entre la liberté et la permissivité excessive. Cet ouvrage fournit aux parents une compréhension plus profonde de l'efficacité d'une attitude de confiance envers les enfants. Cet auteur appuie plusieurs concepts de la méthode sans perdant.

Osterrieth Paul. *Introduction à la psychologie de l'enfant.* Paris, P.U.F., 1969.

L'auteur présente le développement de l'enfant sous forme de stades principaux de la naissance jusqu'à l'âge de douze ans. Pour chaque âge, il décrit l'évolution sous les aspects de la motricité, l'intelligence, la conscience morale, l'affectivité et la socialisation.

Pages Max. *L'Orientation non directive en psychothérapie et psychologie sociale.* Paris, Dunod, 1970.

Présente l'ensemble de l'orientation non directive, ou rogérienne, touchant les domaines de la psychothérapie, de la pédagogie, de l'enquête psychosociale, de la formation et de l'intervention psychosociologiques. Etudie les paradoxes de cette approche et ses corollaires pratiques, et aide ainsi à comprendre la dynamique du changement personnel qui se produit dans un climat d'acceptation.

Péretti André de. *Liberté et relations humaines.* Paris, Epi, 1967.

L'auteur aide à déceler les blocages, les mensonges avoués et inavoués, les faux pas des relations humaines et à y restaurer la vérité. Les propos ont en commun cette volonté de retrouver dans l'homme et dans les relations entre les hommes une liberté qui en est trop souvent absente. Il s'inspire de la non-directivité du célèbre psychothérapeute Carl Rogers.

Rogers Carl & Kinget G. *Psychothérapie et relations humaines.* (Tome I, la Théorie et Tome II, la Pratique.) Montréal, Institut de Recherches Psychologiques, 1966. Louvain, Publications Universitaires, 1966.

Voici un texte fondamental sur la théorie et la pratique de la psychothérapie centrée sur la personne, d'où découlent les idées d'acceptation et d'écoute active. Cet ouvrage est excellent pour les parents qui veulent acquérir une compréhension profonde des ingrédients essentiels à une relation d'aide. On retrouve dans ce livre une grande partie des origines de la philosophie et des attitudes fondamentales du Dr Gordon envers les personnes.

Rogers Carl. *Le Développement de la personne.* Paris, Dunod, 1970.

Une série d'articles où Rogers décrit sa pensée sur la thérapie, l'éducation, le développement, la personne saine, la relation d'aide, etc. Utile à ceux qui veulent comprendre les implications plus larges de la thérapie centrée sur la personne et saisir le caractère et la personnalité de Rogers.

Rogers Carl. *La Relation d'aide et la psychothérapie.* Paris, Editions sociales françaises, 1970. (2 volumes.)

Ce livre est devenu un classique parce que ce fut la première œuvre où Rogers formula sa théorie et philosophie de la psychothérapie centrée sur le client. Bien qu'écrit pour le thérapeute professionnel, il a été utile à plusieurs éducateurs qui veulent comprendre plus profondément cette approche thérapeutique nouvelle.

Rogers Carl. *Liberté pour apprendre.* Paris, Dunod, 1971.

L'auteur y présente une application de l'approche centrée sur la personne et de la philosophie rogérienne aux écoles et à l'enseignement. Il démontre comment des enseignants ont pu créer un climat de liberté dans leur classe et aider leurs étudiants dans leur développement personnel et l'acquisition de leur autonomie.

Spock Benjamin. *Comment soigner et éduquer son enfant.* Paris,

Ce livre est un classique mondial pour les parents. Il donne pour des centaines de problèmes des suggestions pratiques et faciles à comprendre. Cet ouvrage est très utile pour aider les parents à traiter les problèmes de nourriturre, de soins corporels, de malaises, de sexe, de sommeil et de jeu. Une excellente source de renseignements utiles à comprendre l'évolution des enfants. L'attention n'est cependant pas centrée sur la relation entre parents et enfants ; et les parents n'y n'apprendront pas à communiquer avec leurs enfants ou à résoudre des conflits.

Si vous êtes intéressé par la Méthode Gordon vous pouvez vous adresser à

En France
Gordon France
7, rue de Surene - F. 75008 Paris
Tél. : 01 47 42 19 18
Email : gordon.france@world online.fr

En Belgique
L'Ecole des Parents Educateurs
Secteur de formation
à l'efficacité humaine
14, place des Acacias -
1040 Bruxelles
Tél. : 02 733 95 50
Email : epebelgique@swing.be

En Suisse
Centre Gordon Suisse romande
C.P. 339
CH 1224 Chêne-Bougeries - Genève
Tél. : 022 869 11 04
Email : bruno.savoyat@ibt-pep.ch

Au Canada
Place du Parc
C.P. 1142, 300 Léo-Pariseau,
Bureau 2200
Montréal (Québec) H2X4B3
Tél. : 514 284 26 22
Email : info@actualisation.com

IMPRIMÉ EN ESPAGNE PAR LIBERDÚPLEX (Barcelone)

pour le compte des
Nouvelles Éditions Marabout
D.L. nº 79106 - décembre 2006
ISBN : 978-2-501-05247-4
40.9025.4/01